REŞİT EMRE KONGAR, 13 Ekim 1941'de İstanbul'da doğdu.

1963 yılında Siyasal Bilgiler Fakültesi Maliye ve İktisat Bölümü'nü, 1966 yılında da Michigan Üniversitesi Sosyal Çalışma Yüksek Okulu'nu, M.S.W. derecesiyle bitirdi.

1968 yılında Hacettepe Üniversitesi'nde Sosyal Çalışma Yüksek Okulu'nu kurdu ve buraya müdür olarak atandı.

1981 yılı Temmuz ayında "Atatürk ve Devrim Kuramları" adlı takdim teziyle Hacettepe Üniversitesi Senatosu'nca profesörlüğe yükseltildi.

15 Şubat 1983 tarihinde, askeri rejimin üniversite konusundaki uygulamalarını protesto etmek için üniversiteden istifa etti.

1983-1987 tarihleri arasında Hürriyet gazetesinde danışmanlık, 1987-1991 tarihleri arasında da KAMAR Kamuoyu Araştırma Şirketi'nde yöneticilik yaptı.

17 Nisan 1992 tarihinde Kültür Bakanlığı Müsteşarlığı'na atandı.

Kasım 1995'te müsteşarlık görevinden ayrıldı, 1996'da üniversite öğretim üyeliğine geri döndü.

15 Ocak 1996'da Federal Almanya Devleti tarafından Üstün Hizmet Madalyası Büyük Liyakat Haçı'yla, 1 Şubat 1996'da İtalya Devleti Commandatore Madalyası'yla, 15 Şubat 1996'da da Polonya Devleti Commandor Nişanı'yla ödüllendirildi.

2001 yılında Cumhuriyet gazetesi yayın danışmanlığına atandı.

Halen Yıldız Teknik Üniversitesi'nde saat başı görevli ve Müjdat Gezen Sanat Merkezi'nde de fahri olarak hocalık yapmakta, ayrıca Cumhuriyet gazetesinde köşe yazarlığını sürdürmektedir.

Türkiye'nin Toplumsal Yapısı adlı kitabıyla 1977 yılında Türk Dil Kurumu Bilim Ödülü'nü, Toplumsal Değişme Kuramları ve Türkiye Gerçeği adlı kitabıyla 1979 yılında Sedat Simavi Vakfı Sosyal Bilim Ödülü'nü, 21. Yüzyılda Türkiye adlı kitabıyla, 1998 Aydın Doğan Sosyal Bilimler Ödülü'nü kazandı.

Evli ve üç çocukludur.

www.kongar.org

D1048716

EMRE KONGAR

Demokrasimizle Yüzleşmek

11. Basım

*Sn. Nedim İNCÖ
ah, ABD'de yaptığı
özverili çalışmaları kutlu-
yarak, en iyi dileklerimle—
7 HAZİRAN
2009*

Ⓡⓚ

Remzi Kitabevi

DEMOKRASİMİZLE YÜZLEŞMEK / Emre Kongar

Editör: Yasemin Aktaş
Kapak fotoğrafı: Ahmet Erduran
Kapak düzeni: Ömer Erduran

ISBN 978-975-14-1230-0

BİRİNCİ BASIM: Ekim, 2007
ON BİRİNCİ BASIM: Ekim, 2007

Bu kitabın her basımı 2000 adet olarak yapılmıştır.

Remzi Kitabevi A.Ş., Akmerkez E3-14, 34337 Etiler-İstanbul
Tel (212) 282 2080 Faks (212) 282 20 90
www.remzi.com.tr post@remzi.com.tr

Baskı ve cilt: Remzi Kitabevi A.Ş. basım tesisleri
100. Yıl Matbaacılar Sitesi, 196, Bağcılar-İstanbul

İçindekiler

3

Çok Partili Sistem Bir Yağma Düzenine Nasıl Dönüştü, 33

4

Demokrasinin Tanımı ve İşleyişi Üzerine Bazı Kuramsal Anımsatmalar, 45

5

Demokrasimiz Neden Dışardan Yönetiliyor, 51

6

Demokrat Birey, Eğitim ve Kadın, 63

7

Demokrasi İçin Büyük Tehdit: Laiklik Karşıtlığı, 87

8

Demokrasi ve Küreselleşme, 102

9

Demokrasi ve Milliyetçilik: Türkçülük, Kürtçülük ve Azınlıklar, 138

10
Demokrasi ve Siyasal İslam, 174

11

Demokrasi ve Milli Egemenlik, 206

12

Demokrasi ve Atatürkçülük, 213

13

Demokrasi ve Askerler, 227

14

Demokrasi ve Medya, 239

15

Kafakarıştırolojik Vecizeler, 253

16

Demokrasi Denilen Yağmacı Liderler Oligarşisi'nden Dinci
Oligarşi'ye Doğru, 258

17

Ne Yapmalı: Dinci Oligarşi'ye Doğru Kayışın
Diyalektiği, 289

Giriş

Sevgili okurlarım, dünya ve Türkiye son derece hızlı bir biçimde değişiyor.

Bu değişmenin altında, hiç kuşkusuz baş döndürücü bir hız kazanan teknolojik ilerleme, özellikle de benim Bilişim Devrimi dediğim, bilgisayar ve iletişim teknolojisindeki inanılmaz gelişme var.

Ayrıca Küreselleşme olgusu, bu değişimin Türkiye'ye bugüne kadar olduğundan çok daha hızlı ve çok daha derin bir biçimde, derhal yansımasına yol açıyor.

Kitabın ilerideki bölümlerinde dünyadaki bu değişmenin anlamını ve Türkiye'ye yansımalarını ayrıca irdelemeye çalışacağım.

Şimdilik, bu teknolojik ilerleme ve gelişmenin toplumsal, ekonomik, kültürel ve siyasal sonuçlarının Türkiye'ye dünyadan Küreselleşme yoluyla aktarıldığını ve ülkemizde Demokrasi aracılığıyla uygulamaya konulduğunu belirtmekle yetineceğim.

Bu açıdan, bu kitabın iki ekseni olacak:

Ağırlıklı olarak Demokrasi ve arka planda da Küreselleşme.

* * *

Sevgili okurlarım Demokrasi ve Küreselleşme sözcüklerinin baş harflerini büyük harfle yazdığıma dikkat etmişsinizdir.

Bunun nedeni, örneğin Demokrasi'den, sadece genel anlamda değil, özellikle ülkemizdeki uygulamalar bağlamında, kendine özgü bir model olarak da söz edeceğimdir.[*]

Tabii ki Demokrasi'nin evrensel ilkelerine göndermeler, karşılaştırmalar yapacağım.

Ama Demokrasi dediğimde, sözünü ettiğim esas kavram "Bizim Demokrasimiz"dir.

Bu kitapta "Bizim Demokrasimiz"in ne olduğunu, ne olmadığını, hangi şartlarda doğduğunu, eksiklerini, yanlışlarını ve tabii nasıl daha iyi işleyen bir rejim haline getirilebileceğini tartışmaya çalışacağım.

Çünkü dış konjonktürün, yani dünyadaki gelişme ve değişmelerin ülkemiz üzerindeki etkilerini simgeleyen Küreselleşme bağlamındaki uygulamalar Demokrasi adına yapılıyor.

Ne hazindir ki, Çok Partili Rejimimizin yozlaştırılması, Yağma düzenine, Liderler Oligarşisi'ne ve nihayet Dinci Oligarşi'ye doğru dönüştürülmesi de yine Demokrasi adına uygulamaya koyuluyor.

Bu süreçleri iyi anlamazsak, ne ülkemizin nereye nasıl gittiğini anlarız, ne de bu gidişi etkileme şansımız olur.

*   *   *

Sevgili okurlarım, sakın bu kitabın derin ve anlaşılmaz soyutlamalarla dolu olduğunu sanmayın.

Tam tersine, kimi bölümleri okurken âdeta bir hicviye, bir kara mizah okur gibi olacaksınız.

Ama daha çok üzülecek, kızacak ve -dilerim ki- son bölümleri de okuduktan sonra her şeye karşın umutlanacaksınız.

İyi okumalar dileğiyle, buyurun Demokrasimizle yüzleşmeye...

(*) Benzer nedenlerle Oligarşi, Çok Partili Rejim ya da Liderler Oligarşisi gibi kavramların da baş harflerini büyüttüm.

1

Niçin Demokrasimizle Yüzleşmeliyiz

Demokrasimizle yüzleşmek için, 1946'dan beri uygulamaya çalıştığımız ve adına Demokrasi dediğimiz bu Çok Partili Rejimin bizi nereye götürdüğüne bakmak gerek.

Yani önümüzde görünen yol nedir ve bizi nereye götürüyor?

Gelecekteki seçeneklerimiz nelerdir?

Bu seçenekleri acaba Demokratik yöntemlerle belirleyebilecek miyiz?

Nereye Gidiyoruz?

Türkiye, bir yolda hızla ilerliyor:

Nereye?

Çağdaş yapıya doğru mu, yoksa çağ gerisi bir düzene mi?

"Avrupa Birliği"ne mi, yoksa "Ilımlı İslam Devleti"ne mi ya da Malezya'ya doğru mu?

* * *

Kimilerine göre bu yol AB'ye gidiyor:

Sonu aydınlık.

Türkiye yeter ki AB'ye bir girsin.

Ne özgürlük sorunu kalacak, ne Demokrasi sorunu.

Ne Kıbrıs sorunu kalacak, ne ayrılıkçı etnik sorun, ne de soykırım iddiaları ve bu iddiaların sonuçları...

Bütün iç ve dış sorunlar, bu yolun sonunda çözülecek.

* * *

Kimilerine göre ise bu yol Ilımlı İslam Devleti'ne gidiyor:
Sonu karanlık.

Türkiye bu yolda ilerledikçe totaliter bir düzene yaklaşıyor.

Önce eğitim, sonra yargı, sonra kamu yönetimi, sonra sivil toplum örgütleri, sonra toplum, en sonunda da devlet dinsel dogmalar üzerine oturtulacak.

Her değişme, her yeni yasa ya da yeni yasa tasarısı, her yeni uygulama ülkeyi bu karanlığa doğru sürüklüyor.

* * *

"Türban" ve tesettür yaygınlaşıyor.

Türban, "kadının özgürleşmesinin" mi işareti, yoksa "köleleşmesinin" mi?

* * *

AB yolunda yeni Ceza Yasası ve Ceza Muhakemeleri Yasası kabul edildi.

Türkiye, daha özgür ve daha güvenli mi oldu?

Yoksa, yargılanan yazarlar, hapse atılan rektör, hakkında iddianame hazırlanan komutan, yaygınlaşan gasp, soygun olayları ve çete örgütlenmeleri, daha güvensiz bir toplumun işaretleri mi?

* * *

Kuran kursları, yaygınlaşıyor.

Her yıl 2.000.000 (yazıyla iki milyon) çocuğumuz Kuran kurslarından geçiriliyor.

"Yaradılış inancı", "Evrim kuramı"yla birlikte ders kitaplarına girdi.

Tarih kitapları yeniden yazılıyor; **Atatürk** azalıyor, Osmanlı öne çıkıyor.

Yeni bir Anayasa yapılıyor, bazı temel maddeler ve tanımlar değiştiriliyor.

Türkiye AB'ye mi yaklaşıyor, Ilımlı İslam Devleti'ne mi?

* * *

Amerikalı politikacılar, Türkiye'yi "Bir İslam Devleti, bir İslam Demokrasisi" diye niteliyor.

Sanki Türkiye laik değilmiş gibi.

Sanki tek bir dine, tek bir mezhebe, tek bir inanca dayalı Demokrasi olabilirmiş gibi.

Dışişleri Bakanı, Türkiye'nin Büyük Ortadoğu Projesi, BOP (veya Genişletilmiş Ortadoğu Projesi, GOP) bağlamında ABD'yle birlikte davranacağını açıklıyor.

Bu karar Türkiye'yi AB'ye mi yaklaştırıyor, Ilımlı İslam Devleti'ne mi?

* * *

Başbakan, Türkiye'nin en üst idari yargı organı olan Danıştay'a, bir türban kararı için, *"Efendi bu senin işin değil, Diyanetin işi"*; Avrupa İnsan Hakları Mahkemesi'ne de yine aynı konudaki bir karar için, *"Bunu din ulemasına sormak lazım"* diye sesleniyor.

Yargıyı din adamlarının baskısı altına alan bu anlayış, Türkiye'yi AB'ye mi yöneltiyor, Ilımlı İslam Devleti'ne mi?

* * *

Türkiye yeni Anayasa tartışmaları yapıyor.

Yeni Anayasa, 1982 Anayasası'ndan daha mı özgürlükçü olacak, yoksa özgürlükçülük adına Din Devleti'nin, Dinci Oligarşi'nin önünü açan bir nitelik mi taşıyacak?

Türkiye'nin Mayasındaki Çelişki

Peki, Türkiye'nin nereye gideceğine kim karar verecek?

Demokrasimizle yüzleşmek için bu soruları cesurca kendimize sormak ve yanıtları dürüstçe aramak gerek.

* * *

Türkiye nereden geldi?
Nereye gidiyor?
Kim götürüyor?

* * *

Türkiye, endüstrileşme aşamasından gelmedi.
Emperyalizme karşı yapılan bir bağımsızlık savaşından geldi.
Türkiye Cumhuriyeti, Osmanlı'nın evrimleşmesinden gelmedi.
Atatürk'ün devrimlerinden geldi.

* * *

Türkiye'nin mayasında iki belirleyici var:

1) Yaşam biçiminde, toplumsal ilişkilerinde bir din-tarım imparatorluğu olan Osmanlı kültürünün, geleneğinin, göreneğinin feodal kalıntıları.

2) Din-tarım imparatorluğunun Feodal, siyasal, toplumsal, kültürel ve ekonomik yapısını, Emperyalizm karşıtı bir savaşın zaferinden aldığı güce dayanarak Aydınlanma'yla tasfiye etmeye çalışan, endüstrileşme ve kentleşme olgularının önünü açan, laik, Demokratik, sosyal hukuk devletini hedefleyen Atatürk Devrimleri.

* * *

Türkiye'nin mayasındaki bu iki temel öge, birbiriyle uyumlu değil, çelişik.

Cumhuriyet tarihi, aslında bu iki çelişik öge arasındaki mücadelelerin de tarihidir.

Bu mücadeleye, isterseniz "Geçmiş ile Geleceğin", "Feodalite ile Çağdaşlığın", "Şeriat ile Aydınlanma'nın", "Padişahlık ile Cumhuriyet'in", "Hurafe ile Bilimin" çatışması da diyebilirsiniz.

Bu çelişkiyi, Din Devleti'nin önünü açmak için kullananlar ise ona, "Devlet ile milletin çatışması" diyorlar.

Türkiye'deki Filmin Senaristi, Yönetmeni, Başrol Oyuncuları Kim?

Hepimizin bildiği bir genel kuralı yineleyelim:

Her toplum her an değişir.

Değişme süreci her toplum için kaçınılmazdır.

Türkiye bu değişme sürecini, Atatürk Devrimleri'yle pek çok başka toplumdan çok daha hızlı yaşamış ve yaşamaktadır.

Hiçbir toplum durağan bir fotoğraf olarak değerlendirilemez.

Her toplum, sürekli oynayan, değişen sahnelerden oluşan bir film gibi algılanmak zorundadır.

* * *

Türkiye'deki filmi kim çekiyor?

Ülkemizde nasıl bir senaryo sahneleniyor?

Bu senaryonun yazarı kim?

Yönetmeni kim?

Baş oyuncular kimler?

Figüranlar kim?

* * *

Biz halk olarak, seçmenler olarak figüran rolündeyiz.

Baş oyuncular, politikacılar.

Yönetmen'in bir ayağı Brüksel'de, bir ayağı Washington'da.

Peki ya senarist?

Türkiye'de oynatılan filmin senaryosunun yazarı kim?

Tarih mi?

Halk mı?

ABD mi?

AB mi?

Ermeni diasporası mı?

Rum lobisi mi?

Ayrılıkçı etnik örgüt mü?

Dinci Oligarşi mi?

* * *

Film nasıl gelişecek, nasıl sonlanacak?

Onu bilmek zor.

Ama bir nokta kesin:

Bu filmde kendisine figüran rolü biçilenler, yani halk, başrol oyunculuğuna el koymazsa bu filmin sonu iyi gelmeyecek.

*   *   *

Demokrasimizle yüzleşmek, bu açıdan önemli.

Seçmen, halk ya da millet bu senaryoya egemen olabilir mi?

Olabilirse nasıl?

İşte bu sorunun yanıtını arayacağız Demokrasimizle yüzleşir-ken.

2

Mevcut Demokrasimizdeki Traji-Komik Yasal ve Teknik Çelişkiler

Aşağıdaki bölümü okurken belki de bir hicviye, bir kara mizahla karşı karşıya olduğunuzu düşüneceksiniz ama ne yazık ki durum öyle değil; bütün yazılanlar gerçek. İnsan "Keşke bunlar şaka olsaydı" diye düşünmekten kendini alamıyor.

Bir Parti Türkiye'de Yüzde Kaç Oy Alırsa İktidar Olur? Bazen Yüzde 42 Yetmez, Bazen Yüzde 34 Yeter

Hemen bir çelişkiyi vurgulayarak konuya girelim:

Bazen yüzde 42 oy alan bir parti tek başına iktidar olamaz.

Bazen de yüzde 34 oy alan bir parti tek başına iktidar olur; bırakın iktidar olmayı, Anayasa'yı değiştirecek üçte iki çoğunluğa bile çok yaklaşabilir.

Çünkü Türkiye'de seçim sistemleri o denli sık ve o kadar çok değişmiştir ki, ciddi bir seçim geleneği oluşamamıştır.

* * *

Sevgili okurlarım, biliyorsunuz, serbest seçimler bir Demokrasinin en önemli ögesidir.

Serbest seçimler olmadan bir Demokrasiden söz etme olanağımız yoktur.

Tabii serbest seçimler için de sadece gizli oy, açık sayım sistemi yetmez.

Seçimlere birbirinden farklı görüşleri savunan birden çok sayıda partinin girmesi gerekir.

Bu da yetmez.

* * *

Seçimlere giren partilerin propaganda hak ve olanakları iktidardaki partiyle eşit olmalıdır.

Tüm sistemin, seçmen listelerinin oluşmasından, sandık bazındaki oy sayımlarına ve sonuçların ilanına kadar, her vatandaşın gözlemine açık, tümüyle yargı denetimine tabi ve sözcüğün tam anlamıyla şeffaf olması gerekir.

* * *

Seçim sistemi, her ülkedeki Demokrasi geleneğinin temelini oluşturur.

Bunun için de önce seçim sisteminin kendisinin, geliştirilerek mükemmelleştirilen bir gelenek oluşturmuş olması gerekir.

Türkiye'de bu gelenek oluşturulamamıştır.

* * *

Çok Partili Düzene geçildiğinde çoğunluk sistemi uygulamaya konulmuş, bunun "çoğunluğun diktatörlüğüne" yol açtığı görülerek, nisbi temsil sistemine geçilmiş, nisbi temsil sistemi de çok sık değiştirilmiştir.

Bu nedenle Demokrasinin en önemli ögesi olan (zorunlu ama tek başına yeterli olmayan) serbest seçimlerin kuralları bir türlü yerine oturtulamamıştır.

Örneğin 1977 seçimlerinde Cumhuriyet Halk Partisi yüzde 42 oy aldığı halde iktidarı oluşturabilecek sayıda sandalye elde edememiştir.

Buna karşılık 2002 seçimlerinde Adalet ve Kalkınma Partisi yüzde 34 oyla Meclis'te neredeyse Anayasa'yı bile değiştirebilecek üçte iki çoğunluğa yaklaşabilmiştir.

Bugünkü Seçim Sisteminde Yüzde 11 Oy Alan Bir Parti, Meclis'teki Bütün Sandalyeleri Kazanabilir

Tabii yukarıda anlattığım yüzde oranlarına ilişkin çelişki, zaman içindeki uygulamalara baktığımızda ortaya çıkan bir değişimden kaynaklanıyor.

Bugün iyi kötü bir seçim yasamız ve buna göre yapılan uygulamalar var.

Bugünkü yasa, bir partinin Meclis'e girebilmesi için ülke ölçeğinde yüzde on oy almasını zorunlu kılmaktadır.

Kısaca "yüzde on barajı" denilen bu sistem, 2002 seçimlerinde kullanılan oyların kabaca yarıya yakın bir bölümünün (yüzde 46) Meclis'te temsil edilememesine yol açmıştır.

Üstelik bir parti (DYP), yüzde 9,5 gibi trajik bir oranla Meclis dışında kalmıştır.

Bir başka deyişle yüzde yarımlık bir oran bir partinin Meclis'te temsilini engellemiş, Meclis'e giren öteki iki partiye ise hak ettiklerinden çok daha fazla sandalye kazandırmıştır.

İstikrar adına koyulan bu yüzde on barajı, tüm dünyadaki en yüksek orandır.

Büyük bir temsil adaletsizliğine yol açmakta, siyasal yelpazedeki pek çok görüşün Meclis'e girmesini engellemektedir.

*   *   *

Her seçim sistemi, olası sonuçlar kuramsal olarak öngörülerek denetlenebilir, ne denli yararlı ve zararlı olduğu, uç örnekler dikkate alınarak görülebilir.

Yüzde on barajı da kuramsal bir aşırı örnekle denetlendiğinde ortaya şöyle bir garip durum çıkmaktadır:

Ülkedeki siyasal görüşlerin çok çeşitli olduğunu ve her bir görüşün farklı bir siyasal parti tarafından temsil edildiğini ve sayıları on dolayında olan bu siyasal partilerin güçlerinin birbirine yakın olduğunu varsayalım.

Seçim sonuçları o denli garip manzara oluşturabilir ki...

Örneğin biri hariç bütün siyasal partiler yüzde ondan az oy

alabilir ve sadece tek bir parti yüzde 11'le Meclis'teki bütün sandalyeleri kazanabilir.

Tabii bu olasılık, –en azından şimdilik– gerçek yaşamda gerçekleşebilecek bir seçenek gibi görünmüyor.

Ama sistemin; mantıksızlığını, tehlikesini ve temsil adaletini nerelere kadar engellediğini göstermesi bakımından dikkate alınması gerekir.

* * *

Aslında böyle aşırı bir örneğe bile gerek yok.

Yukarıda da belirttiğim gibi, Türkiye bu barajın garip bir sonucunu 2002 seçimlerinde yaşadı.

Bir parti (AKP) aldığı *üçte bir* oyla Meclis'te *üçte iki* oranında sandalye kazandı.

Yüzde on barajına takılan partilerin aldıkları toplam oy 13,5 milyondu.

Buna karşılık üçte iki çoğunluğa erişen iktidar partisinin tüm oyları ancak 10.8 milyona ulaşıyordu.

Yani iktidarın aldığı oylardan yaklaşık yüzde yirmi beş daha yüksek olan bir seçmen görüşü Meclis'te temsil edilemiyordu.

* * *

Üstelik yüzde on barajı, toplumda azınlıkta kalan düşüncelerin Meclis'e girmesini engellemek için konduysa, bu da işe yaramıyor.

Bağımsız adaylar aracılığıyla bu engel aşılıyor.

Her görüş, bağımsız adaylar göstererek ve bu adayların seçilmesini sağlayarak, Meclis'te temsil ediliyor.

Üstelik azınlıkta da kalsalar, aykırı görüşlerin de Meclis'te temsil edilmeleri Demokrasilerde kötü bir şey de değil.

Toplumdaki farklı görüşlerin Meclis'e yansıması ve fikir çatışmalarının Demokrasinin genel kuralları içinde yapılması, toplumsal barışa ve siyasal istikrara zarar değil, yarar sağlar.

Tabii Demokratik rejimin ve Anayasa'nın genel kurallarına uyulması koşuluyla…

Dokunulmazlıklar, Uyuşturucu Kaçakçılığından Zimmetine Para Geçirenlere Kadar Çok Kişiye Kalkan Oluyor

Meclis'teki kürsü dokunulmazlığı Demokrasilerde gerekli.

Düşünce ve ifade özgürlüğü, bu dokunulmazlık olmadan gerek Meclis dışında gerekse Meclis'te sağlanamaz.

Ancak bizde bu dokunulmazlık da, pek çok hak gibi kötüye kullanılıyor.

Örneğin partinin parasını zimmetine geçirmekten sanık olarak ceza davasıyla yargılanan politikacılar, aklanmadan ülkenin en üst makamlarına seçilebiliyor ve tabii yargı süreci hemen duruyor.

Örneğin, hakkında evrakta sahtecilik ve yolsuzluk suçlaması olanlar, yargıda aklanmadan Meclis'e girebiliyor.

* * *

Şimdi sıkı durun:

Bu dokunulmazlık sahiplerinin oluşturduğu çıkar grupları, bütün adalet sistemini altüst eden af yasaları çıkararak, kendi kendilerini yargı denetimi dışına çıkarabiliyor.

Daha bitmedi.

Bir aşiret yapısına sırtını dayayan bazı politikacılar, aldıkları aşiret desteğiyle Meclis'teki yerlerini garanti ediyor ve aşiret gücüne ekledikleri siyasal güçle uyuşturucu işine bulaşıyor, üstelik de devletin karakolunu basarak, sanık sıfatıyla göz altına alınan akrabalarını kaçırıp götürüyorlar.

* * *

Sevgili okurlarım, yukarıdaki olayların gerçek olmadığını sakın düşünmeyin.

Hepsi gerçek olaylardan alınmış örneklerdir.

Üstelik bunlar kamuoyuna yansıyan açık bilgiler.

Kim bilir kapalı kapılar ardında daha neler oluyor!

Örneğin, önce özelleştirme kapsamında olan ve şimdi de özelleştirilmiş bulunan bir şirketin yüzde 14,75 hissesi, gece yarısı bir özel anlaşmayla yurtdışından bir yatırımcıya devredilivermiş, sonra şirket özelleştirilince, o yatırımcı büyük kârlar etmişti.

Kimbilir daha bunun gibi ne örnekler var!

Bir önceki dönem seçilmiş, ancak 2007 seçimlerinde Meclis'e giremediği için yargılanacak olan milletvekillerinin dava konularını aşağıda gösterdim.

Eminim listeye baktığınızda benim gibi sizin de tüyleriniz diken diken olacak, bizi kimler yönetiyor diye düşüneceksiniz.

Liste 19 Ağustos 2007 tarihli *Cumhuriyet* gazetesinden alınmıştır:

Resmi evrakta sahtecilik.
İhaleye fesat karıştırmak.
Kamu kurumunu dolandırmak.
Yalan beyanda bulunmak.
Hizmet nedeniyle emniyeti suiistimal.
Görevli memura hakaret.
Hırsızlık.
Kaçak elektrik kullanmak.
Faili belli olmayacak biçimde adam yaralamak.
Bir kısım kooperatiflere usulsüz arsa tahsis etmek.
Teşekkül halinde akaryakıt kaçakçılığı.
Tehdit.
Silahlı yağma suçuna azmettirme.

Bu suçlardan sanık olarak yargılanacaklar, bu dönem seçilemeyen 84 eski milletvekili hakkında hazırlanan 227 dosya.

Sevgili okurlarım, son seçimde bile Meclis'e giren 150 milletvekiliyle ilgili 285 dosya var dokunulmazlık zırhına takılan.

Ne utanç verici bir tablo, değil mi?

İşte bizim "Demokrasi"! dediğimiz rejim böyle bir düzen.

*   *   *

Bu konuda son bir maskaralığa daha işaret etmek istiyorum:

Hemen hemen bütün iktidar partileri muhalefette iken milletvekili dokunulmazlıklarını sadece kürsü özgürlüğüyle sınırlayacaklarını ve öteki alanlardaki dokunulmazlıkları kaldıracaklarını ilan etmiştir.

Ne yazık ki iktidara gelince verdikleri bu sözü tutmamışlardır.

Daha da ciddi bir sorun, seçmenin, sözünü tutmayan bu partilere yalancılıklarından ve dokunulmazlık ardında yaptıkları yolsuzluklardan dolayı hesap sormamasıdır.

Türkiye'nin en ciddi Demokrasi sorunlarından biri seçmenin bu konudaki ilgisizliği, bilinçsizliği ve eylemsizliğidir.

Milletvekillerini Halk Seçmez, Genel Başkanlar Tayin Eder

Sevgili okurlarım, Türkiye'deki Demokrasinin en önemli ayıplarından biri, milletvekili adaylarının, partili ya da partisiz seçmenler tarafından değil, doğrudan genel başkanlar tarafından belirlenmesidir.

Tabii Siyasal Partiler Yasası'nda, adayların seçim yoluyla belirlenmesine olanak sağlayan hükümler var.

Ama hemen hemen hiçbir parti bu olanakları kullanmayıp adayları merkezden belirliyor.

Merkez demek ise genel başkan demek.

Bu durum ise, Türkiye'de zaten yağma düzeniyle yozlaşmış olan Demokrasinin, sanki bu yozlaşma yetmiyormuş gibi, ayrıca bir de Liderler Oligarşisi'ne dönüşmesine neden oluyor.

* * *

Burada bir parantez açıp genel başkan diktasının mekanizmasına değinmek istiyorum.

Genel başkanları partinin kurultay delegeleri seçer.

Türkiye'de bütün siyasal partilerin 1200-1300 delegesi vardır.

Bu delegeler partiye kayıtlı, yani partili vatandaşlar tarafından (güya) seçilir.

Partiye girmek isteyen vatandaşların kayıtlarını ise il veya ilçe örgütleri yapar.

Yani partide çalışmak isteyen vatandaşların seçimi parti örgütleri tarafından yapılır.

Yine partililer tarafından seçilmeleri gereken bu örgütler de (tahmin edeceğiniz gibi) bütünüyle genel merkez tarafından belirlenir.

Parti merkez örgütü, istediği il veya ilçe yönetimini, seçilmiş olup olmadığına bakmaksızın görevden aldığı için, bütün partilerin örgütleri genel başkana bağlı kişilerden oluşur. (Hizipçilik zaten bu demektir: Genel merkeze karşıysanız, genel başkan hizbi sizi hemen "muhalif hizip" diye niteler ve tasfiye eder.)

Genel başkanı seçecek olan kurultay delegeleri, *güya* (zaten genel merkeze bağlı olarak kayıtları yapılmış olan) partili vatandaşlar tarafından seçilir.

Böylece genel başkanı seçecek olan delegeler, onları seçecek olan partiye kayıtlı üyeler ve bunları belirleyen parti örgütleri yukarıdan, parti merkez örgütü tarafından belirlenmiştir.

Sonra da bu delegeler gider genel başkanı seçer.

"Parti içi Demokrasi" kavramı, bu biçimde uygulanan bir seçim maskaralığıyla rafa kaldırılır.

Özet olarak, genel başkanın belirlediği (güya seçilmiş) delegeler, genel başkanı seçtiği için, kimse, ne denli başarısız olursa olsun genel başkanı yerinden oynatamaz, çünkü seçmenlerini o belirlemektedir.

* * *

İşte, Türkiye'deki siyaseti, aşağıdaki küçük yağmacılarla yukarıdaki büyük yağmacıların oyuncağı haline getiren ve adına Demokrasi denilen ama aslında yağmacı bir Liderler Oligarşisi'ne dönüşmüş olan yoz, Çok Partili Düzen aslında budur:

Delegeleri kendine bağlı tutmak için onları tatmin etmek zorunda olan genel merkez, yaptığı yağmadan onlara da pay vermeye, yani ihaleleri, arsa yağmasını ve belli kaynakların tahsisini onlarla paylaşmaya mecburdur.

İleride bu konunun üzerinde ayrıca duracağım için, şimdilik sadece mekanizmaya dikkati çekmekle yetiniyorum.

* * *

Şimdi dönelim, milletvekillerinin halk tarafından seçilmeyip genel başkanlar tarafından atanmış olmasına.

Bu "Liderler Oligarşisi" düzeni içinde çeşitli biçimlerde bir kez seçildikten sonra, bir mucize olmadıkça yerlerinden kıpırdatılamayacak olan genel başkanlar, bu güçlerini, güçlerine güç katmak için kullanır ve seçim zamanları milletvekili adaylarını da kendileri belirler.

Genel seçimlerde milletvekili olmak veya milletvekilliğini devam ettirmek isteyenler, genel başkana hoş görünmek için olmadık taklalar atar, olmadık maskaralıklar yapar.

Yeterince kişilikli olan ve zaman zaman genel başkanın çizgisine eleştirel gözle bakan veya onu açıkça eleştirme cesareti gösterenlerin, aday olmak veya seçilecek bir sıraya konmak için hiçbir şansı kalmaz.

Tabii genel başkanlar da insandır, onlar da hata yapar.

Az da olsa, seçmece yöntemle Meclis'e gelmiş olan kişilikli politikacılar da görülmüştür ama bunların siyasal yaşamı uzun sürmez.

Böylece genel başkana doğum günü için *"Sadakat, sadakat, yine sadakat"* diyerek armağan veren Meclis grupları oluşur.

* * *

Milletvekillerini halk yerine genel başkanların seçmesi sonucunda Meclis sadece işlevini yitirmekle kalmaz, Türkiye'yi tek bir kişi, iktidar partisinin genel başkanı yönetir.

Tabii yönetici sayısı koalisyon hükümetlerinde, ortaklığa katılan parti sayısıyla orantılı olarak çoğalır.

Ama sonuç değişmez.

Türkiye'yi seçilmişlerden oluşan bir Meclis değil, "Liderler Oligarşisi"nin ürünü olan atanmış ve bu nedenle de genel başkanın sözünden çıkmayan milletvekilleri yönetir.

Bir Bayburtlu Seçmen Dört İstanbullu Seçmene Bedel

Sevgili okurlarım, Türkiye'de bir kez iktidara gelenler, genellikle bir daha gitmemek ya da en azından önlerindeki seçimleri kazanmak için her türlü çareye başvurur, her çabayı gösterir.

Ellerindeki iktidar gücünü ve tabii yasa yapma yetkisini kullanan bu politikacılar, seçim yasaları ve siyasal partiler yasasıyla akla hayale gelmeyecek oyunlar oynamış ve sistemi iktidar partisinin çıkarları doğrultusunda iyice yozlaştırmıştır.

Klasik yöntemlerden biri seçim çevreleriyle oynamaktır.

İktidar partisi kendine karşı oy çıkan ilçeleri, güçlü olduğu ilçelerle birleştirip garip seçim bölgeleri oluşturur, böylece sonuçları etkilemeye çalışır, kimi zaman başarıya da ulaşır.

İktidarın eğilimine göre, bazen seçimlerde tercihli oy kullanmak olanaklı olur, bazen bu seçenek kaldırılır.

Meclis eskiden 450 sandalyeli idi.

Sonradan Türkiye Milletvekilliği diye bir kavram icat edilmiş, Meclis'teki sandalye sayısı 450'den 550'ye çıkarılmıştı.

Sistem, Anayasa Mahkemesi'nden dönünce işleme koyulamamış ama Meclis'te yüz sandalye ilave yer açılarak halkın üzerine yüz milletvekilinin daha yükü bindirilmiştir.

Tabii hiçbir siyasal parti de buna sesini çıkarmamıştır, çünkü bu hepsinin işine gelmiştir.

* * *

İşte bu çerçevede, milletvekilliği dağılımı esasları da birçok kez değiştirilmiştir.

Örneğin, bir ara "kontenjan" milletvekilliği diye bir kavram icat edilmiş, çok milletvekili çıkaran çevrelerde, birinci olan partiye daha baştan bir milletvekili de (son günlerin moda deyimiyle) "bonus", yani ikramiye olarak verilmiştir.

Bütün bu değişiklikler sırasında, her seçim çevresinden kaç milletvekili çıkacağı (tabii nüfusa göre) hesaplanırken, önce her ile bir kontenjan milletvekili verilmiş, milletvekilleri sayısı ondan sonra belirlenmiştir.

Bu hesaplama sonucunda nüfusu düşük iller, nüfusu kalabalık illere göre seçmen sayısına oranla daha çok milletvekili çıkarma hakkına sahip olmuştur.

Örneğin Bayburt, Ardahan, Kilis gibi düşük nüfuslu illerde, bir milletvekili seçmek için 20-30 bin oy yeterken, bu oran İstanbul Ankara gibi büyük illerde 70-80 bine yükselmiştir.

Sonuç olarak nüfusu düşük illerdeki bir seçmenin oyu, büyük, kalabalık kentlerdeki iki, bazen üç, hatta bazen dört seçmenin oyuna eşit olmaktadır.

Örneğin 2007 seçimlerinde bir Bayburtlu seçmen dört İstanbullu seçmene bedeldir:

İstanbul birinci bölgede bir milletvekili için yaklaşık ortalama 80.000 oy gerekmişken, bu sayı Bayburt için yaklaşık, ortalama 20.000 dolayındadır. (Bu hesabı her ilde kullanılan geçerli oy sayısını o ilin çıkardığı milletvekili sayısına bölerek yaptım. Bütün iller için yapılacak böyle bir hesaplama çok ilginç sonuçlar verebilir. Hatta aynı hesap, partilerin çıkardığı milletvekilleri için de yapılabilir. Ben sadece iki ilin genel ortalamalarına baktım.)

İşin acıklı tarafı, hiçbir politikacı bu sorunu gündeme getirip bu garip çelişkiyi düzeltmek istememiştir.

Seçimlerde Üç Tarafsız Bakan Maskaralığı

Sevgili okurlarım, Demokrasinin en önemli koşullarından biri, muhalefetin sadece var olması değil, iktidarla eşit ve adil koşullarda seçimlere katılabilmesidir.

Türkiye'nin Çok Partili Demokrasi tarihinde iktidarların, karşılarındaki muhalefeti ezmek için her yola başvurduğu, özellikle seçim zamanlarında ellerindeki devlet olanaklarını haksız rekabet amaçlı kullandıkları gözlenmiş olduğundan, seçim kararı alındıktan sonra, seçimleri etkileyebilecek olan üç bakanlığa tarafsız kişilerin atanması kuralı getirilmiştir.

İktidar partisinin mensupları olan İçişleri, Adalet ve Ulaştırma bakanlarının, seçim kararı alınınca değiştirilip yerlerine tarafsız kişilerin atanması gerekir.

Bu kural gerçekten de kısa bir süre için uygulanmıştır; sadece kısa bir süre için...

Fakat Demokrasinin temel ilkelerini ve kurallarını kendi çıkarları için yozlaştırmayı bir sanat haline getiren politikacılar, kısa bir süre sonra bunun da yolunu bulmuşlar, tarafsız bakan kuralının uygulanmasını tam bir Demokrasi maskaralığına çevirmişlerdir.

Bulunan dahiyane(!) çözüm, değiştirilen bakanların yerine müsteşarlarının veya bürokratlarının atanmasıdır.

Oysa, zaten bakanın siyasal görüşünden, hatta partisinden olan müsteşarlar ve bürokratlar, kimi zaman bakanlardan bile daha "kralcıdırlar".

Üstelik aralarında, zaman içinde bir ast-üst ilişkisi kurulmuş bulunduğundan, yeni atanan eski müsteşarlar ve bürokratlar, eski bakanlarının sözlerinden çıkmazlar.

Böylece, bırakın bu üç bakanlığa tarafsız kişilerin atanmasını, bu kural, doğrudan doğruya eski bakanın bakanlığını "uzaktan kumanda"yla yönetmesi sonucunu doğurmuştur.

İşin ilginç yanı, hiçbir siyasal partinin bu maskaralığı sorun haline getirmemiş olmasıdır.

Birkaç köşe yazarı dışında konuya eğilen, bu yanlışı eleştiren politikacılara pek rastlanmamıştır.

İktidar 2007 Seçimlerine, En Büyük İkinci Medya Grubuna El Koymuş Olarak Girdi

Demokrasimizin bazı çelişkilerine değinmeyi, 2007 seçimlerinde yaşanan özel bir durumla son vermek istiyorum.

"Özel bir durum" diyorum, çünkü bu uygulamanın sadece bu seçimlere özgü olarak yaşandığını, bir daha yinelenmeyeceğini umut etmek istiyorum.

Seçimlerden bir süre önce, iktidar, TMSF aracılığıyla ve hayli tartışmalı bir hukuksal kararla medyanın ikinci büyük grubu ve iki dağıtım şirketinden birinin sahibi olan **Ciner Grubuna** el koydu.

Böylece birçok gazeteyi ve televizyon kanalını denetimine aldı.

Aslında **Ciner Grubu** medyasının iktidara karşı olumlu yaklaşan bir yayın politikası vardı.

Tabii çok satışlı gazeteleri ve izlenme oranı yüksek televizyon kanalı olduğu için, bazı muhalif yazarlara ve seslere de yer veriyordu.

Tabii bu grup, iktidarın yönetimine geçince artık AKP'nin sesi durumuna geldi.

Demokrasinin en önemli koşullarından biri olan medya özgürlüğü, tam 2007 seçimleri öncesinde (ne tesadüf!) ihlal edilmiş, iktidar büyük bir destek sağlamış oldu.

Grubun gazetelerinde ve televizyon kanalındaki yayınlar aynı yumuşak destek tonunda bile sürdürülemedi.

Yılmaz Özdil gibi iktidara muhalif yazarlar veya Genel Yayın Yönetmeni **Fatih Altaylı** gibi, Başyazar **Mehmet Barlas** gibi bu operasyonu ve iktidara doğrudan bağımlı olan bir gazetede çalışmayı içlerine sindiremeyenler *Sabah* gazetesinden ayrıldılar.

Peki yerlerine kim geldi?

Merve Kavakçı'yı, türbanıyla Meclis'e sokmaya çalışan eski milletvekili, iktidarın yılmaz savunucusu **Nazlı Ilıcak,** *Sabah*'ta köşe yazarı oldu.

Abdullah Gül'ün yakın arkadaşı **Fehmi Koru,** ATV'de program yapmaya başladı.

Sözün kısası, **Ciner Grubunun,** zaten iktidara karşı olmayan bir yayın politikası izleyen gazeteleri ve televizyonu, doğrudan iktidar sözcüsü haline getirildi.

Böyle bir olay, dünyanın bütün Demokrasilerinde skandal olarak kabul edilir.

Türkiye'de ise kimsenin sesi çıkmadı.

İktidar da 2007 seçimlerine böyle bir destekle girerek, Türkiye'deki Demokrasiye bir darbe daha vurdu.

Ama kimin umurunda!

Dilerim bu olay bir daha yaşanmaz.

*   *   *

Bu bölümde son derece belirgin, insanı çok rahatsız eden uygulamalardan sadece çarpıcı birkaç örnek verdim.

Sizleri sıkmamak için bu örnekleri, ayrıntı gibi görünen ama aslında yine çok önemli olan başka uygulamalarla çoğaltmak istemiyorum.

Sadece şu noktayı vurgulayarak bu bölüme son vereyim:

Türkiye'de Demokratik rejim adı altında uygulanan Çok Partili Düzen, pek çok bakımdan ne adildir ne de Demokratiktir.

3

Çok Partili Sistem Bir Yağma Düzenine Nasıl Dönüştü

Sevgili okurlarım, geçen bölümde adına Demokrasi dediğimiz bu garip rejimimizin bazı yasal ve teknik çelişkilerine değinmeye çalıştım.

Şimdi biraz da çok partili sistemimizin bir yağma düzenine nasıl dönüştüğüne toplumbilimsel açıdan bakmaya çalışalım.

Tabii çok kısaca.

İktidarlar Esas Olarak Yağmacılar Arasında El Değiştiriyor

Zaten çok yeni olan ve henüz gelişmemiş Çok Partili Rejimimiz, 1950 seçimleri sonunda iktidara gelen Demokrat Parti'nin, Demokrasiyi çoğunluğun diktatörlüğü sayarak deforme etmesiyle büyük bir yara aldı ve özellikle 70'li yıllardan sonra tam bir yozlaşmaya uğradı.

Yukarıdan Aşağı Yağma Düzeninin Mekanizması

Çok Partili Düzene geçildiğinden beri hem yukarıdan aşağı hem de aşağıdan yukarı müthiş bir yağma düzeni egemen oldu ülkeye.

* * *

Yukarıdan aşağı yağma düzeni, "Devlet eliyle özel teşebbüs yaratma" politikasının yozlaştırılmasıyla ortaya çıktı.

Aslında bu politika, özel sermayenin yetersiz olduğu alanlarda devletin yatırım yapması ve ayrıca krediler, teşvikler, vergi indirimleri ve benzeri yollarla özel kesimin önünü açması politikasıydı.

Devlet eliyle bir sermaye sınıfı yaratılıyordu.

Bir süre bu politika doğru dürüst işledi de.

Gerçekten layık olanlar, mevcut hukuk sistemi ve ekonomi kuralları içinde yatırım yaptılar, büyüdüler ve geliştiler.

Koç, Sabancı, Eczacıbaşı böyle kuruluşlardır.

Daha sonra Çok Partili Düzene geçilince iktidarlar, mevcut sermaye yapısını beğenmeyip doğrudan kendi partilerine bağlı sermayedarlar üretmek istedi.

Örneğin, yeni iktidara gelen Demokrat Parti, o dönemin en güçlü sermaye grubu olan Koç topluluğunun kurucusu ve lideri olan **Vehbi Koç**'u yanına çekmek için büyük baskılar uyguladı.

Sonunda **Vehbi Koç**, Tek Parti Dönemi'nde üye olduğu CHP'den istifa etti ama DP'ye de üye olmadı.

Ondan sonra da sürekli olarak partiler üstü kalmaya özen gösterdi.

İktidarlar kendilerine yandaş sermaye yaratmak için kimilerine hem bazı özel ayrıcalıklar, hem kredi olarak para, hem de kentlerin en değerli alanlarını verdiler.

Daha sonra da *"Madem ki bu büyük sermaye devletin desteğiyle gelişti, devleti de ben denetlediğime göre bundan payımı almalıyım"* anlayışı içinde, büyük sermayeyle pazarlıklara giriştiler.

Bu arada özel sermayenin bir bölümü medyanın gücünü keşfetti.

Birdenbire müteşebbisler medya patronu, medya patronları da bankacı oldu.

Böylece, "yukarıdan aşağı yağma", medya ile politikanın kesiştiği noktalarda buluştu.

Ülke geliştikçe, sermaye de el değiştirmeye başladı.

Sermayenin zaman içinde el değiştirmesi doğaldır. Ama bu el değiştirmenin haksız rekabet koşulları oluşturularak tepeden yönlendirilmesi ne doğal ve normaldir, ne de Demokrasinin kurallarıyla uyuşur.

1980 darbesinden ve Özal iktidarından sonra ise bu el değiştirme, laik sermayeden, dinci sermayeye doğru çok tehlikeli bir eğilim göstermeye başladı.

Rejimle kavgalı olan politikacılar, ele geçirdikleri bütün siyasal güçleri, rejimin altını oymakta kendilerine yardımcı olacağını düşündükleri iç ve dış dinci sermayeye destek olmak üzere kullanmaya başladı.

Gerek hükümetin, yani merkezi otoritenin gücü, gerekse belediyelerin yani yerel yönetimlerin güçleri, kendilerine destek verecek, laik ve Demokratik düzenle hesaplaşması olan bir ideolojiye bağlı sermaye gruplarının yaratılmasına ve gelişmesine tahsis edildi.

Aşağıdan Yukarı Yağma Düzeninin Mekanizması

"Yukarıdan aşağı" bu yağma düzeni kurulur ve gelişirken, "aşağıdan yukarı" yağma düzeni de kentlere akının yarattığı büyük konut talebi yoluyla gecekondulaşma süreci içinde yerleşti ve kurumlaştı.

Siyasal iktidarlar, kentsel alanların, orman alanlarının ve sit alanlarının işgaline göz yumdular.

Hemen hemen her siyasal iktidar bu kentsel toprak yağmasına göz yummakla kalmadı, pek çok "gecekondu affı" yasası çıkararak bunu destekledi de.

*   *   *

Aslında bu "aşağıdan yukarı" toprak yağmasının nihai kazancı, varoşlarda yaşayanlara gidiyor gibi görünse de özellikle orman ve sit alanları yağmasında, denetim ve dolayısıyla rant, aynen gecekondu alanlarında olduğu gibi yine mafyanın ve politikacıların oldu, sonuçta ulusça yoksullaştık.

Yukarıdan Aşağı ve Aşağıdan Yukarı Yağma, Parti Örgütlerinde Buluştu

Nasıl "yukarıdan aşağı yağma" bankacılık sisteminde ve medyada yoğunlaştı ise, "aşağıdan yukarı yağma" da yerel gaspçıların parti yönetimlerinde söz sahibi olmalarıyla parti örgütlerinde somutlaştı.

Varoşlarda yaşayan halk, parti örgütlerinde aktif görevler alarak, bu yağma düzeninden pay almaya çalıştı ve bunu başardı da.

Aileler, bazı bireylerini çeşitli partilerin yerel örgütlerine soktu, etkinleştirdi.

Aynen, Doğu ve Güneydoğu Anadolu'daki büyük aşiretlerin bir üyesini CHP'ye, bir diğerini de DP'ye vererek kendilerini güvenceye alması gibi, varoşlarda yaşayan halk da yerel ve ulusal siyasetin gücünü keşfedince bu gücü yaşam savaşında kullandı.

Böylece siyaset, hem "yukarıdan aşağı" hem de "aşağıdan yukarı" yağmanın kesiştiği, buluştuğu ve ülkeyi soyduğu bir etkinlik alanı oldu.

Yağma Düzenine Geçişte, Gecekondulaşma Sürecinin ve Varoşların Rolü

Sevgili okurlarım, köylüleri severim.

Onlar binlerce yıl süren din-tarım imparatorlukları dönemindeki feodal yapının kurbanlarıdır.

Savaş zamanlarında asker, barış zamanlarında köle-çiftçi olarak kullanılmışlardır.

Yüzyıllarca, toprak ağaları ve din adamları tarafından yönetilmişler, sömürülmüşlerdir.

Binlerce yıl süren feodal kültürün geleneklerine tutsak olmuşlar, günümüzde bile bu düzenin belirlediği değer yargılarıyla örneğin "töre cinayetleri" gibi, kan davası gibi çağ gerisi uygulamaların pençesinden kurtulamamışlardır.

Feodal kültür yapısının, köylülerin bedenlerini ve ruhlarını tutsak eden, farklılıkları reddeden, sömürücü niteliğinden hoşlanmam ama onun mertlik, vefa gibi duyguları besleyen yanını severim.

Keşke mertlik, vefa gibi duygular, endüstrileşmenin getirdiği kentsel kültür yapısının da başat ögeleri olabilse diye düşünürüm.

Mert ve vefalı insanları severim.

Çağdaş kültürü, "en yüce değer paradır" diye tanımlayanları onaylamam, "çağdaş insanın mertliği ve vefası yoktur, onun tek ilkesi çıkarlarını korumaktır" diyenlerin gerçeği saptırdıklarını bilirim.

Kente göçen ve bu nedenle de feodal kültürden kopan, mertlik, vefa gibi duyguları unutan, üstelik endüstriyel-kentsel kültürün, ortak yaşam kurallarına uymak gibi, farklı inanca ve özelliklere sahip insanlara da kendisine istediği saygıyı göstermek gibi ögelerini benimsemeyen, yozlaşmış kişilerin çok mutsuz ve hem kendilerine hem de çevrelerine yabancılaşmış insanlar olduklarını düşünürüm.

* * *

Endüstriyel-kentsel değerleri benimseyememiş ama feodal kültürden de kopmuş, "boşlukta kalmış ve yozlaşmış insanları" kutsal din değerlerimiz adına istismar eden politikacılar ne yazık ki onlara büyük bir kötülük etmektedir.

Yalnız onlara değil, ülkeye de...

Feodal değerlerden kopmuş ama endüstriyel-kentsel kültürü benimseyemedikleri için boşlukta kalmış insanların kutsal dinimizin değerlerine sarılmaları son derece doğal ve olağandır.

Doğal ve olağan olmayan, bu insanların kutsal değerlerinin kendi çıkarlarına alet eden politikacıların elinde sömürülmeleridir.

Kırsal alanlarda yaşayamadıkları için kentlere göç eden insanların, topluma uyum süreçlerinde yerel ve ulusal politikayı keşfetmeleri, politikanın sihirli "seçmen gücünü" kullanarak, kendi yaşamlarını düzenleyebileceklerini anlamaları Demokratik bir bilinçlenmedir; desteklenmesi gereken bir süreçtir.

Fakat ne yazık ki, Türkiye'de "Yağmacılık", "Dışa Bağımlılık" ve "Liderler Oligarşisi" çerçevesinde yozlaştırılan ve ülke sorunlarını çözmek yerine sadece politikacıların ceplerini doldurmalarına yol açan düzenin, "Demokrasi" diye yutturulması, bu Demokratik bilinçlenme sürecini de doğrultusundan saptırmış, boşlukta kalmış bu insanları çeşitli vaatlerle din sömürüsünün tutsağı haline getirmiştir.

* * *

Sonuç, kentlerin dış mahallelerinden, yani varoşlardan, yani gecekondu bölgelerinden başlayarak tüm kentsel alanları ve buradan hareketle bütün ülkeyi pençesine alan "din istismarına dayalı yağmacı ve yozlaşmış feodal kültürün" egemenliğidir.

Kutsal dinimizin değerlerini istismar eden politikacıların, yağmacı bir anlayışla yönlendirdikleri bu yozlaşmış feodal kültürden kurtulmanın yolu, Demokratik (ve tabii laik) yaşam biçiminin savunularak geliştirilmesi ve ülke (toplum) çıkarları üzerine inşa edilmiş, çağdaş bir ulusal bilincin oluşturulmasıdır.

Türkiye, Tarikat Destekli Yozlaşmış Feodal Kültürün Egemenliği Altına Giriyor

Peki, tarikat destekli feodal kültür Türkiye'yi teslim alınca ne olur?

Toplumda hiçbir hukuk kuralı kalmaz.

Töre cinayetleri, zorla hakkını arama ve alma egemen olur, sorunlar şiddet yoluyla, hatta cinayetle çözülmek istenir.

* * *

Kentlerde, özellikle de büyük kentlerde yaşamak olanaksızlaşır.

Ne can güvenliği kalır, ne mal güvenliği.

* * *

Toprak yağması kurumlaşır.

Ne arkeolojik sit kalır, ne doğal sit, ne kentsel sit.
Ülkenin bütün zenginlikleri yağmalanır ve yok edilir...

* * *

Yönetimin Oligarşik yapısı iyice belirginleşir.
Siyaset, sadece ülkeye hizmet için değil, ülkeyi soymak için de kullanılır.
Politikacılar sorun çözmez, sorun üretir.

* * *

Cemaat kültürü, Mahalle Baskısı bütün özgürlükleri yok eder.
Ulusal bütünlük ve vatandaş hakları yok olur.
Topluma hemşehricilik, cemaatçilik, kabilecilik, aşiretçilik, mezhepçilik, tarikatçılık, sözün kısası bölücülük ve adam kayırıcılık egemen olur.
Demokratik rejim Dinci Oligarşi'ye dönüşür.

* * *

Eğitim tamamen dogmatik din eğitimine yönelir.
Okul sistemi, örgün ve yaygın eğitim çöker.
Sistem, yurttaş yerine mürit, vatandaş yerine fırsatçı üretir.
Toplumda yeteneğe, çalışkanlığa ve dürüstlüğe dayalı yükselmenin yolları tıkanır.
Ne tahsilin önemi kalır, ne terbiyenin.
Topçuluk, popçuluk, köşe dönücülük, çetecilik, tetikçilik egemen olur.

* * *

Milli menfaatler veya ulusal çıkarlar denen kavram artık kullanılmaz olur.
Ülkenin kısa ve uzun dönemli çıkarları görülmez olur.
Bireysel çıkarlar ön plana çıkar.

* * *

Toplum ve bireyler ulusal kimliğini yitirir.

Toplumsal ve ulusal özgüven biter.

Yabancı hayranlığı belirir, dışardan yönetilme ve kurtarılma ihtiyacı doğar.

Pozitif hukuk ortadan kalkar, adalet sistemi çöker.

Güvenlik, güvenlik güçlerinin elinden çıkar.

Yozlaşma, yağma, yolsuzluk ve yoksulluk her alana egemen olur.

Ülke, bağımsızlığını ve bütünlüğünü yitirir.

Emperyalizmin pençesine düşer, bölünür...

*   *   *

Kimdir bunun sorumlusu?

Türkiye Cumhuriyeti'nin kuruluş döneminin tamamlandığı 1945'den beri ülkeyi yönetenler, dinci-feodal yapıyı koruyarak Ortaçağ zihniyetini hortlatanlar kimlerdir?

Kimlerdir, o iç ve dış güçler?

Kimlerdir, kent yağmacılığıyla dinci eğitimi iç içe geçirerek seçmeni koşullandıran ve böylece Türkiye'yi tarikatçılıkla destekli yoz feodal varoş kültürüne teslim edenler?

Aydınları tetikçilere kurban edenler?

Türkiye'nin geleceğini karartanlar?

Kimlerdir, kimler?...

Bu sorunun tek bir yanıtı var:

Politikacılar.

Daha da kesin bir yanıt istiyorsanız, Türkiye Çok Partili Düzene geçeli beri ülkeyi yönetenler.

Bakın bu süreç nasıl gelişti.

Yağmacı Siyasetin Aşamaları

Türkiye'de siyasetin genel görünümünü bir anımsayalım:

Sırtında tek gömlekle büyük kentlere göç etmiş olan belediye başkanları, görevlerinin sonunda gayrimenkul zengini olarak makamlarını bırakıyor.

Başta başbakanlar ve maliye bakanları olmak kaydıyla pek çok bakan ve milletvekili hakkındaki yolsuzluk iddiaları her dönemde ayyuka çıkıyor.

Gerek merkezi hükümetin, gerekse belediyelerin hemen hemen her akçalı icraatı en azından bir adam kayırma, genellikle de bir yolsuzluk suçlamasını da birlikte getiriyor.

Özelleştirme süreci pek çok yeni zengin yarattı.

AB'ye uyum süreci çerçevesinde yapılan yasal değişiklikler bunları engellemiyor, bilakis hızlandırıyor.

Kapalı kapılar ardında karanlık ilişkilerle satılan hisse senetleri, fatura yolsuzlukları, mali suçlar için getirilen afla örtbas edilmek isteniyor.

Halkın dini duygularını istismar ederek paralarını toplayıp cebe atanlar, önde gelen politikacılarla yan yana fotoğraf çektiriyor.

Siyasetçinin elinden kurtulanlar, tarikat tuzaklarına yakalanıyor, varlarını yoklarını şeyhlerine yediriyor.

Türkiye gırtlağına kadar yolsuzluk batağının içinde.

İlginç olan husus, bütün bunların halkın, yani seçmenin gözü önünde olması.

* * *

Siyasetteki yolsuzluklar orta sağı çökertti.

DYP ve ANAP parlamento dışı kaldı, liderleri siyaseti bıraktı.

Orta sağ çökünce, dinci sağ iktidar oldu.

Üstelik de yolsuzluklara, yağmaya karşı çıkarak.

Saf seçmenlerin bir bölümü de (2002 seçimlerinde kayıtlı her dört seçmenden biri, 2007 seçimlerinde ise kayıtlı her on seçmenden dördü) "Belki Allah korkusu bunları yağmadan ve yolsuzluktan uzak tutar" diye düşündü, onlara oy verdi.

* * *

Yukarıda kısaca değindiğim, çok partili sistemin yağmacı bir düzene dönüşmesi aşama aşama gerçekleşti.

Yağmacı düzenin Birinci Aşaması:

Türkiye'deki siyasal yağma kalkınmayı devletin öncülüğünde

gerçekleştirme politikasının Çok Partili Düzende yozlaştırılmasının bir sonucu olarak yukarıdan aşağı olarak ilk aşamasını gerçekleştirdi.

Yağmacı düzenin İkinci Aşaması:

Tarımın makineleşmesiyle kırlardan kentlere doğru büyük bir göç başladı. Bu göçe uygun bir kentsel hizmet ve arsa planlaması yapılamadı.

Bunun sonucunda büyük bir toprak yağması başladı.

Siyasetçiler tarafından önlenmeyen, tam tersine desteklenen bu toprak yağması varoşlara egemen olan yozlaşmış feodal kültürün de etkisiyle toplumda kurumlaştı.

Yağmacı düzenin Üçüncü Aşaması:

Politikacıların yukarıdan aşağı yağma uygulamaları ile yine politikacıların desteklediği aşağıdan yukarı yağmacılık, Liderler Oligarşisi'nin egemen olduğu siyasal parti yapısı içinde bütünleşti.

Aşağıdan gelen yağma talepleri partilerin yerel örgütlerini ele geçirdi.

Partilerin merkez örgütleri ve liderleri zaten yukarıdan aşağı yağmacılığa eğilimli olduklarından, aşağıdan, il ve ilçe örgütlerinden, belediyelerden gelen bu yapılanmayla bütünleşti.

Aşağıdan yukarı ve yukarıdan aşağı gerçekleştirilen yağmanın siyasal partilerin örgütsel yapısı içinde buluşması tabii Liderler Oligarşisi'nin egemenliğiyle kolaylaştırıldı.

Yağmacı düzenin Dördüncü Aşaması:

Her düzeydeki (hem genel hem yerel) siyaset, yağmanın genel bir aracı haline geldi; dönemin sloganı "İş yapsın da isterse yesin!" oldu. Böylece siyaset ve yağma, seçmen vicdanında da bütünleşti ve meşruiyet kazandı.

Yağmacı düzenin Beşinci Aşaması:

Dinci politikacılar, halkın temiz din duygularını da bu işin içine dahil ederek, yağma düzenine, siyasetten sonra, siyasete zaten alet ettikleri inançları da soktular.

Böylece siyaset, yağma ve din istismarı tam anlamıyla bütünleşti.

Kentle bütünleşememiş, kentlileşememiş ve zaten siyasal yağmadan pay kapmaya çalışan kentlerin çevresindeki varoşlarda yaşayan halk, tarikatlar yoluyla din istismarı yapılarak, bu işin içine hem ideolojik hem örgütsel olarak iyice dahil edildi.

Şimdi tarikatçılık ile yağmacı siyaset, yine din ticareti ekseninde tam bir ittifak içinde, tüm Türkiye'yi pençesine almış görünüyor; hem de aynı zamanda rejimi de tehdit ederek.

* * *

Bu bölümü bitirirken, Türkiye'deki Demokrasinin en büyük düşmanlarından birinin yağma kültürüne dayalı bir değerler sistemi olduğunu ve bu değerler sistemine bağımlı hale gelmiş, bu sistemden beslenen Liderler Oligarşisi'ne teslim olmuş siyasal parti yapılarının Demokrasinin yozlaştırılmasından sorumlu tutulması gerektiğini vurgulamak istiyorum.

Tabii "Liderler Oligarşisi" derken, sadece parti içi Demokrasinin yokluğundan kaynaklanan soruna işaret etmiyorum.

"Liderler Oligarşisi" terimini, Türkiye'de Demokrasinin, "katılımcı" bir biçimde işlemesini engelleyen, mevcut çarpık yapının bir biçimde devamını sağlayan bir Oligarşi olarak kullanıyorum.

Türkiye'yi esas olarak ne partiler, ne milletvekilleri biçimlendiriyor.

Tüm yetkiler ve uygulama "tek adam"da, liderde toplanıyor.

Örneğin, tek parti iktidarlarında o partinin genel başkanı, çok partili koalisyonlarda ise o partilerin genel başkanları Türkiye'yi "tek adam" anlayışıyla yönetiyor.

İşte bu liderler, Demokrasimizin eksiklerini, yanlışlarını düzeltmek yerine, kendi işlerine geldiği için, hiçbir iyileştirme yapmadan, mevcut çarpık yapıyı koruyorlar.

Örneğin, yüzde on seçim barajının düşürülmesi ya da milletvekili dokunulmazlıklarının kaldırılması konusunda âdeta gizli bir fikirbirliği içinde eylemsiz kalıyorlar.

Seçim yasasını ya da siyasal partiler yasasını bilerek ve isteyerek değiştirmiyorlar ya da istedikleri gibi, otoriter yönetimlerini güçlendirecek biçimde değiştiriyorlar; çünkü bu yasalar onların liderlik güçlerinin temelini oluşturuyor.

Böylece katılımcı olması gereken Demokrasi, iyice "Liderler Oligarşisi"ne dönüşüyor.

Bırakınız halkı, sivil toplum kuruluşlarını, milletvekilleri bile alınan bu kararları yeterince etkileyemiyor.

Ayrıca unutmayın sandığı neyin önüne koyarsanız, içinden o çıkar.

Aşiretlerin önüne koyarsanız, aşiretler çıkar.

Mezheplerin önüne koyarsanız, mezhepler çıkar.

Tarikatların önüne koyarsanız, tarikatlar çıkar.

Yağmacı değerler sisteminden beslenenlerin önüne koyarsanız, yağmacılar çıkar.

Tarikatlara ve yağmacılara Bağımlı Oligarşik siyasal partilerin önüne koyarsanız, dinci yağmacılar çıkar.

(Bu konuda daha ayrıntılı irdelemeler yapmak isteyenler benim *Demokrasi ve Vampirler* adlı kitabıma bakabilirler.)

4

Demokrasinin Tanımı ve İşleyişi Üzerine Bazı Kuramsal Anımsatmalar

Demokrasimizle yüzleşirken ülkemizdeki bazı çelişkilere ve işleyiş sorunlarına dikkati çektikten sonra, şimdi de bazı kuramsal açıklamalar yapmak istiyorum.

Böylece, bundan önce söylediklerimle bundan sonra söyleyeceklerim daha rahat anlaşılabilir, daha kolay değerlendirilebilir diye düşünüyorum.

* * *

İleride daha kapsamlı değineceğim ama şimdiden bir-iki temel noktaya dikkat çekmek istiyorum:

Birincisi, Demokrasi Batı'da çok kanlı ve çok uzun bir süreç sonrasında ulaşılmış bir rejimdir.

Temelinde sermaye ve işçi sınıfının varlığı ve endüstrileşmiş bir toplum yapısı yatar.

Tabii Demokrasinin uygulanabilmesi için toplumun belli bir üretim, eğitim ve refah düzeyine ulaşmış olması gerekir.

(Demokrasi'nin –doğuş ve işleyişi bakımından– endüstrileşmenin, yani sermaye sınıfı ile işçi sınıfının ürünü olmadığı tek ülke Hindistan'dır. Fakat Hindistan'ı istisna yapan iki özellik vardır. Birincisi, dinidir. Hinduizm veya Brahmanizm –Brahmancılık– denilen inanç sistemi Musevilikten, Hıristiyanlıktan ve Müslümanlıktan çok farklıdır. İkincisi, yüzyıllarca İngiliz sömürgesi olarak yaşamış ve tüm yapısının, geleneklerinin, kurumlarının bundan etkilenmiş olmasıdır.

Bu iki farklılık Hindistan'ı "istisna" yapmaktadır. Bu nedenle bu kitapta, konuyu dağıtmamak için bu özel ve istisnai Hindistan örneğini ayrıca irdelemedim. Demokrasi'nin evrensel gelişme çizgisinde kaldım.)

İkincisi, Demokrasinin gerekli koşulları arasında çoğunluk yönetimi ve serbest seçimler yatar ama bunlar asla yeterli değildir.

Demokrasiyi öteki rejimlerden ayıran en önemli öge, yani yeterlilik koşulu, muhalefetin varlığıdır.

Muhalefet sadece göstermelik biçimde değil, iktidarla eşit fırsat ve olanaklara sahip olarak varolmalıdır.

* * *

Şimdi kısaca kuramsal açıdan Demokrasi kavramına bir göz atalım.

Bu bölümde, herkesin temel bazı kavramlara zaten aşina olduğunu düşündüğüm için çok özet açıklamalar yapacağım ve söyleyeceklerimi madde madde özetleyeceğim.

Demokratik Rejimin Temel Kuruluş İlkeleri

Bir Demokrasinin ortaya çıkabilmesi için en azından bazı toplumsal, ekonomik, siyasal ve bunlara bağlı olarak kültürel koşulların gerçekleşmesi gerekir.

Bunları kısaca şöyle özetlemek olanaklıdır:

1) Aydınlanma sürecini yaşamamış, yani dinsel dogmatizmin tutsaklığından kurtulamamış toplumlarda (örneğin feodal din-tarım toplumlarında) Demokrasi gelişemez.

2) Demokrasi gökten zembille inmez; Endüstri Devrimi sürecini yaşamış toplumlarda ortaya çıkar.

3) Bir toplumda Demokrasinin kurulabilmesi için sermaye sını-

fı ile işçi sınıfının oluşması ve iktidara ortak olacak güce erişmesi gerekir.

4) Avrupa kıtasında bu süreçlerin tek istisnası Türkiye'dir; Türkiye'de Demokrasinin temelleri, meşruiyetini, pratik olarak Kurtuluş Savaşı'nı kazanmanın gücünden, kuramsal olarak da Türkiye Büyük Millet Meclisi'nin temsil ettiği halktan, milleten alan **Mustafa Kemal Atatürk**'ün devrimleriyle atılmıştır.

5) Türkiye'de Demokrasi "yukarıdan aşağıya doğru" dünyadaki süreçlere ters olarak kurulduğundan, hem toplum, hem de bireyler Demokrasiye hazır olmadıkları için, gerek kuruluş (tek parti) gerekse işleyiş (çok parti) dönemlerinde pek çok sorunla karşılaşılmıştır.

6) Ülkemizde gerek toplumsal yapı gerekse bireyler Demokrasiyi yaşatacak düzeye gelmediği sürece bu sorunlar sürecektir.

Demokratik Rejimin Genel İşleyiş İlkeleri

Demokrasiyi işletmek çok zor bir iştir.

Özellikle de Demokratik hak ve özgürlüklerin Demokratik rejimi yok etmek için kullanılmasının engellenmesi son derce ince ve zor dengelerin oluşturulmasını gerektirir.

1) Demokrasi bir çoğunluk rejimidir ama temel hak ve özgürlüklerin çoğunluğa karşı da güvencede olduğu bir çoğunluk rejimidir.

2) Başta dinci rejimler olmak üzere, pek çok diktatörlük de çoğunluğa dayalı olarak işletilebildiğinden, Demokrasinin ayırıcı niteliği "çoğunluk yönetimi" değil, güvence altına alınmış olan "temel hak ve özgürlüklerdir".

3) Demokrasileri bekleyen iki büyük tehlike vardır: Birinci tehlike çoğunluğun, "temel hak ve özgürlükleri" tahrip etmesi, ikinci tehlike, din gibi, ırk gibi, sınıf gibi bazı ölçütleri kullanan birtakım grupların "temel hak ve özgürlükleri" istismar ederek "Demokratik işleyişi" olanaksız kılmasıdır.

4) Demokrasinin en büyük düşmanı "çoğunluktur". Çünkü onun Demokrasiyi tahrip edecek gücü vardır.

Tanım gereği "çoğunluk", her zaman, güvence altındaki "temel hak ve özgürlükleri" yok edecek güce sahip olduğundan Demokratik rejimler, çoğunluğun bu gücünü kötüye kullanmasını ve Demokrasiyi tahrip etmesini önlemek için, İkinci Meclis (Senato) gibi, Anayasa Mahkemesi gibi, yargı bağımsızlığı gibi, özerk üniversiteler ve bağımsız-özgür medya gibi kurumlara sahiptirler.

Demokratik rejimin işleyişini güvence altına alan bu kurumların zedelenmesi, Demokratik rejimi yozlaştırır, zaman içinde yok eder.

5) Bazı grupların azınlıkta da olsalar, "temel hak ve özgürlükleri" istismar ederek din gibi, ırk gibi veya sınıf gibi (bu, sermaye sınıfı da olabilir, işçi sınıfı da, toprak ağaları sınıfı da) ölçütler adına Demokrasiyi tahrip etmeleri, "temel hak ve özgürlüklerin" başkalarının "temel hak ve özgürlüklerini" ortadan kaldırmak için kullanılamayacağı ilkesiyle önlenir.

Burada hiç unutulmaması gereken ilke, *"Demokratik hak ve özgürlüklerin Demokrasiyi yok etmek için kullanılamayacağıdır."*

Bu nedenle pek çok ileri Demokrasi ülkesinde faşist partiler yasaktır.

6) Demokratik rejimin doğru işleyebilmesi için, dürüst ve şeffaf seçim esasına göre oluşturulan yasama meclislerinin toplumsal yapı açısından adaletli bir temsili yansıtması gerekir.

Örneğin bir seçim sistemi bir partinin, kayıtlı seçmenlerin dörtte birinin, oy kullananların ise üçte birinin desteğiyle, meclisteki sandalyelerin üçte ikisini kazanmasına olanak veriyorsa o sistemin meşruiyeti tartışmaya açıktır.

Yine bir seçim sistemi, kullanılan oyların yaklaşık yarısının Meclis dışında kalmasına yol açıyorsa yine meşruiyet tartışması gündeme gelir.

7) Seçim yapacak halkın önüne gerçek seçenekler sunulmalıdır. Yani seçimlere birbirinden gerçekten farklı görüşleri savunan

siyasal partiler katılmış olmalıdır. Birbirinin aynısı olan görüşleri savunan partilerle Demokrasi olmaz.

8) Seçimler, propaganda açısından muhalefetin de iktidarla eşit haklara ve olanaklara sahip olduğu bir ortam içinde ve periyodik olarak yapılmalıdır.
Demokrasilerdeki muhalefet için yalnız eşit haklar yetmez, eşit olanaklar da sağlanmalıdır.
Seçimler belli aralıklarla tekrarlanmalıdır.
Örneğin ömür boyu sürecek iktidarlar için seçim yapılması Demokratik değildir.

9) Bir Demokratik rejimin düzgün işleyebilmesinin en önemli koşulu, iktidarın, gücünü rejimi değiştirmek için kullanmasını engelleyecek mekanizmaların etkin ve sürekli olarak geçerli kılınmış olmasıdır.

Örneğin bir iktidar Anayasa'yı değiştirecek çoğunluğa sahip de olsa, Demokratik rejimin güvencesi olan laiklik ilkesini veya Demokratik işleyişi güvenceye alan Anayasa Mahkemesi'ni kaldıramaz. Tabii ki kaldırmaya gücü yeter ama o zaman o rejimin adı Demokrasi olmaz.

* * *

Sevgili okurlarım, çok kabaca Demokrasinin kuramsal temelleri veya ilkeleri böyle özetlenebilir.
Tabii daha ayrıntıya girmek olanaklı ama sizleri sıkmak istemiyorum.
Burada bu bölümü bitirirken üzerinde durmak istediğim çok önemli bir nokta var:
Daha önce de ifade ettiğim gibi, bizim politikacılarımız Demokratik kurumları ve kuralları kendi çıkarları için yozlaştırmakta çok deneyimlidir.
Bu nedenle, örneğin, Anayasa Mahkemesi'ni kaldırmak yerine, üyelerinin siyasal organlarca seçimini sağlayarak, Mahkemeyi siyasal bir partinin emrine vermek, üniversite yöneticilerinin atanmalarını hükümete vererek özerklikleri yok etmek, medya-

yı bağımlı hale getirecek pek çok kararı gündeme sokmak ve benzeri işlemlerle Demokrasiyi yozlaştırmak bizim politikacılarımız için "çocuk oyuncağıdır".

Türkiye'de rejim ve Anayasa tartışmaları, Demokratik rejimin ne olduğu ve ne olmadığı konusundaki irdelemeler daha uzun süre gündemi işgal edecek gibi görünüyor.

Bu açıdan, gelecekteki bütün olaylar ve süreçler karşısında, özellikle yeni Anayasa konusundaki tartışmalarda gerçek Demokrasinin ilkeleri, sevgili okurlarımın akıllarından hiç çıkmamalıdır.

5

Demokrasimiz Neden Dışardan Yönetiliyor

Sevgili okurlarım, bilim doğru soruları sorma ve bunların yanıtlarına ulaşmak için doğru yöntemleri kullanma sanatıdır.

Doğru soruları sorarak işe başlayamazsanız, doğru yöntemler de kullansanız hiçbir aydınlatıcı sonuca ulaşamazsınız.

"Doğru sorular" ise olağan kabul edilen, üzerinde hiç düşünülmeyen olguları sorgulayan bir yaklaşımın ürünü olabilir.

* * *

Örneğin son yılların en önemli kitabı olan *Tüfek, Mikrop ve Çelik*'te, **Jared Diamond**, herkesçe olağan kabul edileni sorgulayarak işe başlıyor ve insanlığın gelişme tarihi bakımından son derece ilginç, ufuk açıcı sonuçlara ulaşıyor.

Ülker İnce'nin enfes, akıcı, güzel dili ve aslına sadık çevirisiyle Türkçe'ye de kazandırılan ve TÜBİTAK tarafından basılan bu kitapta yazarın sorduğu soru şu:

"Niçin Aztekler ya da İnkalar, Amerika'dan gemilere binip Avrasya'ya gelerek bu kıtayı fethetmediler de, Avrasyalılar (Avrupalılar), Amerika'ya gidip bu kıtayı fethetti?"

Soruyu daha açık sorarsak:

Niçin Avrasyalılar, Amerikalılardan daha gelişmiş bir uygarlığa sahiptiler?

* * *

Isaac Newton'u anımsayalım:

Herkesin doğal, olağan ve normal kabul ettiği bir olguyu, elmaların (meyvelerin) ağaçtan niye yere düştüğünü sorgulayarak, çekim yasalarını bulmuş, kendi fiziğini oluşturmuştu.

* * *

Türkiye'nin dışarıdan yönetildiği artık herkesin kabul ettiği tartışmasız bir gerçek.

Ekonomi, IMF'nin güdümünde.

Dış politika ve dış güvenlik ABD'nin ve AB'nin denetiminde.

İç politika ve iç güvenlik ABD'nin ve AB'nin etkisi altında.

Kimisi bundan memnun, keyfine bakıyor, cebini dolduruyor.

Kimisi bundan yakınıyor, kendi yazgısına egemen olmak istiyor, dışarıdan yönetilmeyi önlemek için çareler arıyor.

* * *

Bence ister memnun olalım, ister yakınalım, önce konuyu iyi anlamak gerekiyor.

Onun için, artık herkesin bir olgu, bir gerçek olarak kabul ettiği bu olayı en başından sorgulayalım ve en basit soruyu sorarak işe oradan başlayalım diyorum.

En basit ilk soru şu:

Türkiye niçin dışardan yönetiliyor?

Bu sorunun yanıtı aslında son derece kolay:

İçerden yönetilemediği için.

O zaman ikinci sorumuz geliyor.

Türkiye niçin içerden yönetilemiyor?

Bu soruyu doğru yanıtlayabilirsek, belki Türkiye'nin niçin dışarıdan yönetildiğini anlar ve ister taraftar olalım, ister karşı, konuyu daha doğru ve gerçekçi biçimde ele alabiliriz.

Tabii bu satırların yazarı ne **Newton**, ne de **Jared Diamond**.

Gelişmekte olan bir ülkenin bir toplumbilim öğrencisi.

Onun için hiçbir iddiam yok.

Bu sorunun kesin ve tek bir yanıtı olduğunu da sanmıyorum.

Bu nedenle bu soruya verilebilecek yanıtları, hem iç hem dış ögeleri dikkate alarak irdelemeye çalışacağım.

Türkiye Neden İçerden Yönetilemiyor?

Türkiye'nin içerden yönetilememesinin nedenlerini çok kabaca iki gruba ayırmak olanaklı.

1) Azgelişmişlikten veya gelişmeyi tamamlayamamış olmaktan kaynaklanan iç nedenler.

2) Türkiye üzerindeki toprak beklentilerinden, bunun için oynanan oyunlardan, egemenlik kurma ilişkilerinden ve jeopolitik dengelerden kaynaklanan kısaca Emperyalist emeller diyebileceğimiz dış nedenler.

* * *

Tabii vahşi orman kanunlarının geçerli olduğu uluslararası arenada Emperyalizmin etkisi, doğrudan doğruya bir ülkenin ekonomik, siyasal ve kültürel gücüyle yakından ilgilidir.

Güçsüzseniz Emperyalizmin oyuncağı olursunuz, güçlüyseniz hem kendinizi korur hem de kendi koşullarınızı dikte edersiniz.

Böylece Türkiye'nin gücüyle ilgili iç nedenlerden, yani azgelişmişlik olgusundan başlamak daha doğru görünüyor.

* * *

Azgelişmişlik olgusu çok kısaca tarımdan sanayiye, feodal yapıdan endüstriyel yapıya, köyden kente dönüşümün tam gerçekleştirilememiş olmasından kaynaklanır.

Tabii bu dönüşüm bir süreç olduğundan her an devam etmektedir; örneğin ülkemiz şu satırların yazıldığı anda bile daha ileriye doğru bir dönüşümü gerçekleştirmektedir.

Azgelişmişlik bir yazgı değil, her an değişmekte olan bir durumdur; ama ne yazık ki yukarıda açıkladığım dönüşüm süreci, yeterince özümlenerek gerçekleşmeden ortadan kalkmaz.

Azgelişmişlik durumundan kurtulamamış olmamızdan kaynaklanan sorunları şöyle sıralamak olanaklı:

1) Sınıflaşma süreci tamamlanamadığı için, ekonominin sürükleyici gücü olan sermaye sınıfı da, Demokrasinin ve insan haklarının öncüsü olan işçi sınıfı da tam gelişememiştir.

2) Ulusal bütünleşme ve bilinçlenme süreci tam anlamıyla tamamlanamadığı için, feodal ögeler, etnik ve mezhepçi çizgide egemenliklerini sürdürmektedir.

3) Ulusal bilince dayalı, insan haklarını özümlemiş, Demokratik ve laik, kentsel ve endüstriyel ahlak gelişememiştir.

4) Ekonomik üretim düşük, verimlilik daha da düşüktür.

5) Siyasetin seçmeni temsil etme gücü de, sorun çözme yeteneği de son derece sınırlıdır.

6) Politikacılar ülke ve halk çıkarlarından çok kendilerinin, kişisel, ailesel, mezhepsel, aşiretsel ve partisel çıkarlarını ön plana çıkarmaya eğilimlidirler.

7) Seçmenlerin siyasal iktidar üzerindeki denetim gücü son derece etkisizdir.

*   *   *

Ekonominizi siz yönetemezseniz, dış güçler yönetir.

İçteki ve dıştaki siyasal sorunlarınızı siz çözemezseniz, dış güçler hem iç politikada, hem de dış politikada kendi çözümlerini dayatır.

*   *   *

Kimdir bu dış güçler?

Türkiye iki büyük Emperyalist gücün etkisi altındadır:

1) ABD'nin ve AB'nin liderliğindeki Batı Emperyalizmi.

2) Halkın dini inançlarını da sömürerek ülkeyi pençesine alan Arap Emperyalizmi.

Batı Emperyalizmi, Soğuk Savaş'ın bitmesinden sonra Küreselleşme döneminde, Türkiye açısından bütünüyle Rum, Yunan, Ermeni ve ayrılıkçı Kürt lobilerinin etkisine girmiştir.

Ne yazık ki bu lobilerin Türkiye'den somut toprak beklentileri vardır. Uluslararası politika ve sermaye, yani Batı Emperyalizmi, Türkiye'yle ilgili engelleri aşmak için bu lobilerin taleplerini meşrulaştırmakta, sadece Türkiye üzerinde baskı kurmakla kalmamakta, kendi meclislerinden de saçma sapan, düşünce özgürlüğüne uymayan, tarihi tahrif eden yasalar geçirmekte dünya kamuoyunu Türkiye aleyhine eğitmekte ve hatta koşullandırmaktadır.

Bu arada Arap Emperyalizmi de halkın mukaddes değerleri üzerinden gerçekleştirdiği din istismarıyla ülkenin eğitimini, kültürünü ve siyasetini ele geçirmekte, azgelişmişlik sürecinden kurtulmamızı engellemektedir.

* * *

Sorun karmaşık.

Azgelişmişlik ile Emperyalizm kol kola gidiyor.

İktidar her ikisiyle de iç içe.

Şimdi biraz da, daha önce değindiğim bir konu üzerinde, azgelişmişliğin ahlakı ya da "ahlak düzeninin yoksunluğu" üzerinde durmaya çalışacağım.

Toplumların ahlak düzenleri, içinde bulundukları üretim ilişkilerine göre biçimlenir.

Örneğin din-tarım nitelikli feodal toplumlardaki ahlak düzeni feodal ahlaktır.

Kentsel endüstri toplumlarındaki ahlaka, kentsel-endüstriyel ahlak diyoruz.

Feodal ahlak, toplumdaki yönetici sınıf olan toprak ağaları ve din adamlarıyla, yönetilen sınıf olan köylüler arasındaki ilişkileri düzenler.

Din-tarım toplumlarındaki birlikte yaşama koşullarını belirler.

Doğal olarak din kaynaklıdır.

Kentsel-endüstriyel ahlak, yönetici sınıf olan sermayedarlar ile işçiler arasındaki ilişkileri düzenler.

Kent toplumlarındaki birlikte yaşama koşullarını belirler.

Din kökenli feodal ahlak kurallarının gelenek ve görenek-lere ilişkin olanlarının bir bölümünü korumakla birlikte, laik, Demokratik, hukuk kurallarını belirleyen Anayasalardan güç alır, medeni hukuk, ticaret hukuku, ceza hukukuyla desteklenir ve pe-kiştirilir.

* * *

Her ahlak sistemi kendi içinde tutarlıdır.

Örneğin dine, aileye, aşirete, ağaya bağlılık, vefa, sadakat, gibi kavramlar feodal ahlakın temel direkleridir.

Başkalarının zamanına, haklarına ve inançlarına saygı, ortak iş yapma ve yaşama, laiklik, Demokratiklik gibi değerler ise kentsel-endüstriyel ahlakın esaslarını oluşturur.

Henüz gelişmelerini tamamlayamamış, azgelişmişlik sürecin-de kapana kısılmış ülkelerde kente göçmüş insanlar, feodal değer-lerden kopmuş ama kentsel-endüstriyel değerleri de yeterince be-nimseyememiştir.

Feodal değerlerden kopmuş, kentsel-endüstriyel değerleri be-nimseyememiş kişilerin bir tek değeri vardır: Para!

* * *

Türkiye'deki büyük ve hızlı coğrafi ve toplumsal hareketlili-ğin getirdiği bu karmaşanın sonunda ortaya çıkan "ahlak yoksun-luğu", işe bir de "bilgi toplumu ahlakı" gibi, geleceğin toplumsal yapısıyla ilgili ahlak değerleri girince, iyice içinden çıkılmaz bir hal almaktadır.

Feodal ahlaktan kopmuş, endüstriyel ahlakı benimseyememiş bir toplumda henüz çok küçük filizler veren bu bilgi toplumu ah-lakı nasıl algılanacak, nasıl yerleşecektir?

Nitekim bu teknolojinin ve bu teknolojinin değiştirdiği iliş-kilerin getirdiği sorunlar, derhal *"İnternette başlayan aşk, kan-la bitti"*, *"Sanal dolandırıcılık"*, *"İnternet aracılığıyla soygun"*, *"İnternette dolaşan yalan haberler, iftiralar ve dezenformasyon"* olarak medyaya bile yansımıştır.

* * *

Turgut Özal'ın şu sözlerini anımsayalım:
"Ben Müslümanın zenginini severim."
"Benim memurum işini bilir."
"Anayasa bir defa delinmekle bir şey olmaz."
Özal'ın, bu sözleriyle teşvik ve istismar ettiği, Türkiye'ye yerleştirmeye çalıştığı ahlak düzeni işte sadece parayı en yüce değer olarak gören düzendir.

Bu ahlak düzeninde politikacılar ülke çıkarlarını değil ceplerini, entelektüeller fikir namusunu değil iç ve dış egemen güçlerle ilişkilerini düşünür.

Tabii bu durumda sade vatandaş da vatanı ve milleti değil, (haklı olarak) geçimini düşünür.

* * *

Bugünkü iktidarın gelir dağılımını daha da bozan, yandaşlarına çıkar sağlayan, Emperyalistlerin emrinde yürütülen ekonomik ve mali politikalar izlemesine karşın, oy avcılığı yapmak için, seçmene sadaka kabilinden yaz ortasında kömür ve erzak dağıtmasının temelinde yatan öge, bu ahlakın (ahlak sistemi yoksunluğunun) siyasette istismarıdır.

Ona destek veren entelektüellerin tutumu da aynı ahlak (ahlak yoksunluğu) değerlerini yansıtmaktadır.

İşte Türkiye'nin içten yönetilemeyişinin en önemli nedenlerinden biri bu toplumsal ahlak (ahlak yoksunluğu) düzenidir.

Prof. **Erol Manisalı**, saf değiştiren entelektüellerin ve dış güçlerin çözümlemesini "Oligarşi'ye katılım" ekseninde yapıyor:

Manisalı 14 Eylül 2007'de *Cumhuriyet*'te yayınlanan "Bıçak Sırtı" adlı makalesinde şöyle diyor:

ÖZAL VE AKP DÖNEMLERİNDE TARAF DEĞİŞTİRENLER:

Özal döneminde "birinci halka", AKP döneminde ise "ikinci halka" taraf değiştirme olayları yaşandı.

Taraf Değiştirmek Ne Demek?
Kimler Neyin Tarafına Geçtiler?

1990'lı yıllara girerken Türkiye'de düşünce, basın, iş ve sanat dünyasındaki insanların bir bölümü "taraf değiştirmeye başladılar." Taraf değiştirmek onlar için ne anlama geliyordu?

Örneğin toplumcu ve ulusalcı kimliktekiler liberal ve küresel bir zemine kayıyorlardı.

Sosyal devlet ve ulusal politikalar yerine gayri milli bir zemini savunmaya başladılar. Ayrıca, "büyük sermaye yanlısı" bir tavır koydular.

Yeni liberalizm, yeni Batıcılık ve sermayenin tarafında duruş, taraf değiştirmenin ana özellikleri olarak ortaya çıktı.

Kimi medya patronları ve köşe yazarları televizyoncular, kimi akademisyenler, siyasiler, sivil toplum örgütlerinin yöneticileri ve büyük sermaye çevreleri bunlar arasındaydılar.

Özal Döneminde Taraf Değiştirmenin Anlamı Neydi?

ABD ve AB'nin önderliğindeki Batı kapitalizminin öngörülerine katılıp "pastadan paylarını almak istediler."

ABD ve AB'nin kendi çıkarları için dayatmak istedikleri sömürge düzeninde; şahsi ve grup çıkarlarını, Oligarşi'nin içine dahil olarak elde etme çabasındaydılar: Bu nedenle taraf değiştirdiler.

Yeni liberalizm, Özalcılık, Batıcılık, Küreselleşme gibi sözcüklerle tanımlanan bu değişim aslında, Türkiye'deki Oligarşi'nin yeniden şekillendirilmesiydi.

Liberalizm, dışa açılma, Batı kapitalizmine bağlanma; "piyasa üzerinden" Oligarşi'nin yeniden oluşturulmasını öngörüyordu.

Taraf değiştirmek demek, "Oligarşi'nin içinde yer almak" anlamına geliyordu.

"İslamcı Oligarşi'nin Oluşumu ve AKP"

Özalcılığa, sermayeye ve Batı'ya bağlanmaya dayalı "birinci halka taraf değiştirme süreci" AKP ile birlikte İslamcı bir derinlik kazanmaya başladı. Bu zaten, ABD'nin 1994'te planlayıp öngördüğü bir sonuçtur.

"Birinci halka"da bir eksik vardı; Oligarşi'nin içine İslamcı (ve şeriatçı) boyut katılmadığı takdirde ulusalcılar, kimi sivil toplum örgütleri ve TSK, "BOP ve sömürgeleşmeye tepki gösteriyorlardı." Bu odaklara karşı sermaye ve piyasa ağırlıklı Oligarşi tek başına yeterli değildi.

Atatürk'ün Türkiye Cumhuriyeti'nin, "Ilımlı İslam Devleti'ne" dönüştürülmesi gerekti.

Bu tezi 1994'ten itibaren **Dr. Morton Abramowitz, Graham Fuller** *ve* **Richard Holbrooke** *geliştirdiler ve AKP'nin iktidara taşınmasını hazırladılar. Bunların belgeleri* Avrupa'nın Askerle Kavgası *ve* Avrupa'yla Derin Bağlar *içinde ayrıntılarıyla ortaya kondu.*[*]

2 Kasım 2002 ve 22 Temmuz 2007'de AKP'nin iktidara gelişine en büyük desteği ABD ve AB sağladılar.

AKP'nin milletvekillerini oluşturan kompozisyonun aşırı heterojen yapısı bile taraf değiştirenlerin ne kadar farklı kimliklere sahip olduklarını göstermeye yeter.

İslamcı bir toplumsal yapıyı savunanlar, liberaller, kimi büyük sermaye çevreleri, eski solcular, Batı'nın Kürdistan projesine destek verenler aynı çatı altında toplanmışlardır.

Bu kadar farklı düşünce ve yaşam biçimini bir araya getiren sihirli güç nedir?

Oligarşi'ye Katılma Yarışı...

Bu farklı kişi ve çevreleri iç değil dışarıdaki güç odakları bir araya getirdi. ABD ve AB'nin Türkiye ve bölge üzerindeki talep (ve dayatmalarına) en baştan evet diyenler bir araya geldiler. Bu bir, "Oligarşi'ye katılma yarışıdır."

Oligarşi'ye Katılanların "Evet Dedikleri" ABD ve AB Talepleri Nelerdir?

Kabaca şöyle:

1) Türkiye'nin de sınırlarını değiştirmek isteyen BOP bu taleplerin içindedir...

(*) Truva Yayınları, 2006 ve 2007

2) Türkiye Cumhuriyeti yerine "Ilımlı İslam Devleti'nin getirilmesi", ABD ve AB'nin talepleri arasında...

3) Türkiye'de her şeyin özelleştirilerek Batı tekellerinin istifadesine sunulmasını da istiyorlar... Oligarşi, buna da "evet" diyor...

4) Washington ve Brüksel Türkiye'de, "kendilerinde olduğu gibi bir devlet yapısının bulunmasına karşılar."

Onun yerine piyasanın ve İslamcıların egemen olduğu bir düzen istiyorlar.

5) Türkiye'nin, Batı dışındaki devletlerle ilişkilerini geliştirmesine karşılar.

Tek yanlı bir dış politika dayatıyorlar.

6) Gerçek bir Demokrasi yerine tarikatların ve piyasanın her şeye egemen olduğu bir yapı istiyorlar.

İşte bütün bu taleplere "evet diyenler" karşı tarafa geçip Oligarşi'ye dahil oluyorlar.

Şeriatçılar, kimi büyük sermaye çevreleri, kimi eski solcular, liberaller, toprak ağaları, bölücüler Batı'nın biçtiği elbiseye "evet diyerek" taraf değiştiriyorlar.

O taraf kırmızı çizginin ötesidir.

Mazlumlara karşı Emperyalizmin boy gösterdiği taraftır.

Ve aynı zamanda, Türkiye'deki yeni Oligarşi'nin ta kendisidir...

Dinci İktidarın Dıştan Destek Araması

Azgelişmişliğin ahlakı ile Emperyalizmin birleşmesi, zaten dıştan yönetilmemiz için ortamı yeterince hazırlamıştır.

Buna bir de başka öge eklenmiştir:

O da içerde Demokratik ve laik düzenle bir hesaplaşma içinde görünen dinci oluşumların iktidara gelebilmek ve iktidarda kalabilmek için dışardan destek aramasıdır.

Bunun en kesin kanıtı, iktidarın hem 2002 hem de 2007 seçimlerinde dışardan kimler tarafından desteklendiğine bakmakla elde edilir.

Medyaya yansıyan demeçler vasıtasıyla iktidara açıkça destek verdiği belli olan "dış güçler" şunlardır:

ABD
AB
Uluslararası sermaye
Uluslararası medya
Kuzey Irak Kürt yönetimi
Irak'ın Kürt kökenli Devlet Başkanı
Yunanistan
Kıbrıs Rum yönetimi

Bilmiyorum, bu listeyi gördükten sonra, iktidarın dışa bağımlılığı konusunda kuşkusu olan kalır mı?

Dıştan Yönetilmenin Sakıncaları

Sevgili okurlarım, *"Madem ki Türkiye'de Demokrasiyi yerleştiremiyor, ülkemizi içten yönetemiyoruz, o zaman gelişmiş ülkeler gelsin bizi yönetsin, güzel güzel yaşayalım,"* denmez mi?

Tabii ki denmez.

Ekonomimizi ipotek ettiğimiz IMF politikaları zengini daha zengin, yoksulu daha yoksul yapıyor, ülkenin kalkınmasına harcanacak fonların, aldığımız borçların ana para ve faiz ödemelerine gitmesine yol açıyor.

Yabancı sermaye, yatırım yapmak yerine ulusal servetlerimizi satın alıyor, aynı zamanda sıcak para ve borsa oyunlarıyla gelir transferi de yaparak iyice yoksullaşmamıza yol açıyor. (Sözüm, yatırım yapan, istihdam yaratan, vergisini ödeyen yani özetle ülkenin kalkınmasına ve gelişmesine katkıda bulunan yabancı sermayeye değil, çünkü öyleleri de var.)

Dış siyasetimizi emanet ettiğimiz ABD, işgali altında tuttuğu Irak'ta Türkiye'nin güvenliğine ve bütünlüğüne kastetmiş ayrılıkçı etnik teröre müdahale edilmesine izin vermiyor.

Ermeni soykırımı iddialarını okullarında ders olarak okutuyor.

Üstelik de Türkiye'ye biçtiği "Ilımlı İslam Devleti" modeliyle, Demokrasimizin altını oyuyor.

Yine girmek için kapısında beklediğimiz AB, hem ayrılıkçı etnik teröre siyasal destek veriyor, hem Ermeni soykırımı iddialarını resmen kabul eden siyasal kararlar alıyor, hem de Kıbrıs'taki haklarımızdan vazgeçmemiz için bize baskı yapıyor.

Ayrıca AB'ye uyum yasalarını zorunlu kıldığı için alelacele hazırlıksız yapılan değişmelerle Türkiye'nin bütün dengelerini altüst ediyor.

Örneğin AB'ye uyum için çıkarılan yeni ceza ve ceza muhakemeleri yasasıyla Türkiye daha güvenli değil, daha güvensiz bir hale geliyor.

Ayrıca hem bu ülkenin aslî vatandaşları olan Kürt, hem de Demokrasimizin güvencesi olan Alevi vatandaşlarımızı kışkırtarak, ülkenin siyasal birliğini, iç huzurunu zedeliyor.

Artık resmen yayınlanan haritalarda da gösterildiği gibi Batı âlemi, Türkiye'nin güneydoğusunu ve kuzeydoğusunu başka ülkelere verip ülkenin bölünmesi hakkında projeler geliştiriyor.

Sorun Nasıl Çözülecek?

Sorunu yaratan nedenler ortadan kalkarsa sorun da çözülür.

Türkiye'deki Demokrasinin dıştan yönetilmesine dur demek, ancak ülkenin ekonomik, siyasal, toplumsal ve kültürel bakımdan güçlenmesiyle olanaklı olur:

Hızla ekonomik kalkınma ve eğitim...

Zaten ekonomik büyüme ve gelişmeye kimsenin itirazı yok.

Gerçi orada da büyük sorunlar var ama şimdilik onların var olduğunu bilerek bir başka alana, bireye, eğitime ve kadına bakalım.

6

Demokrat Birey, Eğitim ve Kadın

Geçtiğimiz bölümlerde, Demokrasinin "gökten zembille inmediğini" söylemeye, Demokratik rejimin uygulanması için toplumun belli bir gelişmişlik aşamasına ulaşması gerektiğini anlatmaya çalıştım.

Şimdi biraz da bireyler, kadının toplumdaki yeri, bireysel tutum ve davranışlar üzerinde durmak istiyorum.

Çünkü bütün toplumlarda her kesimin, her sınıfın, her bireyin aynı gelişmişlik düzeyinde olması zordur.

Acaba Demokrasi nasıl bir birey yapısı gerektiriyor.

Bu birey nasıl üretilir?

Bu bölümde biraz bu konuyu irdeleyelim.

Demokrat Olmak Zordur

Sevgili okurlarım, dünyanın en zor işlerinden biri demokrat olmaktır.

Hele Türkiye gibi, erkek egemen (dindar değil) dinci, feodal bir kültürün egemen olduğu bir ülkede çok daha zordur.

Erkek egemen, dinci, feodal kültür, kadınları ikinci sınıf vatandaş görür, gençlere ise pek söz hakkı tanımaz.

* * *

Demokrat olmak her şeyden önce insanın kendine güvenmesini gerektirir.

İnsanın kendine güveni ise öyle Allah vergisi bir duygu değildir.

Kendine güven önce ailedeki, sonra okuldaki eğitimle, daha sonra iş yaşamındaki izlenimlerle ve bu arada akıp giden günlük yaşam içindeki deneyim ve birikimle elde edilir.

Çeşitli iniş ve çıkışlarla dolu yaşam süresince başarı ve başarısızlıkların akılcı biçimde değerlendirilmesi, insanın kendine güvenini oluşturan temel ögeler arasındadır.

Şimdi sorarım size, sürekli erkekler tarafından horlanan, örtünmeye zorlanan, kişilikleri baskı altında tutulan kadınlarımız, yani nüfusun yarısını oluşturan vatandaşlarımız bu toplumda kendilerine güven duygusunu nasıl geliştirebilir?

Demokrat olmanın ikinci koşulu, insanın başkalarına güvenmesini gerektirir.

Diyelim ki, siz uygar ve demokratsınız ama etkileşimde bulunduğunuz öteki insanlar, özellikle de rakipleriniz demokrat mı?

Sizin düşüncelerinizin üzerine, karşı görüşlerle mi, yoksa kaba kuvvetle mi geliyorlar ya da gelecekler?

Ya yanınızdakiler?

Sizinle aynı görüşleri, aynı eylemleri, aynı hedefleri paylaşanlar, sizin kadar demokrat mı?

"Başkalarının" demokratlığı, tabii sizin sorumluluğunuzda değil ama onların demokrat olup olmaması sizin demokratlığınızı yakından etkiler:

Herkesin kaba kuvvet kullandığı bir ortamda siz demokrat olsanız ne yazar, olmasanız ne yazar; kaba kuvvet sizi, demokratlığınızla birlikte silip süpürür.

Erkek egemen, dinci bir feodal kültürde, kendilerine sürekli baskı uygulanan kadınlarımız demokrat olsalar, ne fark eder?

O halde demokrat olmanın önkoşulu, sizin kendinize güveninizden de önce, bir ortam sorunudur:

İçinde yaşadığınız ortam, yani toplum yeterince demokrat mı, değil mi, önemli olan o...

* * *

Bir toplumun demokrat olması için, o toplumun totaliter ve otoriter tutumlardan arınmış, aydınlanmış, dinci, aşırı milliyetçi ve her türlü cemaatçi ideolojinin tutsaklığından kurtulmuş, özgür ve bağımsız, kişilik sahibi bireylerden oluşması gerekir.

Burada önemli olan husus, bir insanın milliyetçi, dindar veya belli ideolojilerin taraftarı olması değildir.

Önemli olan bu ideolojilerden herhangi birinin tutsağı olmamak, fanatik bir kimlik sergilememek ve Demokrasi karşıtı olmamaktır.

* * *

İşte, bir insanın demokrat olabilmek için kendine güvenmesi ve başkalarına güven duyması, ancak böyle bir Demokratik ortam içinde anlam taşır.

Yani önce içinde yaşadığımız toplum yeterince endüstrileşmiş, dinsel totalitarizm ve milliyetçi faşizm tehlikelerini aydınlanarak aşmış olacak, ondan sonra da insanlar kendilerine ve başkalarına güvendikleri ölçüde demokrat olacaklar.

Türkiye, demokrat olma sınırına yaklaşmıştır; ama bugün için Demokrasiyi tam anlamıyla hazmetmiş olduğunu iddia etmek olanaksızdır.

Bu nedenle ülkemizde demokrat olmak, Demokratikleşmesini tamamlamış olan öteki toplumlara göre çok daha zordur.

* * *

Türkiye'de toplumsal önderler, özellikle de siyasal liderler, topluma yön veren kişiler olarak sadece Demokrasiye inanmak değil, aynı zamanda topluma örnek olacak Demokratik davranışlar da sergilemek zorundadır.

Türkiye, Demokratikleşme sürecini böylece çok daha hızla ve çok daha kolaylıkla tamamlayacaktır.

Ama acaba siyasal liderlerimiz halka, bireylere, demokrat olma konusunda iyi bir örnek oluşturmakta mıdırlar?

Siyasal Liderler Demokrat mı?

Ne yazık ki hep seçimle iktidara gelmiş olan sağcı iktidarlar Demokrat Parti'nin 1950'de başlayan yönetim dönemlerinden beri Demokrasiyi sürekli olarak "çoğunluğun baskısı" biçiminde algılayıp o yönde yozlaştırmışlar, Türkiye'yi yöneten siyasal liderler demokrat olma konusunda hep kötü örnek oluşturmuşlardır.

Demokrat Parti'nin lideri eski Başbakan **Adnan Menderes**'in tarihe geçmiş olan üç sözünü anımsayalım.

"Ben odunu bile aday göstersem, milletvekili seçtiririm."

"Siz isterseniz hilafeti bile getirebilirsiniz."

"Kendime sabık başbakan dedirtmem."

İşte buyurun, Türkiye'de Çok Partili Rejimin Demokrasi geleneği bu sözler üzerine oturtulmuştur.

Bu sözler topluma, seçmene, bireye, halka Demokrasi yolunda "önder" olmuştur.

Bugünkü iktidar partisi liderinin ise hem laiklik karşıtı sözleri, eylemleri ve tutumları, hem de dini ilkeleri Demokratik hukuk ilkelerinin önüne koyması, Demokrasiye nasıl baktığını gösteren güzel örneklerdir.

Ayrıca o da tarihe, şu sözlerle geçmiştir:

Kendini eleştiren seçmene, *"Ananı al da git!"*

Abdullah Gül'ü, *"Benim Cumhurbaşkanım olmayacak,"* diye eleştirenlere, *"O zaman çık bu ülkenin vatandaşlığından."*

Kararını beğenmediği Danıştay'a, *"Efendi, bu senin işin değil, ulemaya sormak gerek."*

Kararını beğenmediği Avrupa İnsan Hakları Mahkemesi'ne, *"Bu konu ulemanın işidir."*

Böylece başbakan sıfatıyla tüm ülkeye demokratlık konusunda örnek olması gereken iktidar partisi lideri sadece kötü örnek olmakla kalmamakta, Demokratik rejimin temellerini de tehdit eden bir tutum ve davranış sergilemektedir.

Liderlerin sergiledikleri bu tutum ve davranışları gören vatandaş, birey olarak kimi örnek alacaktır?

Türkiye'de siyasal liderlerin demokrat olmayışının çok önemli bir başka sonucu daha ortaya çıkmıştır:

Adına Demokrasi dediğimiz Çok Partili yağma düzeni, aynı zamanda bir Liderler Oligarşisi haline dönüşmüştür.

Liderler Oligarşisi, hem Demokratik düzenin yozlaşmasını hızlandırmış ve derinleştirmiş, hem de bir Oligarşi'den ötekine geçmek daha kolay olduğu, halkı Oligarşik yapıya alıştırdığı için Dinci Oligarşi'nin iktidarını kolaylaştırmıştır.

Demokrat Bireyi Oluşturmakta Eğitimin Rolü

Eğitim, bireyin yeniden üretimidir.

Her ülke, her devlet, vatandaşlarına, o ülkenin rejimine, milliyetine, dinine, diline, sözün kısası kültürüne ve geleneklerine göre eğitim verir, bireyi vatandaş haline getirir.

Bu sürecin önemini çok iyi bilen **Atatürk**, eğitime ve dolayısıyla gençliğe büyük önem vermiş, Cumhuriyet rejiminin eğitim yoluyla Osmanlı İmparatorluğu'nun kullarından, Türkiye Cumhuriyeti'nin vatandaşlarını üreteceğini umut etmiştir.

Gerçekten de eğitim uzun bir süre bu çizgide gitmiş, özellikle Köy Enstitüleri deneyimiyle, dünyaya örnek bir yapıda gelişmiştir.

Ne yazık ki, 1945'ten sonra, bu eğitim devrimi önce yavaşlamış, sonra da tersine dönerek Cumhuriyet'e ve Demokrasiye bağlı değil, tam tersine, ya ona karşı ya da ilgisiz kuşakların yetiştirilmesinde aracı olmuştur.

Nasıl Bir Gençlik Yetiştiriyoruz?

Değerli okurlarım, Türkiye'deki Demokrasiyle yüzleşmeye çalıştığım bu çalışmada öne çıkan en önemli ögelerden biri, hiç kuşkusuz gençliğin eğitimidir.

Klasikleşmiş deyişler genellikle temel doğruları yansıtır:

"*Gençler geleceğimizdir*," deriz.

Doğrudur bu söz.

Gençler gerçekten geleceğimizdir.

Peki biz "geleceğimize" nasıl yatırım yapıyoruz?

Cumhuriyeti 22 yılda kurdu **Atatürk** ve **İsmet İnönü.**
1923 ile 1945 arasındaki "kuruluş" dönemini kastediyorum 22 yılla.

1945'te dünyayı pençesine alan "Soğuk Savaş"la, genç Cumhuriyet'in henüz tam sağlamlaştırılmamış temelleri erozyona uğratılmaya başlandı.

Sovyetler Birliği'ne karşı oluşturulan Antikomünist dinci ve milliyetçi cephenin "ileri karakolu" olan Türkiye'de, yaklaşık 60 yıldır Cumhuriyet'in temelleri yozlaştırılıyor, bilimsellikten, çağdaşlıktan, uygarlıktan geriye dönüşün etkileri toplumun her kesimine egemen kılınıyor.

En kritik alan da eğitim; yani gençlerimizin yetiştirilmesi.

Köy Enstitüleriyle başlayan büyük atılım, ne yazık ki 1945'ten sonra durduruldu, içteki feodal kalıntılarla dıştaki Antikomünist dinamiklerin işbirliği, ülkeyi bütün alanlarda ve özellikle eğitimde geriye götürüyor.

* * *

Ne demek eğitimde "geriye gidiş"?

Artık bütün dünya biliyor ki, eğitimin amacı, bağımsız düşünme yeteneğine sahip, kendini ve çevresini irdeleyici bir görüşle algılayan gençler yetiştirmek.

Bunu başaran ülkeler gelişiyor, kalkınıyor, bunu başaramayanlar geri kalıyor.

Bu tür bir eğitimin ilkeleri de belli:

Ezbere değil, anlamaya dayalı, sorgulayıcı, araştırıcı bir eğitim, kalkınmanın ve gelişmenin birinci aracı.

Çünkü her toplumun en büyük zenginliği, insan ögesi.

İnsana, yani önce gençlerine, sonra da yetişkinlerine yatırım yapan, yani onları iyi eğiten toplumlar değişmeye ayak uyduruyor, rekabet gücünü geliştiriyor ve ileri gidiyor.

Eğitim alanında geri kalanlar ise, yoksulluğa, sömürülmeye mahkûm oluyor.

İşte Türkiye'deki eğitim sorununun kökünde yatan temel öge bu:

Çocuklarımızı ve gençlerimizi ezbere dayalı, dogmatik bir yöntemle yetiştiriyoruz.

Sadece 1970'li yılların ortalarında kurulan Milliyetçi Cephe iktidarlarının doruk noktasına taşıdığı ve bugünkü yönetimin de benimsediği bir yöntem değil bu.

1945'ten beri, Soğuk Savaş bağlamında ve çok partili Demokrasiyle iktidara ortak, hatta ona egemen olan feodal ögelerin başlattığı bir "geriye dönüş" süreci.

"Dinci eğitimi" "bilimsel eğitimden" ayıran en önemli nokta, dinci eğitimin ezbere ve dogmatizme dayanması, bilimsel eğitimin ise bağımsız düşünceye ve araştırmaya yönelik olmasıdır.

Ezbercilik ve dogmatizm, sadece radikal akımlara bağlı, gerektiğinde kendilerini canlı bomba olarak bile kullandıran insanlar yetiştirmekle kalmıyor, tüm bir toplumun araştırma ve bağımsız düşünme refleksini dumura uğratıyor.

Uzun süredir tartıştığımız ve daha tartışmaya devam edeceğimiz İmam Hatip okulları ve Kuran kursları programlarına bir de bu açıdan bakmakta yarar var.

Türkiye'deki eğitim sisteminin birbirine bütünüyle zıt iki felsefe arasında kaldığı açıkça ortaya çıkıyor:

Yani bir uçta bağımsız düşünen, değişmeye dönük, yaratıcı insanlar yetiştirmek ve dünyayla rekabet etmek, öteki uçta, ezberci, dogmatik, düşünmeyi reddeden, mevcudun korunmasına ve hatta geri dönmeye yönelik inançları benimseyen bir genç kitlesi üretmek.

Eğitim sorunu bize iki seçenekli bir sonuç sunuyor:

Türkiye ya çağdaş dünyada varlığını sürdürecek ya da Ortaçağ'ın karanlıklarına yuvarlanarak yok olup gidecektir.

Din Eğitimi ile Dinci Eğitim Farklıdır

"İkiyüzlü" bir toplum olduk.

Başta politikacılar halkı aldatıyor.

Örneğin, *"Temiz toplum, temiz siyaset"* diyenler, utanmadan dokunulmazlık zırhı ardına sığınıyor, sırtlarındaki yolsuzluk dosyalarıyla kirlilik simgesi olarak ortada dolaşıyor.

Sadece halk önderleri olan politikacılar değil ikiyüzlü olanlar: Medya da, üniversiteler de, bürokrasi de ikiyüzlü.

Dış politika yenilgilerimiz, medya tarafından kamuoyuna *"zafer"* diye yutturuluyor; AB'nin 17 Aralık 2004 doruğundan Türkiye için çıkan "sonu belirsiz" ve "ikinci sınıf üyeliğe" dönük kararı, kamuoyuna *"AB yolu açıldı"* diye sunulabiliyor.

Köşe yazarları, patronlarının ya da kendilerinin çıkarları adına, dün "ak" dediklerine bugün "kara" demekte hiçbir sakınca görmüyor, hatta bununla övünüyorlar.

Üniversitelerimizde, başkalarının çalışmalarından çalıntı yaparak kitap yazanlara akademik unvanlar dağıtılıyor; sonra bunlar bürokrasinin en üst makamlarına tayin ediliyor.

Sadece "ikiyüzlü" değil, aynı zamanda "pişkin bir toplum" da olduk:

Bütün bu skandallar kamuoyunun gözü önünde cereyan ediyor, kimsenin kılı kıpırdamıyor.

Bu skandalların kahramanları göğüslerini gere gere, suratlarında pişkin bir gülümsemeyle ortalıkta boy gösteriyor, çevrelerinden saygı görüyor.

Sanıyorum, "ikiyüzlülüğün" ve "pişkinliğin" günümüzde bu denli yaygınlaşmasının altında iktidarın "takıyyeci" tutumu yatıyor.

İktidarın amacı ve hedefi ile söyledikleri başka olunca, ikiyüzlülük ve pişkinlik birdenbire birer "toplumsal özellik" niteliği kazanıyor.

Örneğin, topluma ve siyaset sahnesine "siyasal ve dinsel bir simge" olarak giren, üstelik de din-tarım toplumlarının mirası olarak kadını "ikinci sınıf bir vatandaş" derecesine indiren "türban" bireysel özgürlük ve vicdan özgürlüğü adına savunuluyor.

Kuran kursları, kaçak kuran kursları, mecburi din eğitimi ve İmam Hatip eğitimi de, "din eğitim" ile "dinci eğitim" kasten birbirine karıştırılarak aynı "ikiyüzlülük" ve "pişkinlik" içinde tartışılıyor:

"Din eğitimi", çocuklarımızın kutsal değerlerini, dinlerini öğrenmelerine yönelik bir eğitimdir ve "gönüllülük" esasına göre sunulduğu zaman kimsenin buna bir itirazı olmaz.

Sorun "din eğitiminin" "dinci eğitime" dönüştürülmesinde ve "dinci eğitimin" topluma "din eğitimi" adı altında, genel eğitime egemen olacak bir yapıda empoze edilmesinde yatıyor.

"Dinci eğitim" yöntem olarak dogmatiktir, yani bilimsel yönteme, sorgulayıcı ve araştırıcı yaklaşıma karşıdır; din dogmalarının tüm dünya görüşünün ve tabii bilimsel olarak irdelenmesi gereken gerçeklerin de temelinde yatan bir biçimde öğretilmesine yönelik bir ezberciliktir.

Yirmi birinci yüzyıl dünyasında çocuklarımızın "din eğitimi" almalarında bir sakınca yoktur ama, "dinci eğitimle" yetiştirilmeleri, (bırakın sonuç olarak laik ve Demokratik rejimin temellerinin sarsılmasını) tüm toplum olarak dünyadan geri kalmamıza yol açar.

Ne yazık ki günümüz Türkiyesi'nde, "dinci eğitim", "din eğitimi" etiketi altında yutturulmak istenmektedir.

Eski Cumhurbaşkanı **Ahmet Necdet Sezer,** YÖK (ve üniversiteler), CHP ve medyadaki birkaç dürüst ve cesur kalem dışında kimse de bu saptırmaya dikkat çekmemiş, herkes, bu eylemlerin ardındaki niyetleri bilmesine karşın sesini çıkarmamıştır.

İşte iktidarın ve medyanın önayak olduğu kaçak kuran kursları, kuran kursları, mecburi din eğitimi, İmam Hatip eğitimi ve İmam Hatiplilerin üniversiteye nasıl girecekleri tartışmalarının altında bu "ikiyüzlülük" ve "pişkinlik" yatmaktadır.

Eğitimdeki Formasyon Demokrasinin Esasıdır

Her eğitim programının bir felsefesi vardır:

Nasıl bir öğrenci yetiştireceksiniz, ona hangi "formasyonu" vereceksiniz?

Örneğin her ülke temel eğitiminde, yani üniversite öncesi eğitimde genellikle iki ayrı formasyona yönelir:

Genel eğitim ve meslek eğitimi.

Genel eğitimdeki formasyon, bir yandan o ülkenin vatandaşlık bilincine ve çağdaş bir dünya kavramına, öte yandan yüksek öğrenim için gerekli olan sorgulayıcı ve araştırıcı bir yaklaşıma dayalıdır.

Meslek eğitimindeki formasyon ise, o eğitim hangi mesleğe yönelikse, yukarıdaki amaçlara ilave olarak, o mesleğin temel ilkelerine ve uygulamalı becerilerine dayalı bir yaklaşımdır.

Meslek eğitimi açısından ise, din eğitimi ayrı bir nitelik taşır: Dine dayalı mesleklerin eğitiminde kaçınılmaz olarak öğrenciye "dini formasyon" verilir.

Bu açıdan dini eğitim, sadece genel eğitimden değil, öteki meslek eğitimi programlarından da ayrılır.

Çünkü dini formasyon, dinlerin nitelikleri gereği, kaçınılmaz olarak dini dogmalara (naslara) dayalıdır.

Yani bu eğitimi alan kişi toplumu, dünyayı ve evreni, dinsel dogmalar açısından algılayacak biçimde yetiştirilir.

Değişmeyen tek ögenin, bizzat değişme sürecinin devamlılığı olduğu bir dünyada, değişmez dogmalara dayalı formasyon alan kişi, çevresiyle aldığı formasyon arasında pek çok çelişki yaşar.

Semavi dinler bu çelişkiyi, yani içinde yaşadıkları gerçek dünyadaki değişmelere uyum sağlama sıkıntısını çok zor aşmışlar, bu uğurda pek çok kan ve gözyaşının dökülmesine neden olmuşlardır.

Ne yazık ki bugün bile, küreselleşen terörün bir bölümünün ardında da hâlâ bu dini dogmalar yatmaktadır.

Türkiye'deki pek çok sorunun temelinde de çocuklarımıza dini formasyon veren İmam Hatip okullarının, genel eğitimin yerine geçirilmesi isteği vardır.

Bu istek, yargıçların, valilerin ve daha birçok meslek mensubunun dini formasyon almış gençler arasından yetiştirilmesine yönelik bir genel siyasal programa dayalıdır.

Sorun da tam bu noktada ortaya çıkmaktadır:

Dini formasyon almış, yani örneğin, İslam Hukuku'na göre yetiştirilmiş bir kişi, bu hukukla çatışan Medeni Hukuk'u veya Ceza Hukuku'nu nasıl benimseyecek, nasıl uygulayacaktır?

Ya da her dinin kendi mensuplarına tanıdığı ayrıcalıkları ve inananları için koyduğu genel kuralları, çağdaş Demokrasilerdeki "din, dil, ırk ayrımı olmaksızın bütün vatandaşlar eşittir" ilkesiyle nasıl bağdaştıracaktır?

* * *

"Kamu Hukuku", bütün hukuk fakültelerinde ve Siyasal Bilgiler Fakültesi'nde ayrı bir derstir.

Bu dersi almış olan ve biraz hukuk formasyonundan haberdar olan herkes bilir ki, Kamu Hukuku, birey ile devletin ilişkilerini kapsar.

Çağımızdaki devletin ana niteliği, vatandaşa hizmet etmesi ve bu nedenle de vatandaşlar tarafından denetlenebilir olmasıdır.

Vatandaşlık ise artık, dini ve etnik bağlardan arındırılmış, siyasal nitelik kazanmış bir kavramdır.

İşte devletle ilişkisinde vatandaş haline dönüşen bireye hizmet etmekle yükümlü devletin tek bir dine dayalı olması vatandaşlar arasındaki eşitlik ilkesini zedeleyeceği için, laiklik kavramı, Demokrasinin olmazsa olmaz koşulu haline gelmiştir.

Bunu bütün hukukçular, siyaset bilimciler ve bilinçli vatandaşlar bilir.

Ama siz İmam Hatip formasyonu almışsanız, bu formasyonun biçimlendirdiği düşünce yapısından bir türlü kurtulamaz ve bir yandan "Kamu Hukuku"yla hiçbir ilgisi olmayan, gazinolarda içki içilmesi konusunda, "kamu alanı" gerekçesine sığınarak yasak getirir, öte yandan doğrudan kamu alanı olan devlet dairelerinde, hizmet verenler açısından türbanı serbest bırakmak istersiniz.

Bu kadar cehalet, ancak cehalet konusunda özel eğitim görmekle olanaklı olur!

* * *

Bakın sevgili okurlarım, dinci bir eğitim almanın yarattığı sakıncalar nerelere kadar gidiyor:

22 Temmuz 2004 gecesi Sakarya yakınlarında meydana gelen,

37 kişinin öldüğü, 81 kişinin de yaralandığı tren kazasını anımsarsınız.

Bu kazayı iyi irdelemek gerek.

Konu, rayların yetersizliğinden ya da yapılan hızdan çok daha derin nedenlere bağlı.

Siyasal iktidarın, âdeta Cumhuriyet yönetimiyle hesaplaşması biçiminde başlatılan ve bilim insanları tarafından yapılan bütün uyarılara karşın devam ettirilen proje ve bu projenin felaketle biten sonu, şu anda Türkiye'yi yönetmekte olan kadroların "dünya görüşünü", "formasyonunu" yansıtması bakımından çok daha ciddi tehlikeleri işaret ediyor.

Sorun, "İmam Hatip eğitimi" yani "din formasyonu" almış kişilerden oluşmuş bir siyasal partinin yönetici kadrolarının dünyaya, ülkeye, topluma, olaylara ve olgulara bakış biçimiyle ilgili.

En sorumlu kişilerden birinin ağzından *"Her şey Allah'tan..."* biçiminde ifadesini bulan bu görüş hepimizin yaşamını tehdit eder hale geldi.

Bu nedenle de 21. yüzyıl Türkiyesi için, başta iktidarın denetiminde olan uçak ulaşımı gibi teknik konulardan, "kamusal alan tanımı" gibi hukuksal ve siyasal konulara kadar pek çok yaşamsal alan, Türkiye Cumhuriyeti vatandaşları için artık güvenli değil.

24 Temmuz 2004, Cumartesi günkü gazetelerde bu konuda pek çok yazı çıktı.

Bunlardan iki tanesi, İlhan Selçuk ve Ertuğrul Özkök tarafından yazılanlar, benim burada söylemek istediklerimi pek güzel ifade ettiği için bu yazılardan birer alıntı yapacağım.

Hürriyet gazetesinde Ertuğrul Özkök, bu kazanın ardındaki asıl neden olan, iktidarın "dine dayalı" dünya görüşüne ilişkin kadrolaşması konusunda, *"Allah Sizin Suç Ortağınız Olamaz"* başlıklı yazısında şöyle diyor:

Ben de kabahatliyim.
Bütün bunlara bakınca bir gazeteci olarak aylardır bir görevimi yerine getirmediğimi görüyorum.
Kadrolaşma iddialarına değinmek...

Ben bütün kariyerim boyunca, belli bir göreve gelen insanların, arzu ettiği kadrolarla çalışma özgürlüğü olması gerektiğine inandım.

Ama bu arzunun mutlaka liyakat ve hakkaniyete uygun olması gerekir.

Sadece arkadaşlık, hemşerilik, "eski hukuku bulunmak", "dava arkadaşlığı", aynı cami cemaatine mensup olmak veya "biraderlik" gibi sübjektif yakınlıklara bağlı olmasının sakıncalarına inandım.

Şimdi bu kazaya bakınca, keşke bu düşüncelerimi daha önce yazsaydım diye hayıflanıyorum.

Özkök yazısını şöyle bitiriyor:

Bir kere daha anlıyorum ki, iş hayatında, devlet görevinde veya siyasette liyakata dayalı olmayan tayin uygulaması hem onu yapana, hem de ülkeye büyük zarar veriyor.

Ama en rahatsız edici olanı, göreve layık olmayan insanların yaşadıkları ilk büyük krizde, bir saniye bile düşünmeden sorumluluğu Allah'a emanet etmeleri.

İşte böyle anlarda benim içimden de aynı şeyi haykırmak geliyor:

'Allah sizin suç ortağınız olamaz...'

Peki, din formasyonu almış kişiler tarafından oluşturulan iktidarın bu görüşü Türkiye'yi nereye götürür?

Bu sorunun yanıtını da **İlhan Selçuk**, *Cumhuriyet*'teki "Kırmızı Kasketli Adam..." başlıklı yazısının sonunda veriyor.

Bir altyapı vardır
Bir de üstyapı..
Altyapı ray..
Üstyapı tren..
Tren, altyapısının doğasını hiçe sayarak uçmaya kalkıştı mı devrilir..

AKP iktidarı da laik Cumhuriyet'in Anayasal altyapısını hiçe sayarak uçmaya yelteniyor..
Bu gidişle "uçtu uçtu" olmasın!

Cumhuriyet tarihimizde toplumsal ve bireysel yaşamlarımız hiç bu denli tehdit altında olmamıştı.
Bakın bu eğitim sistemi daha ne gibi sonuçlar doğruyor.

Demokrasi Adına Tehlikeli Gelişmeler

1970'li yıllardaki rejim tartışmaları ne yazık ki sağda ve solda terör eylemlerine dönüşmüş ve Türkiye, ardında binlerce ölüyle 1980 askeri darbesine gitmişti.

Bugünkü rejim tartışmaları en azından şimdilik bir terör eylemine dönüşmedi; dilerim bu korkutucu gelişme hiçbir zaman olmaz.

Ama tarihe baktığımızda aralarında **Ahmet Taner Kışlalı, Çetin Emeç, Uğur Mumcu, Muammer Aksoy, Bahriye Üçok** gibi isimlerin de bulunduğu pek çok laik ve demokrat düşünür ve yazarın dış destekli radikal İslamcı katillerce öldürüldüğünü görüyoruz.

Eğitimin dinci çizgide yarattığı yeni bir kuşak ileride ciddi tehlikelerle karşı karşıya kalmamıza yol açabilir.

*   *   *

Son zamanlarda ortaya çıkan ve bazı din görevlilerinin, bazı üniversite yöneticilerini hedef alan *"cenazesini yıkamam, namazını kıldırtmam"* söylemi, bu çerçevede son derece tehlikeli bir eğilimi yansıtmaktadır.

İslam dini esas olarak Allah'la kul arasında aracı kabul etmez.

Yine İslam dini Allah'ın "bağışlayıcılığını" O'nun esas niteliklerinden biri olarak kabul eder.

Durum böyle iken, bazı din görevlilerinin, Allah'la insan arasına giren ve Allah adına yargı veren, bazı insanları mahkûm eden sözleri, ne laik ve Demokratik bir devletin hukuk düzeninin kabul edebileceği, ne de gerçek Müslümanların onaylayabileceği bir davranıştır.

Kuran Kurslarının Önemi

AKP iktidarının Kuran kurslarını yılın her ayı ve ayın her günü için kesintisiz hale getirme, geliştirme ve derinleştirme kararı büyük tartışma yaratmıştı.

Bu tartışmalar üzerine, devreye eski Cumhurbaşkanı **Ahmet Necdet Sezer**'in de girmesiyle iktidar, yönetmeliğin uygulanmasının geçici olarak ertelediğini ilan etmişti.

Şimdi yeni Cumhurbaşkanı onay makamında oturduğuna göre, bu adımın atılması için de bir engel kalmamış görünüyor.

Kamuoyu iktidarın bu "iki ileri-bir geri" gidişine artık alıştı:

Hemen hemen her tartışmalı ve gerginlik yaratan olayda iktidar önce geri adım atmış gibi görünüyor.

Ortalık sakinleştikten sonra, kesin bir kararlılıkla, yeniden bildiğini okuyor.

Kuran kursları olayında da iktidar, yönetmeliğin ertelendiğini ilan etti ama bu yönetmeliğin haklı ve doğru olduğuna ilişkin inancını da vurguladı.

Kamuoyunun tepki verdiği konuları ona "yedire yedire" kabul ettirme politikası bu iktidarın, kendi ideolojisini tüm topluma egemen kılma planının bir parçası olarak görülüyor.

Bunu zaten artık herkes fark etti.

O nedenle ayrıca vurgulanması gereken bir konu değil.

Burada din eğitiminin, Soğuk Savaş'ın başladığı 1945 yılından beri yavaş yavaş bütün Milli Eğitim politikasına egemen olması üzerinde de durmayacağım.

Zaten başka yerlerde anlattım.

İmam eğitiminin, kız İmam Hatip okulları ve Anadolu İmam Hatip Liseleri örneklerinin işaret ettiği gibi, genel eğitim modelinin yerine geçecek bir eğitim sistemi olarak topluma kabul ettirilmeye çalışıldığını da vurgulamayacağım.

Bu nokta da artık herkes tarafından biliniyor.

* * *

Burada vurgulamak ve okurlarımın dikkatini çekmek istediğim konu çok daha başka:

İktidarın, eğitimin niteliği hakkındaki genel yaklaşımıyla ve nasıl bir gençlik yetiştirmek, dolayısıyla Türkiye'nin geleceğini nerede görmek istediğiyle ilgili.

Yılda iki milyon ilkokul çağındaki çocuk kuran kurslarından geçiriliyor.

Kuran kursları esas olarak, çocukların ve gençlerin anlamadıkları bir dilde, Arapça'yla yazılmış, kutsal kitabımızı ezberlemeleri üzerine kuruludur.

Yani temelinde, anlamadan ezberlemek yatar.

Şimdi soru şu:

Biz Türkiye olarak 21. yüzyıla, tüm evlatlarımızı anlamadan ezberleme yöntemiyle eğiterek ve bu yönteme alıştırarak mı hazırlanacağız?

Türkiye çağdaş dünyayla ezberci kafalarla mı rekabet edecek?

Bence Kuran kurslarını yaygınlaştırmak ve derinleştirmek isteyenlerin asıl yanıtlamaları gereken soru budur.

İktidarın, Kuran kursları yönetmeliğiyle ortaya koyduğu tutum ve davranışı ne yazık ki, ilköğretimden yüksek öğrenime kadar bütün kademelerde aynı ezberci ve dogmatik eğitim metoduna olan inancını yansıtıyor.

TÜBİTAK'ı ele geçirme operasyonu da budur, YÖK sorunu da.

Böylece, Türkiye'nin çağdaş dünyadaki tüm yaşama ve rekabet şansı, eğitim yoluyla yok edilme tehlikesiyle karşı karşıyadır.

* * *

Sevgili okurlarım, yetersiz eğitim sistemimiz bir yana, Türkiye'deki eğitim görme süresi hâlâ ortalama 3,5 yıl kadar.

Biz Demokrasiyi bu insan malzemesi üzerine kurmaya çalışıyoruz.

Milli gelirimiz hâlâ 5.000 dolar dolayında.

Oysa pek çok araştırmacı, toplum birey başına 10.000 dolardan az gelire sahipse o ülkede Demokrasinin yaşayamayacağını belirtiyor.

Kimileri bu sınırı 20.000 dolar dolayında görüyor.

Bu rakamları, Türkiye'de Demokrasinin yaşatılmasının ne denli zor olduğunu ve Demokrasinin geliştirilmesi için eğitimin ne denli önemli olduğunu vurgulamak için veriyorum.

Bugün İmam Hatip okullarının da, Kuran kurslarının da bir parçası olduğu Türkiye'deki eğitim sistemi, Demokrasiye ve çağdaş bilime uygun gençler yetiştirmiyor.

Bir yanda dogmatik eğitim, öbür yanda az da olsa sorgulayıcı eğitim olarak iki farklı yaklaşımı kullanıyor, Türkiye'yi ciddi bir kültür bölünmesine götürüyor, gelecekteki daha keskin çatışmaların tohumlarını atıyor.

Toplumdaki kültür bölünmesine yol açtığı gibi, Türkiye'nin gelişme ve ilerlemesini de engelliyor.

Demokrasimizle yüzleşirken, bu gerçeği de vurgulamak istedim.

Kadına Ayrımcılık Yapan Bir Kültürde Toplum ve Birey Demokrat Olabilir mi?

Sevgili okurlarım, bu bölümü bitirirken toplumca kadınlarımıza uygulanan ayrımcılığa dikkati çekmek istiyorum.

Çünkü kadınlarına saygı ve sevgi göstermeyen, onlara eşit davranmayan bir toplumda Demokrasinin gelişmesi olanaksızdır.

Türkiye ne yazık ki hâlâ erkek egemen, dinci feodal kültürün hâkimiyetinden kurtulabilmiş değil.

Bu nedenle de kadınlarını özgürleştirmiyor.

Kadınlara yönelik şu aşağılayıcı ifadelere ve sıfatlara bakar mısınız:

"Saçı uzun, aklı kısa."

"Eksik etek". (Sakın bu sözü topluluk içinde söylemeyin çünkü buradaki "etek" sözcüğü sizin bildiğiniz kadın giysisi olan "etek" değil.)

"Elinin hamuruyla erkek işine karışma!"

"Kadının sırtından sopayı, karnından sıpayı estik etmeyeceksin."

Bu son sözü bir yargıç söyleyivermişti bir defasında.

Daha araştırılsa neler bulunur, ben hemen aklıma gelenleri sıralayıverdim.

Kadına ayrımcılık uygulayan erkek egemen feodal kültür, ne yazık ki bu tutumunu mukaddes dinimizin kurallarına ve geleneklerine de bağlar.

Çünkü din adına kadını egemenliğinde tutmak ona çok daha kolay gelir.

Oysa bütün tek tanrılı dinler gibi Müslümanlık da, insanlığın feodal döneminde geldiği için, zorunlu olarak hitap ettiği insanların toplumsal ilişkilerine uygun kurallar koymuştur.

Kölelik ve cariyelikle ilgili hükümler de böyledir, iki kadının tanıklığının bir erkeğinkine eşit olması da, miras hukukunda kadınlara yapılan ayrımcılık da.

Tabii örtünme anlamına gelen tesettür de, türban ya da sıkmabaş da bu geleneğe bağlı olarak geliştirilen bir siyasal sonuçtur.

Bırakınız Kuranı Kerim'deki örtünmeye ilişkin surelerin yorumlarının çelişkili olmasını, kadınlara din adına (aslında siyasal bir simge olarak ve erkek egemenliğini devam ettirmek için) saçlarını kapattıran erkekler, acaba saçları açık gezen kadınlara hangi gözle bakmaktadır?

Ya saçları örtülü olanlar, başı açık kadınları hangi gözle görmektedir?

Dinsiz mi?

Ahlaksız mı?

Türbanın (asla geleneksel başörtüsünün değil) din adına zorunlu olduğunu düşünenler, dünyadaki ve Türkiye'deki milyonlarca başı açık Müslüman kadının dinsiz olduğunu mu, günahkâr olduğunu mu düşünmektedir?

Bence türban ya da sıkmabaş olayı İslam dinine, erkek egemenliği adına yapılan büyük bir haksızlıktır ve en çok da gerçek müminleri rahatsız etmektedir.

Tabii işin bir de dindışı, kadın-erkek ilişkilerine ait mantıksız bir bölümü var:

Saçları örtmek, kadının erkeği tahrik etmesini engellemek için kullanılan bir yöntem olarak da savunulmaktadır.

Söyler misiniz Allah aşkına, bu devirde hangi erkek bir kadının saçına bakarak tahrik olur?

Neyse, amacım türbanlı, sıkmabaşlı kadınlarımızı, kızlarımızı üzmek, rahatsız etmek değil.

Çünkü başları kapalı olanlar da benim için, başları açık olanlar gibi, analarımız, bacılarımız, kardeşlerimiz, eşlerimiz, arkadaşlarımız, dostlarımız kadar mukaddestir ve kadın ayrımcılığına karşı, erkeklere karşı korunmaları, desteklenmeleri gerekir.

Üstelik bir toplumbilim öğrencisi olarak, ailesi, öğretmeni, kocası veya "Mahalle Baskısı" tarafından başı örtülmüş bir kızın veya kadının, buna karşı çıkması halinde, nasıl dışlanacağını, nelerle karşılaşacağını, ne gibi suçlamalara hedef olacağını çok iyi biliyorum.

Tabii, yukarıdaki baskılarla veya ekonomik çıkarlarla, kendisi ya da eşi adına siyasal yatırım yapmak için, yahut evlenmek amacıyla başını örtenlerin dışında, bir yetişkin olarak kendi bilinçli iradesiyle başını örtenlerin de, aynen ötekiler gibi başımın üstünde yeri var.

İster baskılarla, isterse bir yetişkin olarak kendi özgür iradesiyle, hatta ister ekonomik veya siyasal çıkarlar için başını örtmüş olsun, sırf kadın oldukları için, bence mukaddestirler.

Bu erkek egemen feodal kültürde, erkeklere karşı korunmalılar, eşit koşullarda ilişki kurmaları için desteklenmeliler ve yaşamın her alanında erkeklerle eşit ve adil koşullara kavuşmak için mutlaka pozitif ayrımcılıkla desteklenmelidirler.

Çünkü bu erkek egemen dinci feodal kültür onlara eşit ve adil muamele etmemektedir.

Tabii erkek egemen kültür, din ve siyaset aynı noktada, kadının türbanı üzerinde buluşunca, ortaya çok trajik çelişkiler çıkmaktadır.

Bakın iktidara yakın *Yeni Şafak* gazetesinin başı kapalı köşe yazarlarından ve AKP'nin Merkez Karar ve Yönetim Kurulu üyesi **Ayşe Böhürler**, sadece **Abdullah Gül**'ün cumhurbaşkanlığı adaylığına, gerginlik olmasın gerekçesiyle o da ilk başta biraz tereddütle yaklaşınca, başına neler geliyor.

Aşağıda yazının konuyla ilgili ilginç bölümlerini siz değerli okurlarımla paylaşıyorum:

> ..."*Niye bizim gibi düşünmüyorsun*" soruları, sürüye boyun eğmek zorundasın yaklaşımı imani bir sorgulamaya bile dönüşebilir çoğu zaman. "*Yoksa sen de mi onlar gibi oldun, davayı satıyorsun?*" "*Hangi dava, ne davası, fanatik mahalleli olmak zorunda mıyım, ne fırsatları değerlendirmek ne de yıldızların yükselişini yakalamak ne de siyasi arenada şahsi ikballer gibi bir derdim var*" demeye kalmadan mahalleli kıyıcılığı "*kimlerle yan yana duruyorum, burada ne işim var*" sorusunu sordurur insana...
>
> "*Size oy vermek için 2000 euro harcadık*" diyen Almancılar...
>
> "*Size bunun için mi oy verdim, hem de sizin ikiyüzlü olduğunuzu düşünürken*" diyen MHP'liler...
>
> "*Müslümanların başa geçmesini istemiyor musun*", "*Bizi içimizden mi vuruyorsun*", "*Başörtüsünü çıkarın, niçin kullanıyorsun*" ve en acımasızı da "*Sen Gül'ün niye cumhurbaşkanı olmasını istemiyorsun sürtük*" diyen dinciler...
>
> *Dinciler diyorum çünkü Müslüman ahlakını benimsemeden dindarlık iddiasında olanlarla da, bir kadına sadece siyasi alanda farklı fikirlerin tartışılabilir olmasını seslendirdi diye hakaret edebilenlerle de bir kardeşlik hukukumuzun olmadığını düşünüyorum...*
>
> ...*Tüm bunlar koroya dahil olmadım ve cumhurbaşkanlığı tartışmalarını gerilim konusu yapmadan çözme alternatifleri bulunabilir mi dediğim için. Dediğim de tam da budur. Yoksa Sayın Gül'ün cumhurbaşkanlığına karşı çıkmak*

değil (velev ki çıkmış olsaydım kimbilir başıma neler gelirdi, kimbilir mürtedlikle bile suçlanabilirdim). Üstelik bu konuda katıldığım siyasi toplantılarda da kesinlikle Sayın Gül'ün cumhurbaşkanı olması gerektiği konusunda görüş bildiren birisi olarak haksızlığa uğradığımı düşünüyorum.

...Haksız tepkiler insana mahalle ahlakını sorgulatıyor ne yazık ki...

...Anadolu muhafazakârlığı da elit Türklerin buyurgan öğretileri de kadınlara dar ediyor dünyayı... "Yetti gari" dedirttiği gibi sorguladığımız alanları da arttırıyor...

Vurun abalıya modelinde başörtülüler, akıldışı hukuki yasakların yanında bir de sürekli olarak iki mahallenin görünmeyen yasakları ve engelleri ile karşılaşıyorlar. Herkesin gücü kadınlara yetiyor.

Artık direniş sathı görünmeyen engeller ve yasaklar ile özel alanı da kamusal alanı da kapsıyor.

Yoksa modern dünyada makam-mevkii, para, hırs derken erkeklerin dünyasında kendine yer bulamayan yiğitlik vasıfları kadınlarda mı tecelli ediyor?

Böhürler'in en çok üzüldüğü konunun kendisine "sürtük" denilmesi olduğu anlaşılıyor.

Yazı, kadınlar için "türbana özgürlük" isteyen dinci kesimin ('dinci' kelimesini Böhürler de kullanıyor) ne denli acımasız ve katı bir kültüre sahip olduğunu göstermesi bakımından çok öğretici ama asıl özelliği "mahalle ahlakına" ve özellikle de baskıcı erkek egemen kültüre dikkat çekmesi.

Böhürler, Türkiye'deki erkek egemen maço feodal kültürün baskıcı nitelikleri konusunda doğru gözlemler yapmış.

"Mahalle kültürü" dediği Grup Baskısı'nı, kadının bu baskı altında nasıl ezildiğini de çok güzel anlatıyor.

Benim dikkatimi çeken, sizin de dikkat etmeniz gerektiğine inandığım husus şu:

Tepki gösterenlerden biri Böhürler'e *"Başörtüsünü çıkarın, niçin kullanıyorsun"* demiş.

İşte, din adına, erkek egemen kültür tarafından kadınlara dayatılan sıkmabaşın veya türbanın tamamen siyasal bir simge olarak kullanıldığının bundan güzel kanıtı olabilir mi?

"Madem ki Abdullah Gül'ü desteklemiyorsun, o zaman aç başını!" saldırısı ister bir kadın, isterse bir erkek tarafından yapılmış olsun, kadınları aşağılayan bir erkek bencilliğini yansıtmıyor mu?

* * *

Demokrasimizle yüzleşirken kadına yönelik ayrımcılığa karşı çıkmazsak hiçbir yere varamayız.

Türbanı ya da sıkmabaşı kimlerin savunduğuna, bunların neler dediklerine ve neler yaptıklarına bakarsak, buradaki erkek egemenliğini daha iyi anlarız.

Türbanı savunanlar genellikle siyasal İslamcılardır.

Siyasal İslamcıların hangi kültürü yansıttıklarını, erkek egemenliğini ve kadınlara dönük baskıcılığı hangi boyutlara taşıdıklarının yüzlerce, binlerce örneği var.

Yukarıda alıntıladığım **Böhürler**'in yazısı sadece birkaç örnek veriyor.

Ben bu sayısız örnekten, kamuoyuna yansımış tek bir uygulamayı anımsatarak kadını ikinci sınıf vatandaş olarak gören bu kültürün ona nasıl baktığını belirteyim:

İstanbul'un ilçelerindeki bir belediye, yeni evlenen çiftlere, İslam İlmihali adı altında bir broşür armağan ediyordu.

Bu broşürde, kadınların dokuz yaşında evlenebilecekleri, erkeklerin kadınları dövebileceği gibi telkinler yer alıyordu.

Düşünün, ücra bir köy ya da kasaba değil.

İstanbul gibi bir büyük kentin bir belediyesi bunu yapıyor.

Hem de seçilmiş devlet görevlisi, bir Belediye Başkanı eliyle...

Başka örneğe gerek var mı, bilmiyorum.

* * *

Kadına ayrımcı yaklaşan erkek egemen feodal kültür, tabii

Türkiye'nin nispeten daha azgelişmiş yörelerinde daha acımasız daha trajik sonuçlar doğruyor.

Kamuoyunda yanlış olarak önce "namus" sonra da yine yanlış olarak "töre cinayetleri" diye adlandırılan cinayetler, kadın ayrımcılığının doruk noktası, en trajik biçimde dışa vurumudur. Ailesinin rızasını almadan kendi isteğiyle bir erkeğe varan kızlar, kan davası veya başka nedenlerle kaçırılan kızlar ve kadınlar, ya da en korkuncu aile içinde büyükler tarafından ırzına geçilen ve hamile kalanlar, "aile kararıyla" infaz edilmekte.

Üstelik infaz görevi, yaş indiriminden yararlansın diye genellikle küçük erkek kardeşlere verilmekte.

Çok sık olmamakla birlikte, kimi zaman aile içinde tecavüze uğrayıp hamile kalanların infaz kararını veren aile meclisine de bizzat bu ahlaksızlığı yapan "büyük"(!) başkanlık etmekte.

Böyle örneklerin, bırakınız kadına yapılan ayrımcılığı, insanlık suçu olduğunu düşünüyorum.

* * *

Burada değinmek istediğim son bir nokta, erkek egemen feodal kültürün kuşaktan kuşağa taşınmasında ne yazık ki bizzat kadınların da aracılık etmesidir.

"Kocamdır, döver de söver de!"
"Aman baban duymasın, öldürür!"
"Erkektir, yapar!"

Bütün bu söylemler, erkek egemen kültür tarafından ezilen, ayrımcılığa uğrayan kadınların bu kültüre boyun eğdiklerinin, dahası bu kültürü çocuklarına taşıdıklarının simgeleridir.

Tabii kadınların bu kültürü benimsemelerinin en büyük etkenlerinden biri, dinimizin erkeğe kadını dövme hakkı vermesine kadar, onu ikinci sınıf vatandaş olarak görmesi.

Ama bu, Müslümanlığın değil, kadını denetim altında tutmak isteyen erkeklerin, Müslümanlığı, dincilik ve erkek egemenliği için istismar edenlerin suçu. (Kadın konusunun birey ve eğitim açısından irdelenmesini merak edenler *Kızlarıma Mektuplar* adlı kitabıma bakabilirler.)

* * *

Galiba bir Demokrasiyi kurmanın, işletmenin ve yaşatmanın en büyük engeli, erkek egemen dinci, feodal kültür.

Bu kültür aşılmadıkça, bir toplumda Demokrasiden söz etmek anlamsız oluyor.

7

Demokrasi İçin Büyük Tehdit: Laiklik Karşıtlığı

Sevgili okurlarım, bu bölümde, Demokrasi ile laiklik arasındaki vazgeçilmez ilişkiye ve Türkiye'de laiklik karşıtı akımların Demokrasiyi nasıl tehdit ettiğine değinmek istiyorum.

Çünkü laiklik ilkesine bağlılık olmadan, bu ilkenin insan haklarını, bireyin özgürlüğünü koruyan özelliklerine uymadan, bir ülkede Demokratik rejimin işlemesi olanaksızdır.

* * *

Bugün Türkiye'de laikliğin tehlikede olduğu kanısındayım.

Bu tehlikenin, ülkemizdeki Anayasal rejim için büyük bir tehdit oluşturduğunu düşünüyorum.

Bu kanımı şu gözlemlere dayandırıyorum:

Türkiye'de laiklik hem iç hem de dış dinamik ögelerinin tehdidi altındadır.

* * *

Bu iki grup öge, birlikte etki yaptıkları zaman, hele hele biraz aşağıda işaret edeceğim biçimde, birbirine aslında zıt olan dış dinamik ögeleri bu zıtlıklarına karşın, Türkiye üzerinde aynı yönde etkide bulunduklarında, toplumu çok derinden sarsabilir.

Önce dış dinamik ögelerini irdeleyelim.

Laikliği Tehdit Eden Dış Dinamik Ögeleri

Daha önce de belirttiğim gibi, Türkiye iki genel dış dinamik grubunun etkisi altındadır.

Bunlardan biri Batı dünyası, öteki İslam âlemidir.

Batı dünyası da Türkiye üzerine biri ABD, öteki AB olmak üzere iki ayrı merkezden etki yapmaktadır.

Şimdi bu üç "etki merkezinin" laiklikle ilgili durumlarına bakalım:

* * *

ABD, Soğuk Savaş'ın başlamasıyla birlikte, Sovyetler Birliği'ne karşı mücadele için dünyada ve Türkiye'de İslamcı akımları hem siyasal, hem toplumsal ve kültürel, hem de ekonomik olarak desteklemiştir.

Soğuk Savaş'ın bitmesiyle, İslam terörü 11 Eylül 2001'de Amerika'yı da vurunca, ABD Küreselleşme bağlamında dünya egemenliğini pekiştirmek için yeni önlemler almaya başlamış, Afganistan'ı ve Irak'ı işgal ve Büyük Ortadoğu Projesini de ilan etmiştir.

Bu proje çerçevesinde "Ilımlı İslam" siyasetini uygulayan bir müttefiğin, yani Türkiye'nin, İslam dünyasında işlevsel olacağı umut ve düşüncesiyle ülkemize biçilen rol "Ilımlı İslam" modelidir.

ABD, Türkiye'yi İslam dünyası için bir örnek olarak kullanmak istemekte, "laik" Türkiye'nin İslam ülkelerince benimsenmediğini düşünerek, onu "Ilımlı İslam Devleti" çizgisine çekmek istemektedir.

Oysa ABD'nin gözden kaçırdığı husus, Türkiye laiklikten geri dönerse "örnek" olma özelliğini de yitireceği, çünkü Demokrasisini koruyamayacağı gerçeğidir.

Ilımlı ya da sert bir İslam modelinin laikliğe aykırı olduğu ve Demokratik (ve laik) sistemden bir geriye dönüşü gerektirdiği açıktır.

ABD'nin bu önerisi, **Huntington**'un ünlü kitabında dile getirilmiştir. (**Huntington**'un önerileri için benim *Küresel Terör ve*

Türkiye adlı kitabımla, *21. Yüzyılda Türkiye* adlı çalışmama bakılabilir.)

Batı dünyası içindeki ikinci çekim merkezi olarak ülkemizi doğrudan etkilemekte olan AB'nin laikliğe bakışı da ABD'ninkinden çok farklı değil.

Örneğin Almanya, yıllardır İslamcı örgütleri korumakta, hatta beslemektedir.

AB, Türkiye'deki "İslamcıların" Demokrasi adına yaptıklarını öne sürerek hemen hemen her laiklik karşıtı eyleme destek vermiştir.

AB'nin buradaki rolü iki taraflıdır:

Bir yandan Türkiye'yi AB üyesi olarak görmek isteyenler, İslama da hoşgörülü baktıklarını kanıtlamak için böyle davranmakta, öte yandan Türkiye'yi AB'den dışlamak isteyenler, *"Türkiye bir İslam ülkesidir, kültürü bizimle bağdaşmaz"* kozunu kullanmak için bu oluşuma destek vermektedir.

Sonuç olarak AB'nin de Türkiye üzerindeki etkisi, farklı grupların farklı nedenlerine dayansa da, aynı doğrultuda, laikliği zayıflatıcı yönde olmaktadır.

* * *

Dış dinamik ögelerinin ikinci grubu olan İslam âlemine gelince, bunların hedefi tartışmasız olarak laikliktir.

Demokratik Türkiye Cumhuriyeti'ni, hem kendi otoriter ve totaliter iktidarlarına, hem de bu iktidarlarını dayandırdıkları dinsel kültüre karşı bir tehdit olarak gören İslam ülkeleri, Cumhuriyet'in kuruluşundan beri laiklik ilkesine olan düşmanlıklarını hiç saklamamışlardır.

Üstelik bir komşu İslam ülkesi olan İran, mahkeme kararlarıyla da belirlendiği gibi, Türkiye'de Demokrasiyi savunan Atatürkçü kamuoyu liderlerini öldüren İslamcı katillere bizzat destek vermiştir.

Bu çerçevede Türkiye'nin sorunu gibi görülen bir "Türban bunalımının" aslında çok daha geniş boyutlu bir "Ortadoğu ve hatta bir siyasal İslam sorunu" olduğu, Fransa'ya karşı girişilen, ülkemizle birlikte Doğu ve Batı dünyasının pek çok büyük merkezinde aynı günde sergilenen eşgüdümlü protesto eylemleriyle iyice açığa çıkmıştır.

Sonuç olarak, Batı dünyası içindeki iki ayrı merkez ile, temelde Batı dünyasına zıt olan İslam âlemi, hep birlikte Türkiye'deki laikliği tehdit eden bir yöneliş içindedir.

Bu muazzam etkiye bir de iç dinamik ögeleri eklenince, aklı başında hiçbir insanın laikliğin tehlikede olduğunu görmemesine olanak yoktur.

Laikliği Tehdit Eden İç Dinamik Ögeleri

Türkiye'de laiklik, Cumhuriyet'le birlikte yukarıdan aşağı bir süreç içinde kabul edildiğinden, tabii ki bir toplumsal tabana değil, bir siyasal kadronun devrimci ideolojisine dayalıydı.

Bu nedenle de zaman içinde hem siyasal, toplumsal ve ekonomik gelişmelere hem de bu gelişmelere öncülük edecek bir eğitim seferberliğine dayalı olarak yerleşmesi öngörülmüştü.

Oysa siyasal ve toplumsal gelişme ve bu gelişmeye öncülük etmesi beklenen eğitim, Çok Partili Düzene geçildikten sonra laiklik konusunda ciddi bir kesintiye uğradı.

1950'de iktidara gelen Demokrat Parti, "Topluma mal olmuş Atatürk Devrimleri" ve "Topluma mal olmamış Atatürk Devrimleri" konulu bir tartışma açarak, geri adımlar atmaya başladı.

Önce Türkçe Ezan Arapça'ya çevrildi. Sonra okullarda kullanılan dil yeniden eski dile döndürüldü.

Zaten vazgeçilmiş olan Köy Enstitüleri eğitimi yerine ilahiyat fakülteleri ve İmam Hatip okulları açılmaya başlandı.

Başbakan şeyhlerin elini öperek siyasal destek aradı.

Bu arada laik ve Demokratik bir rejimin güvencesi olan çağdaş sınıfsal gelişme çok yavaş ilerliyordu.

27 Mayıs 1960'ta kesintiye uğrayan eğitimdeki bu geriye dönüş, Demokrat Parti'nin devamı olan Adalet Partisi'nin 1965 yılında iktidara gelmesiyle yeniden başladı.

1975'ten itibaren de, kurulan Birinci ve İkinci Milliyetçi Cephe hükümetleri zamanında, hem İmam Hatip okullarının açılması yaygınlaştırıldı, hem de genel eğitimin İmam Hatip eğitimine kaydırılması hızlandırıldı.

1980 askeri darbesi, hem din eğitimini zorunlu kılarak hem de İmam Hatiplilerin bütün üniversitelere doğrudan girişlerinisağlayarak bu "laiklikten geri dönüş" projesine destek verdi.

Darbeciler, siyasal partileri kapattıkları için toplumsal desteği din ekseninde aramak gibi de bir genel strateji uyguladılar.

Bu arada "Demokrasinin sadece bir çoğunluk yönetimi olduğu", "devletin milletle kavga ettiği" gibi yanlış siyasal sloganlarla, laiklik temeline dayalı gerçek Demokrasinin kuyusu ideolojik ve siyasal olarak kazılmaya başlandı.

Derken, "Türban eylemleri" ortaya çıktı.

Artık, "laiklik karşıtı bir tabanın oluştuğu ve eyleme geçmesi gerektiği" düşünülüyordu.

Eğitim, Demokrasiye bağlı değil, tam tersine laiklik karşıtı insanlar yetiştirmeye başlamıştı.

Bu çerçevede gelişen siyasal akımın temsilcisi olan Refah Partisi'nin önü 28 Şubat'ta kesildikten sonra, ortaya AKP çıktı.

Merkez sağın yolsuzluk ve kötü yönetim dolayısıyla orta solun da liderlik sorunlarından dolayı çökmesinden sonra AKP bu boşluktan yararlanarak iktidar oldu.

2007 seçimlerinde bu iktidarını daha da güçlendirdi.

Bugünkü iktidarın kökü, Demokrasiden yararlanarak, onu değiştirmeye ve laiklikten uzaklaşarak din ağırlıklı bir yönetim oluşturmaya kararlı kadrolardan oluşmaktadır.

Bu kadroların bir bölümü artık değiştiklerini ve Demokrasiye inandıklarını belirtmektedir.

Fakat yaptıklarıyla laiklik karşıtı eğitim sürecini ve dinci devlet yönetimini destekleyen bir görünüm sergilemektedir.

Toplumun ekonomik ve kültürel gelişme düzeyi ise, henüz Demokrasiyi (ve tabii laikliği) tüm kurum ve kurallarıyla benimseyen, destekleyen bir sınıfsal yapı ve bir toplumsal bilinç üretememiştir.

Dolayısıyla, eğitim hâlâ laiklik konusundaki en önemli araçtır. İktidarın pek çok şeyi riske atan, hem ilköğretim ve liseye, hem de üniversitelere yönelik "kendi dediğini yaptırma" inadının altında laiklik karşıtı özlemlerinin yattığını artık pek çok kişi biliyor.

Manzara, bugünkü iktidarın, laiklik karşıtı eğitim sürecini daha da güçlendirmek ve pekiştirmek istediği biçimindedir.

Üstelik bu amaç, yine Türkiye'de tarihsel olarak Demokrasinin yozlaştırılmasının en önemli ifadeleri olarak çarpıtılan "Milli Egemenlik", "Milli İrade" gibi Demokrasinin temelini oluşturan görüşlere dayandırılmaktadır.

* * *

Şimdi bir an durup düşünelim:

Avrupa Birliği sözcüleri durup dururken ne diye "Kemalizm'e" saldırmaktadır?

İşte bu sorunun yanıtı, iç ve dış dinamik ögelerinin hep birlikte Türkiye'deki laik ve Demokratik düzene karşı oluşturdukları tehdidin bir ifadesidir.

Cephenin gücü, tehlikeyi büyütmektedir.

Atatürkçü Aydınlar Laik Rejimi Zayıflatmak İçin Katledildiler

Radikal İslamcı katillerin 1990'dan sonra işledikleri önemli cinayetleri kısaca anımsayalım:

Prof. Dr. Muammer Aksoy, Ankara 31 Ocak 1990.

Çetin Emeç, İstanbul, 7 Mart 1990.

Turan Dursun, İstanbul 4 Eylül 1990.

Doç. Dr. Bahriye Üçok, Ankara 6 Ekim 1990.

Uğur Mumcu, Ankara 24 Ocak 1993.

Ali Günday, Gümüşhane, 25 Temmuz 1995.

Prof. Dr. Ahmet Taner Kışlalı, Ankara, 21 Ekim 1999.

Necip Hablemitoğlu, Ankara, 18 Aralık 2002.

İhsan Güven, İstanbul, 30 Nisan 2004.

Bu cinayetlere, 2 Temmuz 1993'teki Sivas Katliamını, Kasım 2003'te İstanbul'da, intihar saldırıları yoluyla yapılan Sinagog, HSBC Bank ve İngiliz Konsolosluğu bombalamalarını ve yine İstanbul'da 9 Mart 2004'te Kartal Mason Locası'na düzenlenen intihar saldırısını, *Cumhuriyet* gazetesine atılan bombaları ve Danıştay'a 17 Mayıs 2006'da yapılan silahlı saldırıda Yargıç **Mustafa Yücel Özbilgin'**in öldürülüşünü ekleyin, manzara bütün ciddiyetiyle ortaya çıkacaktır.

Bu ortam içinde, aralarında kendini "İslamcı feminist" diye niteleyen **Gonca Kuriş** de olmak üzere pek çok insanı öldüren bir İslamcı katil şebekesinin korkunç cinayetleri de kamuoyu tarafından hâlâ unutulmamıştır.

* * *

Tabii her ideolojinin ya da inancın radikal taraftarları, şiddet eylemcileri olabilir.

Böyle katiller ya da fanatikler var diye hiçbir ideoloji, inanç ya da din, suçlanamaz.

Nitekim, İslam adına eylem yaptıklarını öne süren bu katillere karşı da ilk önce Türkiye'deki bazı gerçek din bilginlerinden tepkiler gelmiş, Müslümanlığın bu cinayetlerle bağdaşmadığı ve özdeşleştirilemeyeceği vurgulanmıştır.

Ama yine de toplumsal gerçek bütün açılığıyla ortadadır:

Laik ve Demokratik düzene yürekten bağlı üniversite hocası, yazar veya düşünür kimlikleriyle ön planda olan, önemli bir bölümü de kendilerini "Atatürkçü" diye niteleyen "kamuoyu önderleri" teker teker öldürülmektedir.

Böylece, bir yandan toplumun laik ve Demokratik kesimlerine, kendilerini "Atatürkçü" diye niteleyen bireylerine korku salınmakta, öte yandan, Demokrasiyi savunan liderler ortadan kaldırılarak laikliğin ve dolayısıyla Demokrasinin düşünsel planda gelişmesi önlenmektedir.

Bu manzaranın Türkiye'deki laiklik karşıtı akımları güçlendirdiğini görmek için insanın siyasal ya da sosyal bilimci olmasına gerek yoktur.

Bu insanlık dışı cinayetler serisi, tek başına bile bir rejimi tehdit edebilecek boyutlara ulaşmışken, siyasetin ve bürokrasinin çeşitli yerlerindeki kadrolaşma hareketleri, türban eylemleri ve İmam Hatip eğitiminin genelleştirilmesi ve yaygınlaştırılması çabaları, olayı daha vahim bir hale getirmektedir.

Buna bir de Amerika'nın ve Avrupa Birliği'nin "Ilımlı İslam" yaklaşımını ve Büyük Ortadoğu Projesi bağlamında Türkiye'ye biçilmek istenen rolü eklerseniz, tehlikenin ne denli büyük olduğu açıkça ortaya çıkar.

* * *

Ben Demokrasiye olan inancımı hiçbir zaman yitirmedim.

Demokrasiyi sadece ülkem için değil, tüm dünya düzeni için de bir çıkış olarak görüyorum:

Şu anda dünyada görülen tüm olumsuzluklara karşın, bütün ülkelerin birbirleriyle olan ilişkilerinde, Demokratik bir yapı çerçevesinde, eşitlikçi ve adil, insan haklarına dayalı bir düzen içinde yaşayacaklarına inanıyorum.

Ama Demokrasi ideali için, insanların ve devletlerin çok çaba sarf etmeleri gerektiğini düşünüyorum.

Sonunda her toplum ve genel olarak insanlık, ancak kendi çabalarıyla hak ettiği mutluluk ve refah düzeyine erişebilir.

El Kaide'nin Türkiye Serüveni

Kamuoyumuz kimi zaman dehşet verici çok önemli olayları basit bir gazete veya televizyon haberi olarak görmekte, bu haberlerin ardında yatan korkutucu gerçeği ya algılamamakta ya da kendilerinin güvenli sandıkları günlük yaşam düzenleri içinde algılamak istememektedir.

Cumhuriyet'in Yurt Haberleri Servisi Şefi **Mehmet Faraç**, *İkiz Kulelerden Galata'ya, El Kaide Turka* adıyla Günizi Yayıncılık tarafından basılan bir kitap yazdı.

Son zamanlarda dünya üzerindeki İslam terörünün öncüsü El Kaide'nin Türkiye'deki serüvenine baktığımızda insanın tüyleri ürperiyor ve laik rejimin nasıl bir tehlike altında olduğunu daha iyi anlıyor.

Faraç, İslam terör örgütleri konusunda, dünyanın sayılı uzmanlarından biridir; Türkiye'deki durumu da en iyi bilen ve en doğru çözümleyen bir beyindir.

Şimdiye kadar da *Hizbullah'ın Kanlı Yolculuğu* ve *Kod Adı: Hizbullah* adlarında iki ayrı kitabı yayınlanmıştı.

Konuyla ilgilenen okurlarım mutlaka bu kitapları da okumalılar.

* * *

El Kaide Turka adlı kitapta, **El Kaide** ile Türkiye'deki İslamcı teröristler arasındaki ilişkiler, türban eylemleri ile terör eylemleri arasındaki bağlantılar, İslam'ın teröre kaynak olarak kullanılmak istenen ideolojileri, bu ideolojilerin eleştirileri, teröristlerin nasıl devlet tarafından izlendikleri ama eylemlerin önlenemediği anlatılıyor.

Bu kitabı okuduğunuzda, Türkiye'nin nasıl bir uluslararası baskı ve terör çemberiyle karşı karşıya olduğunu ve bu tehlikenin içerde nasıl gelip serpildiğini görüyorsunuz.

* * *

Faraç, kitabın girişinde "Başlarken" diye muhteşem bir çözümleme yapmış; Türkiye'deki tehlikenin nasıl beslenip büyütüldüğünü çok iyi özetliyor:

> *Türkiye'de siyasal İslam 1980 sonrası önemli bir ivme kazandı. Tebliğ-Mürit-Cemaat üçgeni, sosyal yaşamda, ekonomide ve politikada siyasal İslamcıların yarattığı devinim nedeniyle önemli bir aşama da kaydetti.*
>
> *Çok partili rejime geçişin başladığı 1946'dan bu yana tarikat ve cemaatlere oy uğruna verilen tavizler ise bir süre sonra bu kesimde önemli kazanımlara yol açtı. Bu kazanımlar önce sayıları giderek artan müritlere, partileşen tarikatlara ve sanayileşen bir din ticaretine dönüştü.*

İslamcı kesim, 1980 öncesi köhne kitapevleri işleterek, küçük tirajlı dergiler çıkartarak mürit kazanma çabasına girerken, özellikle bir Nakşi olan Turgut Özal'ın 1983 yılında ABD desteğiyle iktidara gelmesinin ardından hareketlendi. İslamcılar medyayı bu dönemde keşfetti...

Faraç, İslamcı medyanın gelişimini özetledikten sonra ekonomi ve eğitim alanına geçiyor, bu alanlarda da artık İslamcı ekonominin ve eğitimin büyük sermaye gruplarına ve devlete karşı kafa tutacak bir güce eriştiğini vurguluyor:

Tebliğ-Mürit-Cemaat üçgeni, dev bir ekonominin verdiği moral ve siyasal alandaki gücün verdiği cesaretle de bir süre sonra Tarikat-Ticaret-Siyaset olgusuna dönüştü.

İstanbul'da 15-20 Kasım 2003 tarihlerinde İslamcı bir grup tarafından gerçekleştirilen 4 intihar saldırısı eylemine bakıldığında da, yukarıdaki tablonun etkilediği, barındırdığı hatta beslediği bu üç ayaklı yapı ortaya çıktı. Şiddet ise ne yazık ki bu yapının dördüncü ayağı oldu."

Kapalı toplum yapısı ve tecritli yaşamın egemen kılındığı tarikat dünyası, Diyanet denetiminden kaçırılan bazı camiler bu militanların barınması, örgütlenmesi için ne yazık ki barınağa dönüştü.

El Kaide'nin taşeronluğunu yaparak 150 bin dolar uğruna İstanbul'da 58 kişiyi katleden, 650'den fazla insanı yaralayan militanların büyük bölümü İslamcı Vakıflarda eğitildi. İslamcı kesimin kurduğu şirketler bu militanlara iş verdi ve kucak açtı.

Bazı Saadet Partili belediyeler onların ticaret yapmasına olanak tanıdı. İslamcı kesimin bazı yayın evleri bu militanların buluşma noktası, koordinasyon merkezi olarak kullanıldı. Bu yayınevlerinin bastığı bazı yayınlar militanların başucu kitabı oldu.

Faraç bütün bu oluşumların sonucunu ise şöyle özetliyor:

Görüldüğü gibi dört ayaklı bu yapıda sinsice barınan kimi radikal gruplar, sonunda Türkiye gibi nüfusunun büyük bölümünün Müslüman olduğu bir ülkede, Ramazan gibi kutsal bir ayda belki de çoğu oruçlu olan onlarca insanı katletmekten kaçınmadı.

Faraç'ın bu kitabı tam bir ibret belgesi.

Bir yandan İslam düşüncesindeki Selefilik, öte yandan dış ülkelerdeki örgütsel bağlantılar, Faraç'ın, kanlı cinayetlerin arka planı olarak el aldığı ve tartıştığı, gün ışığına çıkardığı sorunlar.

Bu kitabı okursanız, Türkiye'nin nasıl bir tehditle karşı karşıya olduğunu çok daha iyi anlayacaksınız.

Bu bölümde anlatmaya çalıştığım laiklik karşıtlığının, Türkiye'deki Demokrasi için nasıl bir tehlike oluşturduğunun bilincine varacaksınız.

Çünkü Faraç'ın işaret ettiği eğilimler, tutum ve davranışlar, bugün de hızlanarak sürmektedir.

Laikliğin Püf Noktası ve Türban Sorunu

Sevgili okurlarım, 21'inci yüzyıl Türkiyesi'nde hâlâ laikliğin tanımını tartışmamız utanç verici.

Başbakanın laiklik anlayışı ile tarihsel, toplumsal ve kuramsal yani bilimsel laiklik anlayış birbirini tutmuyor.

Başbakan *"Devlet laik olabilir, birey laik olamaz,"* diyor.

Oysa tarih, kuram ve dolayısıyla bilim, *"Birey, hangi inançta olursa olsun, laik de olabilir,"* diyor.

Başbakan, "türban" ya da "sıkmabaş" denilen başörtüsü biçiminin "inancın (Müslümanlığın) gereği" olduğunu ve bir "özgürlük sorunu" niteliği taşıdığını söylüyor.

Oysa sadece Türkiye'de değil, dünyada yaşayan milyonlarca Müslüman kadın ve erkek "türban" ya da "sıkmabaş" denilen başörtüsü biçiminin "dinin (Müslümanlığın) gereği" olduğunu ve bir "özgürlük sorunu" niteliği taşıdığını düşünmüyor; başını örtmüyor.

* * *

Başbakan ve onun gibi düşünenler mi haklı, yoksa onlar gibi düşünmeyen milyonlar mı?

Bu sorunun yanıtını kim verecek?

Hakem kim?

Nerede?

Biliyoruz ki aynı dinden olan farklı mezheplerin ve değişik ülke halklarının dinlerini yaşama biçimleri birbirlerinden farklı.

Örneğin, Suudi Arabistan'ın, İran'ın, Libya'nın, Türkiye'nin yani bu ülkelerde yaşayan Müslümanların din uygulamaları birbirinden değişik.

Hakem kim?

Nerede?

Peki, zaten bir din mensuplarının hangi kurallara uyacağı bile tartışmalıyken, bir de din ilkeleri ile devlet ilkeleri çatışırsa ne olur?

Yanıt laiklikte:

Laik ve Demokratik ülkelerde tek bir dinin veya mezhebin ilkeleri, devlet yönetimine egemen kılınamaz.

Çünkü devlet bütün dinlere, mezheplere, inançlara ve inançsızlara aynı uzaklıktadır ve hepsini korur.

* * *

Ama laikliğin "püf noktası" burada değildir.

Laikliğin "püf noktası" devletin asıl, belli bir inancın sahiplerini, o inancın lideri olduğunu iddia edenlerin baskısından korumasıdır.

Asıl Demokrasi, asıl laiklik, asıl özgürlük; herkesin inancını, bir siyasal ya da dinsel liderin emirlerine göre değil, kendi özgür iradesine, vicdanına göre yaşayabilmesidir.

* * *

İnanç konularında hakem, inanç sahibinin vicdanıdır:

Çünkü davranışlarının hesabını o verecektir, tek başına!

İşte laikliğin "püf noktası", bireye bu özgürlüğün tanınmasıdır. Bireyin gerektiğinde –ileride ayrıca üzerinde durarak açıklayacağım– "Mahalle Baskısı'na" karşı korunmasıdır.

Laik devlet, tarihsel süreçler içinde din devletinin karşıtı olarak ortaya çıkmıştır.

Bu nedenle de din devletinden yana olanlar tarafından "dinsizlik" olarak görülür ve tanımlanır.

Oysa laiklik, bütün inançlara ve inançsızlara eşit davranan bir devlet öngördüğü için, din devletinden yana olanların öne sürdüklerinin aksine, inanca karşı değildir; tam tersine inançların hepsini ve inançsızları koruyan bir niteliğe sahiptir.

* * *

Türkiye'de laikliğe karşı olanların öne sürdüğü tezler altı ana başlık altında toplanabilir:
1) Laiklik dinsizliktir.
2) Devlet laik olabilir, birey laik olamaz.
3) Laik rejimde devlet dine, din devlete karışmamalıdır.
4) Kamu alanında türban-sıkmabaş kullanmak serbest bırakılmalıdır çünkü bu davranış bireysel özgürlükler kapsamındadır.
5) Üniversitelerde türban hiç olmazsa öğrenciler için serbest bırakılmalıdır, çünkü onlar kamu görevlisi değil, kamudan hizmet alan konumundadırlar.
6) Türkiye'de Müslümanlar da baskı altındadır.

* * *

Bu tezlerin altısı da yanlıştır:
1) Laiklik dinsizlik değildir.
Laiklik, tam tersine bütün inançların ve inançsızların güvencesizidir.
Yönetimin meşruiyetinin ve işleyişinin dindışı kurallara dayanmasının nedeni, devletin bütün farklı inanç sahiplerine ve

inançsızlara, sadece kendi vatandaşları olduğu için eşit davranmasıdır.

2) Devlet de laik olabilir, birey de.

Laik devletten yana olan birey, laik bireydir.

Bir Müslüman da, bir Hıristiyan da, bir ateist de laik olabilir, olmayabilir de.

3) Laik rejimde din devlete karışamaz ama, devlet, başka inanç sahiplerini baskı altına alma eğilimindeki dinci ve mezhepçi davranışları sınırlamak ve kısıtlamakla yükümlüdür.

Devlet bireylerin inançlarını korumak için, ona baskı yapan akımlara, eylemlere, örgütlenmelere müdahale etmekle yükümlüdür.

4) Devlet herhangi bir inancı temsil etmediği, türban ise bir dinsel simge olduğu, yani bir inanca bağlılığı temsil ettiği için kamu alanında kullanılamaz.

5) Üniversitelerde türbanın serbest bırakılması, türban takmayan evlatlarımızın dinsiz, imansız, iffetsiz, ahlaksız suçlamalarıyla karşı karşıya kalmasına ve hem temel hak ve özgürlüklerin hem de genel güvenliğin zedelenmesine yol açacaktır.

Türbanı dinsel simge olarak kabul eden görüş, başını örtmeyenleri dinsiz, imansız, ahlaksız sayar.

Kim, hangi aile, kızını dinsiz, imansız, ahlaksız sayılacağı bir üniversite ortamına yollayabilir ki?

Bu nedenle "türbancılar" dinsel-siyasal iddialarından vazgeçmedikçe, böyle bir serbesti söz konusu olamaz.

Ayrıca gerek ulusal hukukumuz, gerekse Avrupa Birliği hukuku, yukarıdaki sakıncaları da dikkate alarak üniversitelerde türbanı yasaklamıştır.

6) Türkiye'de başta Müslümanlar olmak üzere, bütün din mensupları inançlarının gereği olan ibadetlerini yapma güvencesine sahiptir ve bu haklarını özgürce kullanır.

Müslümanlara baskı uygulandığı iddiası koca bir yalandır.

Yasaklar sadece dinin siyasal alanda kötüye kullanılmasını engellemek için vardır.

* * *

Türkiye'de türban konusu, siyasal ve dinsel simge olarak istismar edildikçe, durumun normalleşmesi olanaklı değildir.

Yönetim, toplumu ve devleti din ekseninde yeniden eğitmek ve örgütlemek amacına yönelik davranışlardan vazgeçmedikçe, rejime yönelik tehlike tartışmaları gündemden düşmeyecektir.

* * *

Sevgili ve değerli okurlarım, bundan önceki bölümlerde Demokrasinin en büyük düşmanının çoğunluk olduğunu, çünkü Demokrasiyi rafa kaldıracak gücü olduğunu belirtmiştim.

Türkiye'nin Çok Partili Düzen döneminde, siyasal iktidarların, Demokrasiyi çoğunluk diktatörlüğü bağlamında yozlaştırdıklarına dikkat çekmiştim.

Mevcut Demokrasimizin daha sonra yağma düzenine ve Liderler Oligarşisi'ne dönüştüğünü ve yağma düzeninin son aşamasında da din istismarına dayalı bir yapıya ulaştığını anlatmaya çalışmıştım.

İşte "çoğunluk diktatörlüğü", "yağmacılık", "dincilik" "Liderler Oligarşisi" gibi yozlaşmalar "laiklik karşıtı" akımlarda birleşiyor, bütünleşiyor, dışardan da desteklenerek Demokrasiyi yok edecek bir boyuta ulaşıyor.

Ülke, yavaş yavaş bir Dinci Oligarşi'ye doğru gidiyor.

Bu bölümü bu tehlikeye işaret etmek için yazdım.

8

Demokrasi ve Küreselleşme

Küreselleşme o denli güçlü bir akım ki, hiçbir ülkenin bunun dışında kalması olanaklı değil.

Dolayısıyla, Türkiye'deki Demokrasiyle yüzleşirken mutlaka Küreselleşme sürecine bakmak ve bu süreci dikkate almak gerekiyor.

Zaten **Soros**'un önderliğinde, eski Sovyetler Birliği'ni oluşturan Ukrayna, Gürcistan gibi ülkelerde tezgâhlanan başarılı ya da başarısız eylemler, doğrudan doğruya Küreselleşmenin ne denli etkili olduğunun kanıtları.

Önceki bölümde de Türkiye'deki laikliğe karşı oluşan tehditler bağlamında değindiğim ABD'nin ve AB'nin etkileri de doğrudan doğruya Küreselleşme bağlamında ortaya çıkan gerçekler.

Ama ne Küreselleşme tek boyutlu bir süreç, ne de Küreselleşmenin bir ülke üzerindeki etkileri tek yönlü.

Bu açıdan Küreselleşme sürecini iyice anlamak, diyalektik oluşumları görmek ve Türkiye'deki Demokrasiyi bu çok boyutluluk içinde çözümlemek gerekir.

Küreselleşmenin Temel Özellikleri

Sevgili okurlarım, dünya, Tarım ve Endüstri Devrimlerinden sonra tarihin üçüncü büyük devrimini yaşıyor.

Kimilerinin "Uzay Çağı", kimilerinin "Bilgi Toplumu Dönemi" kimilerinin "Genetik ve Bio-Teknoloji Çağı" dediği bu döneme ben "Bilişim Devrimi" Çağı diyorum.

(Daha önceleri bu devrime "İletişim-Bilişim Devrimi" diyordum. Fakat teknolojik gelişmeler baş döndürücü bir hızla iletişimi de bilişimin içine soktu. Yani artık bilgisayarlar aracılığıyla iletişim kurmaya başladık. Ayrıca telefonların içine de bilgisayarlar, bilgisayarın içine de telefonlar yerleştirilince, telefon-bilgisayar bütünleşmesi yaşandı. Ben de bu devrimin adının önündeki "İletişim" sözcüğünü kaldırdım, çünkü "Bilişim" sözcüğü, artık iletişimi de kapsamaya başladı.)

Bu yeni çağ, aynen Tarım ve Endüstri Devrimlerinin yaptığı gibi bütün dünyayı etkileyecek ve yeniden biçimlendirecek.

İnançlar, devlet biçimleri, toplumsal sınıflar değişecek.

Yepyeni yaşam biçimleri, yepyeni ilişkiler ortaya çıkacak.

Küreselleşme işte bu devrimin ilk safhası.

O da kendi içinde aşamalara ayrılıyor.

* * *

Gittikçe yaygınlaştığı izlenimi veren küresel terör bu dönemin henüz başlangıç aşaması bile değil, bu aşamanın "Girişi".

Bakın, içinde yaşadığımız bu aşamayı şöyle bir örnekle açıklamaya çalışayım:

Biliyorsunuz, insanlığın tüm yüzünü değiştiren Endüstri Devrimi'nin, 1789 Fransız İhtilali'yle başladığı kabul edilir.

Yani Fransız İhtilali, olgunlaşması yüzyıllar süren Endüstri Devrimi'nin başlangıç aşaması, bir anlamda siyasal habercisi olarak kabul edilir.

Fransız İhtilali ise kendi içinde farklı dönemlere ayrılır:

Cumhuriyet Dönemi, Terör dönemi, Direktuvar Dönemi, İmparatorluk dönemi gibi.

Sonunda İmparatorluk dönemi de **Napolyon**'un yenilgileriyle sona erer ve Fransa'da yeniden krallık kurulur.

Bütün bu birbirini izleyen ve her biri çok farklı nitelikler taşıyan dönemlerin tümü 1789 ile 1815 arasına, 26 yıla sığmıştır.

Üstelik Bastille'in zaptından 26 yıl sonra görünüşte, fırtına durulmuş, Fransa'da krallık yeniden kurulmuştur.

Yani görünüşte Fransız İhtilali durdurulmuştur.

Ama bu, sadece "görünüştedir".

Endüstri Devrimi artık bütün hızıyla hükmünü sürmekte, tüm dünya büyük bir değişim içine girmektedir.

Nitekim sonunda, din-tarım devletleri yıkılacak, yerlerine laik ve Demokratik Ulus Devletler kurulacaktır.

Bu yeni oluşum içinde toprak ağaları ve din adamları güçlerini yitirecekler, yeni yükselen sermaye ve işçi sınıfları ve seçilmiş yöneticiler toplumların ve dünyanın kaderini belirleyeceklerdir.

Bütün bu değişme ve gelişmeler Birinci ve İkinci Dünya Savaşlarına ve bunlardan sonra da Soğuk Savaş'a yol açacak, Endüstri Devrimi etkisini, Soğuk Savaş'ın bitiş tarihi olan 1991 yılına kadar sürdürecektir.

Demek ki, 1490'larda Amerika'nın keşfiyle tohumları atılan Endüstri Devrimi, 1789 Fransız İhtilali'yle patladıktan sonra 202 yıl hüküm sürmüş.

Fransız İhtilali bunun sadece 26 yıllık başlangıç dönemi.

Fransız İhtilali içinde terör dönemi ise birkaç yıl devam ediyor ve sonra Napolyon'un imparatorluğu ve en sonunda da krallığın yeniden kuruluşu gibi aşamalar yaşanıyor.

İşte şimdi ben diyorum ki, Endüstri Devrimi açısından Fransız İhtilali'nin terör dönemi ne anlam ifade ediyorsa, bugün içinde yaşadığımız terör dönemi de Bilişim Devrimi açısından aynı şeyi ifade ediyor:

Yani henüz Bilişim Devrimi'nin başlangıç aşamasına bile yeni giriyoruz.

Giriş aşamasının özel bir döneminden geçiyoruz.

Yani değişimin çok çok başındayız.

Bundan sonraki olaylar, aynen Fransız İhtilali ve Endüstri Devrimi'ndeki gibi, birbirine zıt genel değişme ve gelişme yönünün teşhisinde insanı yanıltacak süreçlerden geçecek.

Küresel Terör, Endüstri Devrimi'nden Bilişim Devrimi'ne geçişin, kabuk değiştiren dünyanın yeniden doğumunun sancılarıyla yayılıyor.

Bu durum sakın sizi yanıltmasın.

Nasıl Tarım Devrimi'nin ideolojisi tek tanrılı dinler, Endüstri Devrimi'nin ideolojisi milliyetçilik olduysa, Bilişim Devrimi'nin ideolojisi de Demokrasi ve İnsan Hakları olacaktır.

Ama bu arada insanlık büyük bunalımlar yaşayacak, Endüstri Devrimi'nden Bilişim Devrimi'ne geçerken önce Soğuk Savaş tortularının bedelini ve sonra da başka dönüşüm ve değişimlerin maliyetlerini ödeyecektir.

Küreselleşmenin İkinci Aşaması: Ne Getiriyor, Ne Kadar Sürecek?

Sevgili okurlarım, 1991'de Sovyetler Birliği'nin çöküşüyle başlayan Küreselleşme, 2001 yılında New York'un ve Washington'un **El Kaide** tarafından vurulmasıyla, İkinci Aşaması'na geçti.

"Tarihin sonunun geldiğini", *"Savaşların artık bittiğini"*, *"Dünyanın liberal ekonomi egemenliğinde refaha doğru yol alacağını"* ilan eden Birinci Aşama, ancak on yıl sürdü.

* * *

Küreselleşmenin İkinci Aşaması, *"Terörün küreselleştiği"*, *"Zengin ve yoksul ülkeler arasındaki farkın açıldığı"*, *"ABD'nin saldırganlaştığı"*, *"Dinler ve mezhepler arası çatışmaların yeniden şiddetlendiği ve yaygınlaştığı"* bir dönemi belirliyor; kaç yıl sürecek belli değil.

* * *

Din ve mezhep, bireylerin, özellikle de meslek sahibi olmayan ve kendini kişisel olarak kanıtlamamış olan bireylerin esas kimliğini oluşturur; Tarım Dönemi'nden, Ortaçağ'dan, ülkelerin ve yönetimlerin kendilerini din ve mezheple özdeşleştirdiği, bireylerin de bu özdeşlik içinde tanımlandığı dönemden gelir; toplumların ve bireylerin bilinçaltlarına âdeta kazılmıştır.

Endüstri Devrimi, dine dayalı kimliğin üzerine milliyet kimliğini getirmiş, fakat ana dinsel ve mezhepsel kimliği ortadan kaldırmamıştır.

Soğuk Savaş Dönemi'nde, Amerika'nın önderliğindeki Batı, dinsel ve milli kimlikleri yadsıyan ve bir Sınıf Diktatörlüğü olduğunu iddia eden Sovyetler Birliği'ne karşı, ideolojik bir savaş stratejisi olarak dinci ve milliyetçi akımları desteklemiş, beslemiş, pompalamış, **El Kaide** gibi Antikomünist gerilla örgütlerini örgütlemiş ve finanse etmiştir.

Sovyetler Birliği çökünce amacı İslam'ı korumak ve kurtarmak, hedefi Sovyet Rusya olan bu yatırım, düşmansız kalmış amacına uygun olarak İslami İdeoloji çerçevesinde, Ortadoğu'daki Filistin-İsrail anlaşmazlığını kullanarak, Batı'ya karşı yönelen bir hareket haline gelmiştir.

Bilişim Devrimi'ni yaşayan dünyadaki liderliğini sürdürmek isteyen Amerika Birleşik Devletleri, bu hareketin hedefi haline gelince, bu çatışmayı, dünyadaki yeniden konuşlanma stratejisine uygun olarak Küreselleşme bağlamında derhal kullanmaya başlamış, din ve mezhep eksenindeki ayrışmayı ve düşmanlığı körüklemiştir.

Kuramını **Huntington**'un yaptığı, uygulamasını **El Kaide**'nin ve Neoconservative Evangelistlerin gerçekleştirdiği bir Dinler arası savaş stratejisi, tüm dünyaya egemen olmuştur.

Endüstrileşme Devrimi'ni henüz yakalayamamış olan İslam dünyası, özellikle de Ortadoğu'daki Araplar ne yazık ki, bu din eksenli bölünmede oyuna gelmişler, "Karikatür krizi, Sünni-Şii ayrımı" derken, Amerikan işgali altındaki Irak'ta, Müslüman, Müslüman'ı öldürmeye başlamıştır.

*   *   *

Gerçekliği ve gerçekçiliği reddeden, insanları kendi inançlarının hayal dünyasında yaşamaya yönlendiren Postmodern felsefe çizgisindeki din ve mezhep savaşları, şimdi ABD'deki Neoconservative Evangelistlerin ve bir avuç İslamcı teröristin eliyle tüm dünyaya egemen kılınmak isteniyor.

Tüm dünya ve onunla birlikte Türkiye, (üstelik iktidarın da desteğiyle) Ortaçağ'ın karanlıklarına doğru sürükleniyor.

Küreselleşmenin İkinci Aşaması'nda Türkiye

Geçenlerde dünya ahvalini tartışırken, İlhan Selçuk şöyle diyordu:

"Sovyetler Birliği'nin çökmesinden sonra 'Yeni Dünya Düzeni' diye sunulan, 'Tarihin Sonu' diye dayatılan, 'Ulus Devlet Bitti' diye ilan edilen denetimsiz liberalizmin egemenliği olarak algılanan 'Yükselen Değerler' çöktü. Irak Savaşı'nın da açıkça gösterdiği gibi, Cumhuriyet'in öteden beri savunduğu 'Demokrasi', 'Aydınlanma', 'Laiklik', 'Ulus Devlet', 'Bağımsızlık' gibi değerler ve 'Emeğin Sömürülmesi', 'Emperyalizm' gibi sorunlar yeniden insanlığın gündemine oturdu. Ne yazık ki 'Yine haklı çıktık.'"

* * *

İnsanlık tarihinin üçüncü büyük devrimi olan Bilişim Devrimi'nin başlangıç dönemi olan Küreselleşmenin, "Birinci Aşaması" 1989'da Avrupa'da, Berlin Duvarı'nın yıkılmasıyla başlamış, 2001'de Amerika'ya yapılan 11 Eylül El Kaide saldırısıyla bitmişti.

Daha önce de işaret ettiğim gibi 11 Eylül saldırısıyla Küreselleşmenin "İkinci Aşaması" başlıyordu:

Bu İkinci Aşama'nın Birinci Aşama'dan farkları şöyle özetlenebilir:

1) Birinci Aşama'da ortaya çıkan "Amerika Birleşik Devletleri'nin siyasal ve askeri liderliği" İkinci Aşama'da "Amerika Birleşik Devletleri'nin askeri işgali"ne dönüştü.

2) Birinci Aşama'da ortaya çıkan "Uluslararası sermayenin ekonomik egemenliği"nin, daha önce öne sürüldüğü gibi yoksul ve zengin uluslar arasındaki farkı azaltmadığı, tam tersine bu farkın artmasına yol açtığı, İkinci Aşama'da anlaşıldı.

3) Birinci Aşama'nın kültürel etkisi olan "mikro milliyetçilik ve

mikro dinciliğin", yani Ulus Devletlerin bölünmesinin, barış ve istikrar değil, kargaşa ve kanlı çatışmalar getirdiği görüldü.

Küreselleşmenin İkinci Aşaması'nda sonuç olarak, Amerika'nın askeri ve siyasal liderliği, askeri işgale dönüştü, uluslararası sermayenin ekonomik egemenliği uluslar arasındaki ekonomik ve sosyal eşitsizlikleri büyüttü, terör eylemleri arttı ve dünya çapında genişledi, Ulus Devletlerin güçsüzleşmesi, dünyadaki eşitsizlikleri, adaletsizlikleri ve istikrarsızlığı arttırdı.

Irak'ın işgali, hem bu sonuçları dünyanın gözüne soktu hem de Aydınlanma ve Endüstrileşmeden nasibini almamış, aşiret ve mezhep aşamasında kalmış din-tarım toplumlarında Demokrasinin olanaklı olamayacağını gösterdi.

* * *

Bu yeni gelişmeler, Türkiye'de hiçbir çağdaş, bilimsel, teorik ve ideolojik birikimi olmadan iktidara gelen dinci kökenli politikacıların, bu boşluklarını doldurmak amacıyla Washington-Brüksel ekseninde oluşturdukları iç ve dış politika ezberlerini bozdu.

Küreselleşmenin Birinci Aşama'sının kuramsal önderliğini yapan **Francis Fukuyama**, "*Ulus Devlet modeline geri dönülmesinin gerektiğini, yoksa dünyayı büyük bir felaketin beklediğini*" ilan ettiği kitabında *(Devlet İnşası)*, dolaylı olarak İkinci Aşama'nın başladığını belirtirken, Türkiye'deki dinci siyasal iktidar hâlâ yargıyı, eğitimi, devlet yapısını ve sermayeyi İslamcılaştırma hedefine odaklanmış bir biçimde türbanla, İmam Hatip liselerinin katsayı sorunuyla, YÖK'le, Cumhurbaşkanlığıyla, kamu yönetimi reformuyla, Devlet Tiyatrolarıyla ve Anayasa değişikliğiyle uğraşıyor.

Türkiye'nin haberleşmesini ve istihbaratını denetleyen kurumu, uluslararası ilişkileri son derece gölgeli birine satmaktan kaçınmıyor, Kıbrıs'ta, etnik bölücülük sorununda, AB ile olan ilişkilerde neden sürekli olarak başarısızlığa uğradığını anlamıyor bile.

İlerideki bölümlerde tartışacağım, Türkiye'deki "yükselen milliyetçilik" duygularının nedenlerini sadece, başta AB olmak üzere, dış güçlerin Türkiye'yi itip kakmasında ya da etnik bölücü eylemlerin etkisinde değil, biraz da Küreselleşmenin İkinci Aşaması'nın başladığını algılamaktan aciz dinci siyasal iktidarın yetersizliğinde ve yeteneksizliğinde aramak gerekir diye düşünüyorum.

Küreselleşmenin İkinci Aşaması'nda GOP ve Francis Fukuyama

ABD'nin "Büyük Ortadoğu Projesi" BOP, G-8 (Gelişmiş sekiz ülke) toplantısında alınan kararla "Genişletilmiş Ortadoğu ve Kuzey Afrika Projesi" haline dönüşünce, kısaltılmış adı da GOP oldu.

Projenin açıklanan hedefini ve Francis Fukuyama'nın son kitabının bu projeyle olan ilişkisini belirlemek için, tam adına da yakından bakmak gerek:

Projenin tam adı şöyle:

"Geniş Ortadoğu ve Kuzey Afrika Bölgesi ile Ortak bir Gelecek ve İlerleme için Ortaklık".

Bu projenin ardındaki beyin, *Tarihin Sonu* adlı kitabıyla ünlenen Francis Fukuyama olarak ortaya çıkıyor.

Fukuyama'nın son kitabı *State Building* adını taşıyor. (Profile Boks Ltd, London, 2004)

Alt ismi ise, "Governance and World Order in the Twenty-First Century".

Türkçe'ye *"Devlet İnşası"*, "Yirmi Birinci Yüzyılda Yönetişim ve Dünya Düzeni" diye çevrildi. (Remzi Kitabevi)

Fukuyama bu kitabında yirmi birinci yüzyıl dünyasını çözümlüyor ve bu dünyanın nasıl biçimlenmesi gerektiği konusunda önerilerini sıralıyor.

Kitap, Amerika Birleşik Devletleri'nin başını çektiği GOP projesinin de anahatlarını oluşturuyor.

Biz içerde, hâlâ türbanı uluslararası çevrelere de kabul ettirmenin ve Meclis'e çarşaf sokmanın hesaplarını yaparken, eloğlu, dışarıda dünyaya nizam veriyor.

Hemen belirteyim ki, çeşitli yazar ve düşünürlerin "*Ulus devlet bitmiştir; Yeni dünya düzeninde Ulus Devlet modelinin yeri yoktur*" görüşüne karşılık, **Fukuyama**, Yirmi Birinci Yüzyıl Dünyası'nın temel siyasal biriminin Ulus Devlet olmasını öngörüyor.

Bunun gerekçesi çok basit:

Fukuyama'ya göre, hiçbir uluslararası federal örgütlenme ya da bir uluslararası örgüt, dünya üzerindeki yoksulluk, terör, uyuşturucu gibi sorunlarla, Ulus Devletler kadar etkili bir biçimde mücadele edemez.

Yaklaşık bir kuşak boyunca, dünya politikasının, devletin küçültülmesi yönünde olduğuna işaret eden **Fukuyama**:

"*11 Eylül'den sonraki dönemde, dünya politikasının temel sorunu devleti geri çekmek değil, tam tersine onu güçlendirmektir. Gerek tek tek toplumlar, gerekse tüm dünya insanlığı için, devletin yok edilmesi, bir ütopyanın değil, bir felaketin başlangıcıdır*" diyor (s.162).

Fukuyama'nın sözünü ettiği devlet, "küçük fakat etkin" bir devlet.

Dünyadaki ülkeleri, "Devlet fonksiyonlarının yaygınlığı" ve "Devletin gücü" ölçütlerine göre sınıflayan **Fukuyama**, Türkiye ve Brezilya gibi ülkeleri, "fonksiyonları yaygın ama güçsüz" devletler arasında sayarken, Amerika'yı, "fonksiyonları az ama güçlü devlet" sınıflamasına sokuyor. Fransa ile Japonya ise hem fonksiyonları yaygın hem de güçlü devlet kategorisinde yer alıyor (s.15).

Tabii **Fukuyama**'nın tüm dünya için, "fonksiyonları dar ama güçlü devlet" modelinden yana olduğunu; bu modeli herkes için önerdiğini eklemeye gerek yok.

* * *

Sevgili okurlarım, gördüğünüz gibi, GOP ile **Fukuyama**'nın son kitabı arasındaki ilişkiler son derece doğrudan ve çok açık.

Amerika Birleşik Devletleri terör, yoksulluk, uyuşturucu gibi dünya çapındaki sorunlarla savaşmak için, "Geniş Ortadoğu ve Kuzey Afrika Bölgesi ile, Ortak bir Gelecek ve İlerleme için Ortaklık" öneriyor.

G-8 toplantısının gündemini de bu proje oluşturuyor. Böylece Büyük Ortadoğu Projesi BOP, Genişletilmiş Ortadoğu Projesi GOP oluyor. (Ben her iki terimi de birbirinin yerine kullanıyorum.)

Tabii, bu projenin nasıl hayata geçirileceği çok önemli bir konu.

Amerika'nın Irak politikası bu açıdan büyük önem kazanıyor.

GOP'ta, Birleşmiş Milletler'in ve NATO'nun oynayacağı rol ve Türkiye'ye biçilen görev de bu çerçevede tartışılıyor.

ABD, GOP'ta da, Irak'ta bugüne kadar izlediği politikaları uygularsa, dünyayı büyük bir felaketin beklediğine kuşku yok.

Nitekim Amerika'nın Küresel Terör'e karşı bir hareket olarak da savunduğu Irak'ın işgali Küresel Terör olgusunu önlemedi, tam tersine yaygınlaştırdı.

Bu açıdan Küreselleşme süreci bağlamında küresel terör'e ve bunun Türkiye açısından yansımalarına soğukkanlı bir biçimde bakmak gerekir.

Küresel Terör'ün Kaynakları ve İktidar

Günümüzde hiçbir toplum, hiç kimse küresel terör tehdidinin dışında değil.

Terör nasıl böyle küreselleşti?

Küreselleşen terörün kaynaklarına soğukkanlı bir biçimde, bakmazsak, ona karşı önlem almakta da başarılı olamayız.

Küresel terörün *birinci* kaynağı, dünya üzerinde süregelen yerel savaşlardır.

Yerel olarak birbirleriyle savaşan güçler, savaşlarını yaygınlaştırmak, ilkelerini amaçlarını evrenselleştirmek için, dünya üzerinde terör eylemlerine başvurmaktadır.

Bunun küçük ve çok etkili olmayan bir örneği Hindistan ile

Pakistan arasındaki "Keşmir Sorunu", terörün Küreselleşmesine doğrudan katkıda bulunan örneği ise Ortadoğu Savaşı'dır. Ortadoğu'daki Filistin-İsrail veya Arap-İsrail çatışması, günümüzde terörü küreselleştiren en önemli ögelerden biridir. Bu çatışma sona erdirilmeden, dünyada terörün son bulacağını beklemek boşuna olacaktır.

Küresel terörün *ikinci* kaynağı, Yeni Dünya Düzeni bağlamında yani Küreselleşme döneminde, dünya üzerindeki egemenlik savaşıdır. Bu savaş çerçevesinde Amerika Birleşik Devletleri, mevcut egemenliğini geliştirerek pekiştirmek için, yayılmacı bir politika izlemektedir.

ABD bu politikasını, "teröre karşı savaş" adı altında yürütmekte ve şimdilik, (Güney Amerika ve Afrika kıtalarındaki küçük operasyonlar dışında) Afganistan ve Irak müdahalelerini gerçekleştirmiştir.

Küresel terörün *üçüncü* kaynağı, radikal milliyetçi ve radikal dinci ideolojilerdir.

Soğuk Savaş Dönemi'nde, Sovyetler Birliği'nin "sınıf devleti" kavramını güçsüzleştirmek için pompalanan dinci ve milliyetçi akımlar, Sovyetler çöktükten sonra, özellikle Balkanlar'da ve Kafkaslar'da etnik ve dinci grupların, birbirleriyle ve içlerinde bulundukları devletle savaşmaları sonucunu doğurmuştur.

Soğuk Savaş sonrası, Batı uygarlığı karşısında yeni bir düşman yaratmak için **Huntington**'un ürettiği "Uygarlıklar Savaşı" bağlamında, İslam dini de küresel terörün kuramsal kaynakları arasına sokulmuştur.

Ortadoğu Savaşı, **Huntington**'un kuramsal babalığını yaptığı bu teröre, işlevsel içerik sağlamıştır.

Küresel terörün *dördüncü* kaynağı, ilk üç nedenle ortaya çıkan terörist davranış ve eylemlerin birbirlerini desteklemeleri, birbirlerini kışkırtmaları ve birbirlerinin varlıklarından, kendi var oluşlarının gerekçelerini üretmeleridir.

ABD'nin Soğuk Savaş'ta ürettiği **El Kaide**, Ortadoğu Savaşı'nı gerekçe olarak kullanıp 11 Eylül 2001'de ABD'ye saldırmış, ABD bu saldırıyı bahane ederek önce Afganistan'a, sonra *"Kitle İmha*

Silahları var" diyerek Irak'a girmiş, Irak'a yaptığı bu saldırı ise, hem Ortadoğu'da hem de dünyanın öteki bölgelerinde İslam adına yapılan yeni terörist eylemleri doğurmuştur.

Görüldüğü gibi "küresel terörün" kaynakları, çeşitli toplumlar ve devletler arasındaki yerel savaşlar, dünya üzerindeki egemenlik kavgası, dinci ve milliyetçi ideolojiler ve nihayet bütün bu ögeler arasındaki kışkırtıcı ve pekiştirici etkileşim olarak son derece karmaşık bir ilişkiler yumağı biçiminde karşımıza çıkmaktadır.

Kuzey Osetya'daki okul katliamından sonra, Rusya'nın da kendine yönelik teröre, aynen ABD gibi "önleyici vuruş"la karşılık vereceğini ilan etmesi, bu karmaşık küresel terör yumağının sürekli tırmandığını ve insanlığın yeni bir Dünya Savaşı'nın içine girmiş olduğunu kanıtlıyor.

İktidar, hem geçmişinden gelen özellikleri hem de güncel politikalarıyla, bu karmaşık terör denkleminin iki bağımsız değişkeni olan ABD'nin hegemonyacı yayılmacılığına ve İslamcı teröre, "politik-ideolojik açıdan" "oldukça yakın bir duruş" sergilemektedir.

Tabii bu "oldukça yakın duruş" ifadesiyle AKP hükümetinin küresel teröre destek verdiğini söylemek istemiyorum.

Tam tersine, "küresel teröre" bulaşmanın kendi sonu olacağını en iyi iktidarın bildiği kanısındayım.

Benim işaret etmek istediğim nokta, "küresel terörün" kaynakları açısından bu "oldukça yakın duruş" konumunun taşıdığı tehlikeler.

Bir önceki bölümde aktardığım, **Faraç**'ın yazdığı kitaptaki bulgu ve çözümlemeler, mevcut iktidarın dinci terör karşısındaki aymazlığını iyice açığa vurmuştur.

Huntington Bölücülüğüne Devam Ediyor

4 Kasım 2005 tarihli gazetelerde ANKA ajansı kaynaklı bir haber vardı.

Habere göre, ünlü *Uygarlıklar Çatışması* adlı kitabın yazarı **Samuel P. Huntington**, Almanya'da yayınlanan *Frankfurter Allgemeine Zeitung* gazetesinin sorularını şöyle yanıtlamıştı:

Soru: Müslüman Türkiye'nin Avrupa Birliği'ne üyeliği, Hıristiyan mirası nedeniyle Avrupa kimliğinin bozulması anlamına gelir mi, burada laik bir ülke söz konusu olsa bile?

Huntington: Her halükârda Avrupa kimliğini değiştirir. Eğer Avrupalılar kimliklerini kültürel ve tarihi bakımdan değil de, daha geniş anlamda, örneğin toplumsal ve siyasi bakımdan tanımlamak istiyorlarsa, o zaman mesele olmaz. Fakat Avrupa o zaman, *tarihi bakımdan sahip olduğu anlamını kaybedecektir.*

Soru: Türkiye'nin AB üyeliği meselesinde stratejik mülâhazalar var. ABD yönetimi bile güvenlik politikasına dayalı nedenlerle üyeliği destekliyor. Avrupalı bir Türkiye, İslam'a uzanan mükemmel bir köprü olmaz mıydı?

Huntington: Buna bir saniye bile inanmam. Türkiye Müslüman dünyasında çok yalnızdır. Uzun süreden beri Arap ülkeleriyle çok çelişkili bir ilişkisi vardır. Türkiye'nin üyeliğinin nasıl olup da Türkiye'nin kendisi dışında başka yerlere uzanan bir köprü olacağını anlamıyorum.

Huntington Türkiye'yi sevmiyor.

Çünkü Türkiye, **Mustafa Kemal Atatürk**'ün önderliğinde, Batı'nın laiklik, Demokrasi, bağımsızlık, insan hakları gibi değerlerini Batı Emperyalizmi'ne karşı başarıyla kullanabilmiş ve Osmanlı İmparatorluğu'nun Birinci Dünya Savaşı'nı yitirmesine karşın, Batı'nın sömürgesi olmaktan kurtulmuş bir ülke.

Üstelik Türkiye bununla da yetinmemiş.

Yine **Mustafa Kemal Atatürk**'ün önderliğinde, Müslüman bir tarım toplumundan "Demokratik, laik ve sosyal bir hukuk devleti" ilkelerini Anayasa'sına koyabilmiş ve bu hedefe yönelmiş bir ülke olmuş.

Bu ikinci suçu, **Huntington**'a göre birincisinden bile vahim; çünkü hazret, Batı dünyası dışındaki hiçbir toplumun, özellikle de Müslüman toplumların "Batı uygarlığına" benzeyemeyeceğini, ona "ulaşamayacağını" iddia ediyor.

Yani sözcüğün tam anlamıyla, hem ırkçı hem dinci çizgide bir "Faşist".

Batı Emperyalizmi'nin, sömürdüğü ülkelerde kaçınılmaz olarak yarattığı kültür ve ideoloji etkisiyle, başka halkların da bağımsızlık, Demokrasi, laiklik, insan hakları gibi kavramları kullanarak kendilerine karşı başkaldırmasını engellemek için, "*Siz Araplar, Müslümanlar, insan hakları, kadın hakları gibi Emperyalist değerlere aldanmayın, kendi geleneksel değerlerinize bağlı kalın*" diyor.

Bizim dinciler ve onları destekleyen bazı liberaller de bu sözlere "mal bulmuş mağribi" gibi atlayıp "*Bakın adama, bizim kültürümüze saygı gösteriyor*" diyorlar.

Oysa adamın yaptığı, Batı değerlerinin, Batı'ya karşı bağımsızlık ve Antiemperyalizm için kullanılmasını engellemek.

Ama bizim yeminli **Atatürk** karşıtları, özellikle de artık Amerika'nın dümen suyuna girmiş tatlı su İslamcıları ve Batı sömürgeciliğinin sözcülüğüne soyunmuş liberaller, **Huntington**'un bu sözlerine bir vecize gibi sarılıyor.

Hatta bazıları, **Huntington**'un Türkiye'ye Taşkent'i işaret ederek, Türk Dünyası'nın liderliğini önerdiğini söyleyebilecek kadar, okuduklarını ya anlamıyor ya da saptırıyorlar.

Oysa adam, Türkiye'nin, Rusya'nın **Lenin**'i reddettiğinden daha radikal bir biçimde **Mustafa Kemal Atatürk**'ü reddetmesi gerektiğini belirterek, bize Müslüman Dünyası'nı işaret ediyor. (Hemen aklınıza "*Türkiye Kemalizmi reddetmelidir*" diyen AB yetkilileri geldi değil mi.)

Ayrıca, **Huntington**'un bu son demeci, Türkiye için önerdiği "Müslüman Dünyası'nın liderliği" konumuna, kendisinin de inanmadığını belirtmesi bakımından ilginç.

Yeşil Kuşaktan Karikatür Krizine

Bugün "Küreselleşme" adı altında dünyayı ve Türkiye'yi pençesine almış olan olgu, doğrudan doğruya Soğuk Savaş Dönemi'nde yapılan siyasal yatırımların, uygulanan ideolojik yönlendirmelerin, planlanan projelerin, kurulan örgütlerin ve gerçekleştirilen eğitimlerin birikimi olarak ortaya çıkmıştır.

Soğuk Savaş Dönemi'nde Batı dünyası Amerika'nın önderliğinde, Sovyetler Birliği'ne karşı dinci ve milliyetçi ideolojileri pompaladı, Müslümanlığı, Hıristiyanlığı siyasal olarak yönlendirdi, radikal İslam'a dayalı şeriatçı aşiret diktatörlüklerini destekledi, Komünist işgallerle ve iç isyanlarla mücadele için dinci ve milliyetçi çizgide gerilla örgütleri kurdu.

Sovyetler Birliği'ni kuşatmak için Batı'da NATO'yu, Güney'de CENTO ve SEATO'yu, yani İslami ağırlıklı ülkelerden oluştuğu için "Yeşil Kuşak" denilen ittifakları yarattı; dünyayı bu kuruluşlar aracılığıyla yeniden yapılandırdı.

Türkiye de 1945'ten sonra, Sovyet isteklerinin korkusuyla Batı'ya yanaşınca, bu modelin "ileri karakolu" konumunda, bütün bu oluşumlardan en çok etkilenen ülke oldu.

Sonuç itibarıyla, bugünkü dünyanın ve Türkiye'nin yüz yüze olduğu sorun ve çelişkilerin çoğunu, Soğuk Savaş Dönemi'nde Amerika'nın öncülüğünde yapılandırılan uluslararası konjonktür yarattı.

Bu konjonktür bugün de Küreselleşme bağlamında aynen sürdürülüyor.

Cumhuriyet gazetesinde 3 Şubat 2006 tarihinde Filistin Halk Kurtuluş Cephesi Üyesi **Dr. Meryem Ebu Dakka**'yla Ortadoğu'daki son durumu değerlendiren çok önemli bir konuşma yayınlandı.

30 yıldır Ortadoğu'da fiilen belirleyici rol oynayan Amerika'yı bozguna ve şaşkınlığa uğratan, Filistin seçimlerinden Hamas'ın zaferle çıkmasını, "Kendim ettim, kendim buldum" biçiminde açıklamak gerektiği, **Ebu Dakka**'nın şu sözlerinden açıkça anlaşılıyor:

"Hamas 1970'lerdeki yeşil kuşak ve gerici İslam akımının desteklenmesinin bir ürünüdür."

Ebu Dakka'nın Sovyetler'in çöküşünden sonra Küreselleşen dünya konusunda söyledikleri de şöyle:

Sovyetler Birliği ve sosyalist sistemin çöküşü, tüm dünyada solun gerilemesi, İran'da yaşananlar ve en önemlisi Emperyalizmin medya aracılığıyla yaptığı yönlendirmeler, insanları ilahi güçlere yöneltti. Emperyalizmin sola karşı ideolojik saldırısı, insanların beynine yönelik tahrip yöntemleri, ki bunların en çarpıcı olanı sivil toplum örgütleridir, solun kimi kadrolarını maddi olanaklar sunarak kendi safına çekmesi gibi gelişmeler de ihmal edilmemeli.

Sevgili okurlarım, **Ebu Dakka**'nın bu son çözümlemesi, Türkiye'de Demokrasinin altını oyan, toplumu gittikçe bir "Dinci Oligarşi'ye" doğru götüren dinci eğitimin, dinci akımların ve bu eğitimle, bu akımların simgesi haline getirilen türban olayının, birçok eski solcu ve sivil toplum örgütü tarafından Demokrasi adına savunulması sürecindeki çelişkili durumun nedenini açıkça ortaya koymaktadır.

Ebu Dakka'nın çözümlemesi Türkiye'de, Demokrasi karşıtı akımların Demokrasi adına savunulmasındaki çelişkiyi, evrensel boyutlarıyla çok iyi açıklamaktadır.

* * *

11 Eylül 2001'de Amerika'ya yapılan **El Kaide** saldırılarının felsefi ve ideolojik altyapısını, "Uygarlıklar Çatışması" adı altında yine bir Amerikalı Profesörün, Harvard'lı **Samuel P. Huntington**'un oluşturduğu unutulmamalı.

Benim aklımı kurcalayan, Amerika'ya göre çok daha laik ve Demokratik bir yapı taşıyan AB, yine Amerika'nın etkisi ve yönlendirmesiyle, Müslümanları rencide eden Hz. Muhammed hakkındaki çizimlerin yol açtığı son karikatür krizi dolayısıyla, "Uygarlıklar Çatışması" senaryosunda kendisine biçilen İslam karşıtı ve Amerika'nın dünya egemenliği oyununa uygun olan yeni bir role mi soyunuyor sorusu.

Türkiye bu konuda çok ama çok dikkatli olmak zorunda.

Kendisine Amerika Birleşik Devletleri ve Avrupa Birliği tarafından biçilmiş görünen "Ilımlı İslam Devleti" rolü, Türkiye'deki

Demokratik rejimi tehdit eden en önemli ögelerin başında geli-
yor.

Konunun Amerika'da nasıl ele alındığı, Amerikan Kongre'sine
verilen bir rapor çerçevesinde daha iyi anlaşılabilir.

İslamcı Terörün Önlenmesi İçin Amerikalıların Önerileri ve GOP

Amerikan Kongresi küresel terörle mücadele için bir komis-
yon kurdu.

"11 Eylül Komisyonu"nun hazırladığı rapor çok ilginç ayrın-
tılar içeriyor.

Komisyon "Amerika'ya yönelik terörist saldırıları" irdelediği
raporu yazmak için 2,5 milyon sayfa belge incelemiş, on ülkeden
1200'den fazla kişiyle konuşmuş.

Bu rapor geçenlerde 567 sayfalık bir kitap olarak yayınlandı.

Dikkatle okunduğu zaman önümüzdeki yıllarda Amerika'nın
dünyaya nasıl bir biçim vermek istediğinin ipuçları, Türkiye'ye
neden ve nasıl bir "Ilımlı İslam Devleti" rolünün biçildiği açık-
ça görülüyor.

* * *

Raporun bir bölümü "Sürekli Büyüyen İslamcı Terörün Ön-
lenmesi" adını taşıyor.

Bu bölümde Komisyon dokuz öneri sıralamış. (ss.374-383).

Ayrıntılı biçimde ifade edilen öneriler uzun uzun açıklanmış.

Raporun bu bölümü, Amerika Birleşik Devletleri'nin İslam
dünyasında yoğun ilişkiler kurmuş olduğunu ve bu ilişkilerin ge-
lecekte de süreceğini vurgulayarak başlıyor.

Amerika'nın, İslam dünyasına yaptığı büyük yardımlara kar-
şın, bölgedeki ülkelerde yaşayanların gözünde hiç de olumlu bir
yere sahip olmadığı saptamasına yer verilerek, Endonezya'dan
Türkiye'ye kadar, araştırma yapılan bu ülkelerde yaşayanların
üçte ikisinin Amerika'nın kendilerine saldırmasından korkmak-
ta olduğu belirtiliyor.

İslami cihad anlayışının, Amerika'yı İslam karşıtı olarak tanımladığını da kaydeden komisyonun önerileri kısaltılmış haliyle şöyle:

1) Amerika, dünyanın ahlaki liderliği konusunda iyi bir örnek oluşturmalı, insan haklarına, hukukun üstünlüğüne inandığı ve komşularına açık elli ve koruyucu olarak davrandığı konusunda açık bir mesaj vermelidir. Amerika ve dostları, Müslüman anne-babalara, çocukları için **Usame Bin Ladin**'in önerdiğinden çok daha iyi bir gelecek verebilecekleri konusunda büyük bir avantaja sahiptir.

2) Dost bile olsalar, Müslüman hükümetler bu ilkelere saygı göstermedikleri zaman Amerika daha iyi bir gelecek için buna karşı çıkmalıdır. Soğuk Savaş Dönemi'nden alınan derslerden biri, baskıcı hükümetlerle yapılan kısa dönemli işbirliklerinin uzun vadede ters teptiğidir.

3) Amerika, ilkelerini ve değerlerini yurtdışında ısrarla savunmalı, Somali, Bosna, Kosova, Afganistan ve Irak'taki Müslümanları diktatörlere ve suçlulara karşı korumalıdır.
Televizyon ve radyo yayınları bu amaçla kullanılmalı, burslar, kütüphane ve gençlere yönelik değişim programlarla, Amerikan halkından gelen yardımlar olarak vurgulanmak kaydıyla bilgi ve umut yaratmalıdır.

4) Amerikan Hükümeti, öteki ülkeleri de kurulacak olan yeni bir "Uluslararası Gençlik Olanakları Fonu"a katkıda bulunmaya çağırmalı, fonlar, kendi ilk ve ortaöğretim eğitimlerine yatırım yapan Müslüman ülkelerde doğrudan kullanılmalıdır.

5) Ekonomik kalkınmayı, açık toplumu ve insanların daha iyi koşullarda yaşamalarını sağlayacak bir strateji izlenmelidir.

6) Amerika, İslamcı teröre karşı öteki ülkeleri de içine alacak kapsamlı bir koalisyon stratejisi oluşturmalıdır.

7) Amerika, dostlarını da, yakalanan teröristler göz altındayken onlara insanca muamele edilmesi konusunda ortak bir stratejide birleştirmelidir.

8) Kitle imha silahlarının geliştirilmesi ve yaygınlaştırılması engellenmelidir.

9) Teröristlerin finansman kaynaklarının izlenmesi ve saptanması terörizme karşı olan mücadelenin en önemli ögesidir.

* * *

Sevgili okurlarım, yukarıda çok kısa olarak alıntıladığım önlemler, Amerika'nın İslam dünyasına karşı, ekonomik kalkınmayı, eğitimi ve iletişim olanaklarını da içeren "topyekun" bir yaklaşım sahibi olduğunu gösteriyor.

Bu çerçevede Türkiye'ye Ilımlı İslam Devleti rolü biçilmiş bulunuyor.

İşte, Genişletilmiş Ortadoğu Projesi'nin belkemiğini bu yaklaşım oluşturmaktadır.

Tabii Irak savaşından sonra GOP'u hayata geçirmek hâlâ olanaklı ise.

* * *

Bu topyekun programın en önemli bölümü tabii Türkiye gibi laik ve Demokratik olduğu için İslam dünyası tarafından model olarak reddedilen bir ülkeyi, "Ilımlı İslam Devleti'ne" kaydırarak, örnek ve müttefik olarak kullanmak arzusudur.

Amerika'nın farkında olmadığı veya bilerek görmezden geldiği husus, Türkiye'nin laik ve Demokratik kimliğinin bir İslam Devleti yapısına kaydırılması durumunda, ülkede ne Demokrasinin ne de insan haklarının kalacağıdır.

Başbakan'ın da açıkça vurguladığı gibi, *"İslam İslam'dır, ılımlısı serti olmaz"*.

Ülke bir kez laiklikten ayrılıp İslam Devleti temeline kaydığı zaman, bunun nerede duracağını kestirmek olanaklı değildir.

İleride yine üzerinde duracağım gibi, "İslami Demokrasi" terimi bir aldatmacadan başka bir şey değildir.

Ne katı din kuralları Demokrasiye izin verir, ne de sadece bir dinin mensupları için uygulanan rejim Demokrasi olabilir.

Kadınların, başörtülerinin altından saçlarının telleri göründüğü için karakola götürüldüğü İran'da Demokrasi var demek, saptırmaların en büyüğüdür.

Ama bunun bilincinde olmayan veya olan ama bunu önemsemeyen ABD, Türkiye'deki dinci akımlara bu program çerçevesinde Demokrasi adına destek vererek ülkemizdeki Demokrasinin gelişmesine değil, yozlaşmasına katkıda bulunmaktadır.

Küreselleşme Bağlamında Türkiye'de Cemaatçilik ve Mahalle Baskısı

Çok satışlı ve çok seyredilen medyanın Prof. Şerif Mardin'den alarak benimsediği yeni bir kavram var:

"Mahalle Baskısı".

İktidarın seçimleri kazanmasını buna bağlayanlar var.

Aslında Mahalle Baskısı komşuların, dostların, arkadaşların yaptıkları telkinler, oluşturduğu baskı.

Bu kavram, sosyal bilimlerin en eski ve önemli kavramlarından biri olan "Grup Baskısı'nın" Türkiye'deki yeni adı.

İnsanlar giyim, kuşam, yaşam tarzı, yiyecek, içecek konularında birbirlerini etkiliyor, hatta birbirlerinin üzerinde baskı uyguluyorlar.

Türkiye'de Mahalle Baskısı denilen bu Grup Baskısı'nın temelinde cemaatçilik yatıyor.

Başta, türban veya sıkmabaş denilen örtünme biçimi, tesettür, yani örtünme, cemaat baskısıyla yaygınlaştırılıyor.

Bireyler, cemaatler biçiminde ve cemaatler içinde örgütlenerek örtünüyor, kapanıyor, haremlik-selamlık olarak yaşamaya itiliyor, başkalarını da aynı biçimde davranmaya zorluyor.

Böylece Demokrasi karşıtı bir baskının sosyal psikolojik boyutu devreye sokuluyor.

Küreselleşmeci dış güçler de bu süreci Türkiye'de Demokrasi diye yutturuyor ve hatta dayatılmasına destek veriyor.

Şimdi "Mahalle Baskısı" kavramına biraz daha yakından bakalım.

* * *

Sevgili okurlarım, Türkiye'deki Çok Partili Rejim'in Dinci Oligarşi'ye doğru kayması uzun ve çok faktörlü bir süreç.

Bu sürecin günümüzde gittikçe önem kazanan bir ögesi de Prof. **Şerif Mardin**'in *"Mahalle Baskısı" "Mahalle Havası" "Mahalle İslamı"* diye adlandırdığı bir *"grup dinamiği"* olgusu.

Mardin'in 15 Mayıs 2007 tarihinde *Vatan* gazetesinin kitap ekinde yayınlanan **Ruşen Çakır**'la yaptığı konuşmadan bazı parçaları aşağıya aldım:

"...Siyasal İslam, iktidara tam sahip olduğu zaman bayağı ağır şartlar yaratan bir rejimi de kurabilir..."

"...İslam'ın iktidarı tam olarak ele geçirmesi durumunu, liberal bir ortamın devam ettirilmesi olarak göremiyorum..."

"...Türkiye'de 'Mahalle Baskısı' diye bir şey var. Jön Türkler'in en çok korktuğu şeylerden biri de oydu. 'Mahalle Baskısı' bilinmeyen ve sosyal bilimce ifade edilmesi çok zor olan bir havadır..."

"...Dolayısıyla bu havanın gelişmesine müsait şartlar oluşursa o zaman AKP de bu havaya boyun eğmek zorunda kalacaktır..."

"...Buna örnek olarak daha çok İran'da ortaya çıkmış olan ve bugün Ahmedinecad'ın devam ettirdiği sistemi gösterebiliriz. O dinsel otokrasinin çevreyle, mahalleyle, ona destek veren insanların ortaya çıkardığı havayla da çok ilişkisi var. O havanın İran devriminde çok etkili olduğuna inanıyorum. Bu hava Türkiye'de de çıkabilir bir gün. 10-20 seneöncesine kıyasla daha az şansı var ama bugün o havayı pompalayan başka şeyler, tuhaf oluşumlar, kendiliğinden olan birtakım olaylar var. Bazı İslami alt-çevreler ortaya çıkıyor. Bunda günümüzün gelişmiş imkanları da etkili oluyor. Mahalle Havası dediğimiz şeyin bu İslami alt-çevrelerle yeni bir şekil almış olduğuna inanıyorum. Bu yeni şekil AKP'yi döver. Demek istiyorum ki eğer böyle bir hava gelişirse AKP ona biat etmek zorunda kalabilir..."

Mardin, benim "Dinci Oligarşi" dediğim düzene "Dinsel Otokrasi" diyor ve Mahalle Baskısı'nın, AKP'ye de boyun eğdirebileceğini, Türkiye'nin İran'a dönüşmesi olasılığının bulunduğunu söylüyor.

10 Haziran 2007 tarihli *Vatan*'ın Pazar ekinde Ruşen Çakır'ın, Mardin'le yapılmış ikinci bir röportajı yayınladı.

Burada da Mardin, "Mahalle Baskısı" kavramını, dinci (dindar değil) özellikleri açısından iyice açıyor:

> "...Ailemde, özellikle de **Ebulula Mardin** Bey'den 'ham sofu' diye geniş kullanımı olan bir tabir işitiyordum. Yaptığım iş bunu değiştirerek kullanmaktan ibaret..."
>
> *Ruşen Çakır: "Mahalle Baskısı dünyada da kullanılan bir kavram mı?"*
>
> *"Hayır kullanılmıyor. Onun yerine 'fondamantalist' kavramı bunların hepsini örtüyor. 'Mahalle Baskısı' kavramıyla ilgilenmemin nedeni Jön Türklerin bu konudaki korkularını merak etmemdir. İttihat ve Terakki Partisi döneminde bir grup aydın İslam'ın müesseseler üzerindeki etkilerini kaldırmak istiyordu. İkinci grup ise dindardılar dindar olmalarına ama kendi estetik duygularından farklı bir davranış tarzı olarak gördükleri 'Mahalle İslamı'ndan ürküyorlardı."*

Mardin daha sonra, Ayşe Arman'la yaptığı ve 16 Eylül 2007 tarihinde *Hürriyet*'te yayınlanan konuşmasında, Türkiye'nin önündeki güncel sorunlar hakkında değerlendirmeler yaptıktan sonra "Mahalle Baskısı"nın veya "Mahalle İslamı"nın kökeni ve tehlikeleri hakkında da şunları söylüyor:

> "...19. yüzyılda Osmanlı İmparatorluğu'nda Anadolu'da çok teşkilatçı bir dini kurum yayılmıştı: Nakşibendilik. Nakşibendilik, yalnız bir dini inanç değil, aynı zamanda insanlara yön vermeye çalışan bir kuruluştu.
>
> Türkiye'de bilinmeyen bir şey, Nakşibendilerin 18. yüz-

yılın sonunda ve 19. yüzyılda teşkilatçı olmaya başladıkları. Mahalli teşkilatçı. Devletle rekabet halinde.

Kemalistlerin göremedikleri şeylerden bir tanesi, Nakşibendilerin kurdukları teşkilatın ne kadar güçlü olduğu. Bunu anlayamadılar.

Anlayamadıkları için de, bu gücün zaman zaman ne kadar ekstrem şekiller aldığını göremediler, Şeyh Said isyanı gibi..."

Ayşe Arman'ın "Yani bir gün Malezya olur muyuz, olmaz mıyız? 'Olmayız' deyip, içimizi rahatlatır mısınız lütfen..." demesi üzerine:

"Rahatlatamam. Çünkü olmayız diye bir söz veremem. Kimse veremez. Öyle dinamikler var ki dünyada, öyle tuhaf iç yapılanmalar, her şey olabilir..."

Ayşe Arman'ın "Yani kadınlar 'Aman canım abartılacak bir şey yok!' demesinler mi?" sorusu üzerine:

"Demesinler, çünkü abartılacak bir durum var..."

Mardin'in *"Mahalle Baskısı"*, *"Mahalle İslamı"* dediği olgu, bireyi biçimlendiren, onun tutum ve davranışlarını belirleyen, sosyal psikolojinin *"grup dinamiği"* alanına giren ünlü *"Grup Baskısı"* kavramının, tüm ilişkileri de kapsayarak topluma egemen olması, bireyleri ve toplumu belli bir yöne sevketmesidir.

Durkheim'dan beri bilinen, irdelenen *"Toplumsal Bilinç"* denilen kavram, işte bu toplumsal olgudur:

Birey aile içinde büyür, eğitilir, kişilik kazanır.

Arkadaş gruplarıyla gelişir.

Formel eğitimle biçimlenir.

Çalıştığı işyerinden, meslektaşlarından, medyadan etkilenir.

Komşularıyla, mahallesiyle birlikte yaşar.

Mardin'in sözünü ettiği "Mahalle Baskısı" "Mahalle İslamı" işte bütün bu grupların, üstelik de birbirleriyle etkileşim halinde güçlenerek yaptığı büyük baskının adıdır.

Mardin, *"Mahalle Baskısı"* *"Mahalle İslamı"* karşılığında Batı'da genel olarak *"fondamantalist"* (köktendinci) teriminin kullanıldığını ve kendisinin de bu deyimi *"Ham sofu"*dan esinlenerek geliştirdiğini belirtiyor,

Böylece bu baskının *radikal siyasal İslamcı (şeriatçı)* niteliğine de ayrıca vurgu yapıyor.

AKP iktidarının, *Mahalle İslamı'*nı destekleyici politikaları, hem baskıyı arttırıyor, hem de devletin, bireyleri bu baskıya karşı koruma olanaklarını (laiklik kavramının altını oyarak) yok ediyor; böylece durum temel hak ve özgürlükler açısından son derece vahim bir hal alıyor.

Nitekim, **Mardin** de **Ayşe Arman**'la yaptığı konuşmada bu baskının hem Türkiye'deki Demokratik rejim, hem de özellikle kadınlar açısından oluşturduğu tehlikelere dikkat çekiyor.

* * *

Tabii bu noktada, "Mahalle Baskısı" ve "Mahalle İslamı"nın kendi kendine gelişen değil, örgütlü bir biçimde desteklenen bir olgu olduğuna dikkat çekmek gerekir.

Bu örgütsel destek, "Müslüman Kardeşler" yöntemiyle, mahalle düzeyindeki siyasal örgütlenme ve tarikatlar düzeyindeki dinci örgütlenmeyle seçmen tabanına egemen kılınıyor.

Örneğin **Cüneyt Ülsever**, 23 Eylül 2007 tarihle makalesinde *Hürriyet*'te şöyle yazıyor:

> *Mahalle politikası, belirli bir örgütün (Milli Görüş) yerel seviyede önce sosyal alanda (gıda-erzak yardımı yaparak, eğitim-sağlık-cenaze hizmetleri sunarak vb.) faaliyet göstermesiyle başlıyor ve o örgütün sonuçta o mahallede hayat tarzını ve siyasi tercihleri belirlemesiyle açık belirginlik kazanıyor.*
>
> *Her şey plan ve programlı!*
>
> *Mahalle Baskısı ile mahalle politikası arasındaki farkı bir örnekle anlatmaya çalışayım.*
>
> *Şehirlerarası otobüsün namaz vakitlerinde durmasını isteyenler, Mahalle Baskısı kurmaya çalışan münferit hareketler olabilir.*

Ama bu konuda kendi adını Namaz Gönüllüleri Platformu olarak tarif eden örgüt, "İmanı olan bir insanın namaz kılınmasından ya da namaz için bir yerde durulmasından rahatsız olması düşünülemez. Bu bir dayatma değil, hak aramadır" (Milliyet-08.09.07) *şeklinde açıklama yaptığında bu planlı/programlı bir dayatmadır ve benim daha derin bulduğum işte bu "mahalle politikası"dır.*

Yazılarımda vurgulamak istediğim, hem Başbakan'ın hem de maalesef Cumhurbaşkanı'nın alttan gelen bu mahalle politikasına karşı çıkamamalarıdır. Zira, her ikisini de iktidara taşıyan örgüt, AKP içinde alttan alta mahalle politikası yapan Milli Görüş'tür.

Bu anlamda Milli Görüş'ün AKP'nin taşra/yerel örgütlerini ele geçirdiğini 2004 yılından beri yazıyorum.

Sadece etkileri 22 Temmuz sonrası artmıştır.

Daha önce de yazdığım gibi, baştan beri ne demek istediğimi en iyi anlatan bizzat AKP milletvekili **Nursuna Memecan**'ın **Meral Tamer**'e *söyledikleridir:*

"Bence AK Parti'nin yaptığı en şahane şey, toplumun en alt kesimindeki yoksul ev kadınlarını, yetiştirilmiş kıymetli eleman haline getirmiş olması. Canla-başla, ayakkabılarının altları yırtıla yırtıla çalışıyorlar. Kim bu kadınlar dersen? Bakkalın karısı var, çiçekçinin karısı var, işçinin karısı var, dul kadınlar var." (09.09.07)

"Mahalle Baskısı" münferit dahi olabilir ama "Mahalle Politikası" planlı/organize eylemlerdir ve bence "Mahalle Baskısı"ndan çok daha tehlikelidir.

Ülsever, açıkça, "Mahalle Baskısı'nın" ve "Mahalle İslamı"nın örgütlü bir biçimde desteklendiğini ve böylece gelişerek, AKP'ye egemen olduğunu belirtiyor.

"Mahalle Baskısı", "Mahalle İslamı" kavramlarının siyasal ortamla ve 2007 seçimleriyle ilişkisine ise, **Ahmet Hakan,** 24 Eylül 2007'deki makalesinde değiniyor:

Yüzde 47'lik bir güç ortaya çıkınca...
Hele o güç, türbanı Çankaya'ya çıkarmayı başarınca...
Bir de üstelik darbe falan da olmayınca...
Öyle bir hava esmeye başladı ki camiada...
Mahallenin çocukları yine baskı altına girmeye başladı...
"Ne yani? Bu kadar oy aldık, bir de eskisi gibi hoşgörülü, sevimli, şeker olmak durumunda mı kalacağız? Kendi mahallemize bile çeki düzen veremeyecek miyiz?" havası yayılmaya başladı...
Özeleştiri yapana "sürtük" dendi...
Kendine dindar diyen adamların edepsizliklerini yazana "mürtet" dendi...
En küçük bir farklılık belirtisi gösterene "kendine gel" uyarısı yapıldı.
Yani...
Kendi mahallesinin çocuklarına hayatı zindan eden bir tutum aldı başını gitti...
Bu tutum, gücünü yüzde 47'nin sağladığı "sosyal moral"den aldı...
Ancak bu tutumu diriltenler, "mahalle dışındakiler" için bir baskı mekanizmasının uygulanmasının imkansızlığının da farkındalar.
Bu yüzden mahallenin çocukları üzerine abanmaktalar!

* * *

Ahmet Hakan'ın siyasal çözümlemesi doğrudur.
"Ancak bu tutumu diriltenler, 'mahalle dışındakiler' için bir baskı mekanizmasının uygulanmasının imkansızlığının da farkındalar," sözlerine ise katılmıyorum.

Tam tersine, "Mahalle İslamı" tüm toplumu ele geçirmek üzere çalışıyor.

Ama bu görüşünü de sevgili okurlarıma aktarmak istedim.

Keşke doğru olsaydı...

Şimdi "Mahalle Baskısı" ve "Mahalle İslamı"nın temelinde yatan ve "Mahalle örgütlenmesi"yle geliştirilen cemaatçilik kavramına yakından bakabiliriz.

* * *

Cemaatçilik bugün Demokrasi açısından hem ülkenin hem de medyanın bir numaralı sorunu.

Ülkenin bir numaralı sorunu, çünkü siyasal iktidar, her türlü Demokratik ve laik, sosyal hukuk devleti kaygılarını bir yana bırakmış, tam bir cemaatçi yaklaşımla yönetiyor ülkeyi.

Medyanın bir numaralı sorunu, çünkü hem birçok yayın organı hem de pek çok köşe yazarı, olaylara cemaatçi bir açıdan yaklaşıyor.

Böylece Türkiye'de Demokrasi dediğimiz çok partili yoz rejim gittikçe bir Dinci Oligarşi'ye dönüşüyor.

* * *

Cemaatçilik, hem bireysel hem de toplumsal aklı, kimliği, farklılıkları ve çıkarları bir yana bırakarak, ait olunan cemaatin birörnek kimliğini, çıkarlarını ve düşüncelerini savunmaktır.

Bireyselliğe karşı olduğu kadar, cemiyet halinde yaşayan insanların ortak kültürüne yani ulusal ya da toplumsal kimliğe ve çıkarlara da karşıdır.

Cemaatçi kişi, sadece cemaatini düşünür ve kollar; bütün duygu ve düşünceleri cemaati tarafından yönlendirilir.

Cemaat ve cemaatçilik, din-tarım toplumlarının geride kalmış kavramlarıdır:

Hem endüstrileşmenin getirdiği Aydınlanma'yı, özgürleşmeyi, Demokratikleşmeyi, Ulus Devleti reddeder, hem de tohumları endüstrileşmeyle atılan ve Bilgi Toplumuyla pekişen bireyselliği.

Hem kendi üstündeki toplumsal ve ulusal kavramlara, hem de kendini alttan oluşturan kişilerin, özgür ve bağımsız kimliklerine, bireysel varlıklarına karşıdır.

Dinci Oligarşi'yi Türkiye'ye yerleştirmeye çalışanların, bütün yasal ve Anayasal yasaklara, uluslararası mahkeme kararlarına karşın, türban denilen simgeyi hâlâ kamu alanına sokmaya çalışmalarının başka açıklaması var mıdır?

Bırakınız kadrolaşmaları, haremlik-selamlık uygulamalarını, dindar olanlar-olmayanlar biçimindeki ayrımcılıkları, laikliğe karşı olan her türlü yayını ve saldırıyı, sadece kamu alanındaki türban ısrarı bile iktidarın cemaatçiliğinin bir kanıtı değil midir?

Tabii bu durum, medyada da aynıyla gözlemleniyor: Genellikle dinci basın denilen medyadaki gazeteler cemaatçilik kıskacına yakalanmış durumda.

Bunlardan birinin, *Zaman* gazetesinin genel yayın yönetmeni geçenlerde verdiği bir mülakatta, sorulan bir soruya karşılık olarak, gazetesinin cemaatçi olmadığını belirtmişti.

Herhalde cemaatinden aldığı tepkiler sonucunda, sonradan bir yazı yazarak gazetesinin cemaatçi kimliğini kabul etti.

Küreselleşme ve Postmodern Felsefe

Küreselleşmenin yalanları ve çelişkileri zaman içinde birer birer ortaya çıkıyor:

Dünyaya barış değil, savaş getirdi.

Terörü bitirmedi, yaygınlaştırdı.

Demokrasiyi yaygınlaştırmadı, Amerikan hegemonyasını pekiştirdi.

Refahı değil, yoksul-zengin farkını derinleştirdi.

İşte bir yandan özgürlüğü ve bireyselliği pekiştireceği ve yaygınlaştıracağı iddiasıyla ortaya çıkarken, öte yandan Postmodern felsefeyle cemaatleri ve cemaatçiliği özendirmesi ve desteklemesi, zaman içinde iyice belirginleşen bir başka çelişki.

Türban denilen simge gibi, kadını cemaat kuralları çerçevesine hapseden bir tesettür uygulamasının, bireysel özgürlük adına savunulabilmesi gibi bir çarpıklık, Küreselleşmenin bu çelişkisinden kaynaklanıyor.

Küreselleşmenin dayattığı Postmodern felsefe, cemaatlerin, bireyi köleleştirme "özgürlüğünü!" savunmak gibi bir çarpıklığa kaynaklık edebiliyor.

Böyle bir çelişkinin kapanında kıvranan *Zaman* gazetesinin Genel Yayın Müdürü de, bu nedenle cemaatçiliği bir reddediyor, bir kabul ediyor.

* * *

Küreselleşme sürecinin yarattığı pek çok çelişki var.

Birinci ve belki de en önemli çelişki, Küreselleşmenin "Uygarlığı", "Bilgi Toplumu" adı altında "Demokrasi ve insan hakları" aracılığıyla yaygınlaştırdığını öne sürerken şiddeti, terörü, savaşı, eşitsizlik ve adaletsizlikleri derinleştirmekte ve yaygınlaştırmakta oluşunda ortaya çıkıyor.

İkinci çelişki Ulus Devlet konusunda belirginleşti:

Küreselleşme sürecinin hem alttan "alt kültürlere özerklik" yoluyla, hem de üstten "uluslararası örgütlenmelere bağımlılık" aracılığıyla zayıflattığı Ulus Devlet kavramının vazgeçilmezliği ortaya çıktı.

Küreselleşmenin kuramcılarından **Francis Fukuyama**, *Devlet İnşası* adlı kitabında bu gerçeği açıkça itiraf etti:

Yoksulluk, insan ve uyuşturucu kaçakçılığı ve uluslararası terör olarak ifade edilen üç büyük Küresel sorunla, Ulus Devlet yapısı olmadan savaşılamayacağı nihayet görüldü.

Üçüncü çelişki, Küreselleşmenin, desteklediği "postmodern felsefe" ile, ideolojisi olarak (bir aldatmaca niyetiyle de olsa) sunduğu "Demokrasi ve insan hakları arasındaki" çatışmada ortaya çıkıyor.

* * *

Postmodern felsefe esas olarak, insanın dışındaki gerçekle, bu gerçeği algılayış biçimi arasındaki farkı ve varsa çelişkiyi, kişisel algılayış lehine saptıran bir yaklaşıma sahip.

Özet olarak, *"Toplumsal ve nesnel dış gerçek önemli değildir, asıl gerçek kişinin algıladığı gerçek, iç gerçeği yani inandığı şeydir"* ilkesine dayanıyor.

"Dışsallık, objektiflik, yani nesnellik diye bir şey yoktur, insan ne düşünüyorsa, ne hissediyorsa, gerçek odur" diyor.

Özetle dışımızdaki gerçeği reddediyor, inancı ve dış gerçeği nasıl algıladığımızı ön plana çıkarıyor. Yaklaşım olarak pozitivizme ve materyalizme karşı, idealist bir felsefeyi savunuyor postmodernizm. Deneyselciliğe ve kuşkuculuğa, bilime karşı inancın ve dogmatizmin kapılarını açıyor.

Bu niteliğiyle bireyselliğin temelini oluşturan deneyselcilik ve kuşkuculuk yerine, tarikat-cemaat yapısını meşrulaştıran inanç dogmatizminin en büyük destekçisi oluyor.

Kendilerini "liberal" diye tanıtan dinci yazarlar televizyonlarda *"Bir bizim dışımızdaki gerçek vardır, bir de kalbimizdeki hakikat, bunlar çatıştığı zaman esas olan kalbimizdeki hakikattir"* diyerek, inancın bilime, tarikat ve cemaatin bireysel ve toplumsal kimliğe karşı üstünlüğünü savunuyorlar.

Postmodernizm, Soğuk Savaş Dönemi'nde Marksizm (Diyalektik Materyalizm) ile Pozitivizmi birbirine karıştıran cahil Amerikalıların, Sovyetler Birliği'ne karşı ideolojik mücadele stratejilerinden biri olarak ortaya çıktı.

Dinsiz bir proletarya diktatörlüğü kimliğiyle kendini tanımlayan Sovyetler Birliği'nin (Diyalektik Materyalizme dayalı olduğunu iddia ettiği) Marksist-Leninist ideolojisine karşı, tüm tek tanrılı dinlerin desteğini alarak, postmodernist felsefeyi yaygınlaştırdı.

Marksizmle (ve Diyalektik Materyalizmle) mücadele etmek adına, pozitivizme, bilimselliğe, deneyselciliğe, kuşkuculuğa karşı çıktı, dinci dogmatizmi, tarikat-cemaat anlayışını ve yapılarını güçlendirdi.

Bugün yine Amerika'nın öncülüğündeki Küreselleşme, nasıl Soğuk Savaş Dönemi'nde Sovyetler Birliği'yle mücadele sırasında yaratılan "İslam Mücahidi **El Kaide**" ile çelişki içindeyse, aynı biçimde, postmodern felsefeyle de, (güya savunduğu) Demokrasi ve insan haklarıyla çelişen tarikat-cemaat kapanına yakalanmış durumda.

Dünyada ve ülkemizde kadını ikinci sınıf vatandaş olarak simgeleyen türbanın özgürlük adına, dinci diktatörlüklerin yani şeriatçılığın Demokrasi adına savunulabilmesi gibi gariplikler işte bu çelişkinin sonucu.

Peki bu çelişkiler sadece Demokrasi ile postmodern felsefe arasında mı?

Küreselleşme sürecinin kendi içinde başka yapısal çelişkileri yok mu?

Bu çelişkiler, Küreselleşmenin Demokrasiyi yozlaştırıcı etkilerine karşı mücadele ederken kullanılamaz mı?

Bu bölümün başında Küreselleşme sürecinin gücünü vurgulamış, bu güce karşı onu görmezden gelmenin olanaklı olmadığını belirtmiştim.

Peki, madem ki bu süreç kaçınılmaz, onu Demokrasiyi geliştirmek ve güçlendirmek için kullanamaz mıyız?

Şimdi biraz da işin bu yönüne, Küreselleşme sürecinin içindeki yapısal çelişkilerin, Demokrasi adına nasıl kullanılabileceğine bakalım.

Küreselleşme, Demokrasiyi Geliştirmek İçin Nasıl Kullanılabilir: Porto Alegre Örneği

Sevgili okurlarım, tüm dünya ve tabii tüm dünya ile birlikte Türkiye de müthiş bir ideolojik bombardıman altında:

"Küreselleşme kaçınılmazdır. Buna karşı çıkan yok olmaya mahkûmdur" deniyor.

Aslında bu önermenin birinci bölümü doğru.

Küreselleşme kaçınılmazdır.

Önermenin birinci bölümü doğru olunca ikinci bölümü yani *"Buna karşı çıkan yok olmaya mahkûmdur"* bölümü de doğru gibi görünüyor.

Oysa gerçek durum böyle değil.

Çünkü birinci olarak Küreselleşme tek boyutlu bir süreç değil.

İkinci olarak Küreselleşme doğrusal bir süreç değil.

Önce Küreselleşmenin tek boyutlu olmadığı konusunu irdeleyelim:

Küreselleşme siyasal, ekonomik ve kültürel olarak üç boyutlu bir süreç.

Siyasal olarak Birleşik Amerika'nın liderliği, ekonomik olarak uluslararası sermayenin egemenliği, kültürel olarak da, tekdüze bir tüketim kültürünün egemenliği ve mikro milliyetçi ile mikro dinci akımların desteklenmesi söz konusu.

Sonuçları itibarıyla da zengini daha zengin, yoksulu daha yoksul yapan, Ulus Devletleri hem alttan hem de üstten zorlayan, bir yandan da terörü bile küreselleştiren bir süreç.

Dolayısıyla, bu sürecin farklı boyutlarını ve bu farklı boyutların getirdiği kimi zaman birbiriyle çelişen sonuçlarını tek bir paket içinde değerlendirmek yanlış.

* * *

İkinci olarak Küreselleşme sürecinin tekdüze, doğrusal bir biçimde gelişmediğini bilelim:

Küreselleşme aynı doğrultuda, hiç engelsiz gelişen bir süreç değil, diyalektik biçimde, karşıtlarını da doğuran bir oluşum. (Yukarıda verdiğim örnekte Endüstri Devrimi ve Fransız Devrimi'yle ilgili olarak yaşanmış olan birbirine karşıt olayları anımsayalım.)

Şimdi, Küreselleşmenin siyasal ve ekonomik boyutunun bir simgesi haline gelen, dünyanın ekonomik yapısına el koyan Davos-New York toplantıları ile Küreselleşmenin sosyal sonuçlarının masaya yatırıldığı Porto Alegre toplantıları arasındaki karşıtlığı, ya daha doğru bir tanımla "çelişkiyi" görelim.

Aynı biçimde Küreselleşme sürecinin bütün olumsuzluklarına karşın, içi boşaltılmış olarak da olsa iki kavramı, "Demokrasi" ve "İnsan Hakları" kavramlarını da "Küreselleştirdiğini" unutmayalım.

Bütün bu noktaları akılda tutarsak, "Küreselleşme karşıtları" teriminin yanlış olduğunu, aslında kastedilenin, "Küreselleşmenin olumsuz yanlarını reddedenler" veya "Devrimci Küreselleşme" olduğunu hemen görürüz.

Bir başka deyişle Küreselleşmeyi eleştirmenin, Küreselleşmeye karşı çıkmanın onu reddetmekle değil, onun kendi diyalektiği içinde olumlu yanlarını alıp bu olumlu yanların, olumsuzlukları törpülemesini sağlamakla olanaklı olduğu hemen görülecektir.

Bu anlamda Porto Alegre toplantısının "Küreselleşme Karşıtlarının" toplantısı değil, "Küreselleşmenin Sosyal Yönlerini Tartışanların" toplantısı olduğuna dikkat edilmelidir.

Porto Alegre'de yapılan iş Küreselleşmeyi reddetmek değil, Küreselleşmenin ekonomik boyutuna sosyal ve kültürel anlamda, tabii siyasal açılımları da olacak biçimde karşı çıkmaktır:

Yani Porto Alegre "Küreselleşme bilincinin", bir başka deyişle Küreselleşmenin olumsuz yönlerinin engellemesi yönünde girişilen çabaların "Küresel düzeyde örgütlenmesi" sürecidir.

Küreselleşme gerçekten önlenemez bir süreçtir.

Ama ona karşı çıkanlar hiç de yok olma yolunda değildirler.

Çünkü ona kavram ve süreç olarak değil, sadece onun ekonomik, siyasal ve kültürel boyutlarının olumsuz sonuçlarına karşı çıkmaktadırlar.

Bu mücadeleyi de onu reddederek değil, onun kendi diyalektiği içindeki çelişkilerini yine "Küresel" olarak kullanarak yapmaktadırlar.

Porto Alegre'nin önemi de işte buradadır:

Küreselleşmenin olumsuz sonuçlarıyla mücadele, yine Küreselleşme süreci içinde, "Küresel yöntemlerle" ele alınmaktadır.

Küreselleşmenin toplumsal boyutlarının tartışıldığı Porto Alegre toplantısına değerli medyamızdan pek ilgi gösteren olmadı.

Oysa Davos ve onun devamı olan New York toplantıları büyük basınımızın birinci sayfalarında manşetlerde yer alır.

Davos-New York toplantılarında Küreselleşme sürecinin zengini daha zengin, yoksulu daha yoksul yapan etkisini güçlendirici önlemler planlanırken, Porto Alegre toplantılarında bu sürecin olumsuz etkileri irdeleniyor ve bunların nasıl giderileceği tartışılıyordu.

Bizim medyamız da ekonomik sömürünün derinleşerek devamından yana olan toplantıya önem veriyor, bu sömürünün olumsuzluklarını vurgulayan ve nasıl düzeltilebileceğini tartışan toplantıya fazla yer vermiyor.

* * *

Ama yine de konuyla ilgilenen pek çok uzman var.

Yazıları zaman zaman *Cumhuriyet*'te de yer alan değerli araştırmacı **Cüneyt Akalın** bunlardan biri.

Bu konuda bana yollamış olduğu bir elektronik posta, çok önemli noktalara değindiği için, postanın metninin bir bölümünü bu kitaba alarak siz okurlarımla paylaşıyorum.

Küreselleşme kaçınılmazdır görüşüne hak vermeniz, kavramlar doğru kullanıldığı takdirde, sakınca yaratmayabilir.

Ama, ya yanlış kullanılıyorsa!

Küreselleşmeyi haklı olarak;

a) ABD'nin siyasal hâkimiyeti,

b) ÇUŞ (Çok Uluslu Şirketler),

c) tekdüze tüketim kültürü olarak tanımlıyorsunuz.

Bu tanımlamadan yani Küreselleşmenin kaçınılmazlığı tanımlamasından ABD'nin siyasal hâkimiyetine atlayınca, işler arap saçına dönüşüveriyor.

İşte size Mesut Yılmazcılık, işte size Tayyipçilik... İşte size Özalcılık... ABD hâkimiyeti kaçınılmaz olunca, gelsin Irak'a bombardıman vb. oluveriyor.

Oysa önermenin ikinci yarısı, dikkat çektiğiniz gibi, çok önemli. Hiçbir siyasal, sosyal, tarihsel süreç tek boyutlu gelişmez.

Zıddını da beraberinde taşır.

Küreselleşmeyi özellikle ABD ve neo-liberal çevreler tarafsız, zararsız bir kavram olarak kullanıyorlar. Oysa bu kavram onların en büyük silahı. Dünyayı sömürgeleştirmeye çalışıyorlar. .

Siz bu konuda en duyarlı olanlardan birisiniz.

"Ulus devlet"'i ne yapacağız? Kimilerinin iddia ettiği gibi, modası geçti diye çöpe mi atacağız?

İnternetten Lula'ya, Chavez'e girin, bu insanların ne kadar ulusçu olduğunu görecek ve şaşıracaksınız. Lula bizdeki futbol seyircileri gibi Brezilya bayrağına sarınarak kampanya yürüttü. Chavez daha da öteye gitti.

Türkiye'de ABD politikalarına kim direniyor? MGK, Genelkurmay değil mi?

Cumhuriyet neden öteki gazetelerden farklı?

Porto Alegre kuşkusuz hoş bir zemin, güzel bir tartışma platformu. Biraz Troçkizmin, biraz da Avrupa Sosyal-Demokrasisinin katkılarıyla, "küresel direniş"e fazla prim tanıyan güçlerin sesi fazla çıkıyor orada.

Chavez'i dikkatle izlemenizi naçizane öneriyorum. Hareketin adını "Yeni Bolivarcılık" koymuş.

Türkiye çok önemli bir ülke. Dünyanın kaderini etkileyebilir.

Kanımca "Emperyalizm" kavramını bir yana iterek, "Küreselleşme" gibi tarafsız kavramlarla sorunlara netlik kazandıramayız.

Akalın bence Küreselleşmenin Emperyalizm özelliğine dikkati çekmekte haklıdır.

Önümüze getirilen yeni kavramları eski kavramlarla irdelemek de dahil olmak üzere, ayrıntılı olarak gerçek içeriklerine kavuşturamazsak, çağın gerisinde kalırız.

Bu konudaki ayrıntılı görüşlerimi *Küresel Terör ve Türkiye* adlı kitabımda anlatmıştım.

Orada da belirttiğim gibi *"Küreselleşmenin yarattığı sorunların çözümü yine küresel bağlamda, Demokrasi ve insan hakları kavramlarının yaygınlaştırılmasıyla olanaklı olacaktır."*

* * *

Küreselleşme ile ülkemizdeki Demokrasi arasındaki ilişkileri irdelemeye çalıştığım bu bölümde, Küreselleşmenin lideri durumundaki ABD'nin ve onun yanı başında yer alan AB'nin, Türkiye'de *"Demokrasiye destek veriyoruz"* maskesi altında "Mahalle Baskısı"nı, cemaatçiliği ve Postmodernizmi güçlendirerek Dinci Oligarşi'yi beslediklerini ve bu nedenle Demokrasiyi tahrip ettiklerini anlatmaya çalıştım.

Tabii bu bölümde açıklamaya çalıştığım süreçler de tek başına Demokrasimizle yüzleşmek için yeterli değil.

Bundan önceki bölümlerdeki kuramsal ve güncel gerçeklerle birlikte düşünülmeli, bundan sonra irdelemeye çalışacağım olgu ve süreçlerle birlikte ve etkileşim halinde ele alınmalıdır.

9

Demokrasi ve Milliyetçilik: Türkçülük, Kürtçülük ve Azınlıklar

Sevgili okurlarım, Demokrasimizle yüzleşirken, ona karşı en büyük tehdidi oluşturan çoğunluk ideolojilerine mutlaka bakmak gerekiyor.

Dincilik, milliyetçilik gibi ideolojiler laik ve Demokratik kurallar çerçevesinin dışına taştıkları zaman, büyük kalabalıkları da peşlerinden sürükledikleri için, Demokratik rejimin tahribine yol açabilirler.

Bunun tarihteki en kötü örnekleri Alman Nazileri ve İtalyan Faşistleridir.

Hitler'in iktidara yüzde 30 dolayında oy alarak geldiğini ve sonra bu iktidarını kullanarak oy oranını arttırdığını, en sonunda da sadece kendi ülkesini değil, bütün dünyayı kana buladığını unutmamalıyız.

* * *

Öte yandan din ve milliyet bir ülkenin, bir toplumun kimlikleridir.

Bu kimliklerini yitiren toplumların bağımsızlıklarını, bütünlüklerini korumaları çok güç olur.

Bu açıdan konu son derece hassastır.

Bireylerin ve toplumların kimliklerini oluşturan din ve milliyetçilik, Demokrasi açısından hem yararlıdır hem de zararlı sonuçlar doğurabilecek noktalara gidebilir.

İşte bu bölümde, Demokrasimizle yüzleşmek adına, elimden geldiğinde milliyetçilik konusunu irdelemeye çalışacağım.

Azınlık Milliyetçiliği

Sevgili okurlarım, faşizan çizgiye kayan çoğunluk milliyetçiliği bir Demokrasi için ne denli tehlikeliyse, ayrılıkçı çizgiye kayan azınlık milliyetçiliği de o denli tehlikelidir.

Zaten faşizanlık ile ayrılıkçılık, birbirini destekleyen iki kavramdır.

Her faşizan çoğunluk milliyetçiliği ayrımcı, her ayrılıkçı azınlık milliyetçiliği faşizandır.

Bu nedenle de hem çoğunluk hem de azınlık milliyetçilikleri faşizan, ayrımcı ve ayrılıkçı çizgiye kaydıkları oranda birbirlerini destekler, tırmanan bir biçimde Demokrasiyi ve ülkeyi tahrip eder.

Çünkü hiçbir ülke, Demokratik hak ve özgürlüklerin o ülkenin bölünmesi, parçalanması ve güçsüzleştirilmesi, hele hele tarihten silinip gitmesi yolunda kullanılmasını kabul edemez.

Her ayrılıkçı akım, hele bir de silahlı isyana kalkışmışsa, yarattığı tehdit ve tehlikelerin önlenmesi için Demokratik hak ve özgürlüklerden ödün verilmesini gerektirir.

Buna karşılık her çoğunluk milliyetçiliği faşizan çizgiye kaydığı oranda, isyanı ve ayrılıkçılığı teşvik eder.

İşte bu nedenlerle çoğunluk ve azınlık grupların milliyetçiliği irdelenirken, Demokrasi açısından ortaya çıkan genel ilkelerin her iki milliyetçilik türü için de geçerli olduğu sürekli akılda tutulmalıdır.

Küreselleşme ve Türk Milliyetçiliği

Sovyetler çöktü, Küreselleşme başladı.

Tüm dünyada sevinç çığlıkları duyuldu:

"Tarihin sonu geldi!"

"Savaşlar sona erdi!"

"Ulus devlet bitti!"

"Milliyetçilik dışa kapanmadır, izolasyondur, gericiliktir, faşizmdir!"

Aradan on beş yıl geçti:

Ne tarihin sonu geldi!

Ne savaşlar sona erdi!

Ne Ulus Devlet bitti!

Ama Türk milliyetçiliği Türkiye'de lanetlendi!

Milliyetçilik, bütün çevremizde, Balkanlar'da, Kafkaslar'da, tüm dünyada yükselişe geçti.

Sadece Türkiye'de, Türkiye'nin çıkarları söz konusu olduğunda lanetlendi.

* * *

Türkiye'nin sorunları açısından "karşı taraf milliyetçiliği" ise dolu dizgin güçleniyordu:

Kıbrıs sorunu.

Ayrılıkçı etnik sorun.

Ege sorunu.

Kuzey Irak sorunu.

Soykırım iddiaları sorunu.

Hepsi, Türk milliyetçiliğinin lanetlendiği bir ortamda, "karşı taraf milliyetçiliğinin" yükselişine dayalı sorunlar olarak belirginleşti.

* * *

Avrupa Birliği, genişleme müzakerelerinde Türkiye'ye ikinci sınıf devlet muamelesi yaptı.

Annan Planı'nı kabul eden Kıbrıs Türkleri ve onları destekleyen Türkiye, bu planı reddeden Kıbrıs Rumlarının AB'ye tam üye olmasıyla, kendilerini aldatılmış saydı.

Amerika'nın Irak işgalinden sonra Kuzey Irak'taki oluşum, Türkiye'ye ikinci bir aldatılmışlık duygusu yaşattı.

Irak'taki Türk askerlerinin başına Amerikan askerleri tarafından çuval geçirilmesi, Türkiye'nin ulusal gururunu yaraladı. Soykırım iddialarına yasa çıkarmak gibi akıldışı bir yolla destek veren devletlerin arasına Almanya ve Polonya gibi ülkelerin de katılması, Türkiye'nin moralini iyice bozdu.

Türkiye, bölücü etnik terörle mücadelede, AB tarafından yalnız bırakıldığı izlenimine kapıldı.

* * *

Türkiye, bütün haberleşme sistemini, kurucusu son derece lekeli siyasal geçmişe sahip bir Arap sermaye grubuna satarken, ABD, Amerikan şirketlerini satın almak isteyen Çin'i engelliyor, Fransa, dilini korumak için özel yasa çıkarıyor, yine Amerika, limanlarının kontrolünü, bir İngiliz şirketini satın alan Arap sermayesine devretme işlemini sorguluyordu.

* * *

Bütün bunlar olurken Amerika Birleşik Devletleri, ulusal çıkarlarını korumak adına, "önleyici vuruş" (preemptive preeminence) doktrinini geliştiriyor, bütün dünyayı askeri ve stratejik denetim altına almak üzere harekete geçiyordu.

Bu çerçevede "Milli menfaatlerini" gerekçe göstererek Irak'ı işgal etmişti.

Bir başka deyişle, sadece Türkiye'nin çevresinde değil, Küreselleşmenin lideri olan ABD'de de milliyetçilik yükselişe geçiyordu.

Sonuç olarak, Küreselleşme sürecinin Türkiye için yarattığı çelişkilerin Türk milliyetçiliğinin güçlenmesine yol açtığını belirtebiliriz.

Küreselleşme ve Kürt Milliyetçiliği

Küreselleşme olgusunun üç ayağı olduğunu, *siyasal olarak* ABD'nin askeri ve siyasal liderliğini, *ekonomik olarak* uluslararası sermayenin egemenliğini, *kültürel olarak* da hem tektip bir tüketim modelini (Amerikan modelini) hem de Ulus Devletlerin altını oyan mikro milliyetçiliği ve mikro dinciliği teşvik ettiğini bundan önceki bölümlerde belirtmiş, *21. Yüzyılda Türkiye* ve *Küresel Terör ve Türkiye* adlı kitaplarımda da uzun uzun anlatmıştım.

Bu nedenle burada yine bu mekanizmanın Ulus Devletlerin altını oyan etkilerini genel olarak ayrıntılı bir biçimde ele almayacağım.

Sadece Sovyetler Birliği ve Yugoslavya örneklerinde olduğu gibi, Küreselleşme olgusunun mikro milliyetçiliği kullanarak pek çok devleti tarih sahnesinden sildiğini belirtmek istiyorum.

Türkiye'nin, şu anda yeniden biçimlendirilmekte olan Balkanlar, Kafkaslar ve Ortadoğu üçgeninin tam ortasında yer aldığını ve dolayısıyla mikro milliyetçi ve mikro dinci akımların doğrudan hedefi olduğuna da işaret etmek gerekiyor.

Tabii 11 Eylül 2001'de Amerika'yı vuran **El Kaide** saldırısından sonra Küreselleşmenin İkinci Aşaması başlayınca daha önce de anlattığım gibi, Ulus Devletlerin önemi yeniden anlaşılmıştır ama mikro milliyetçilik ve mikro dincilik hem etkilerini sürdürmektedir, hem de her iki akım da ABD tarafından dünyaya biçim vermek konusunda son derece kararlı bir biçimde kullanılmaktadır.

(Tabii bu stratejinin, Irak'taki Amerikan işgaline karşı direnişi kırmak için Müslümanlar arasındaki Sünni-Şii ayrımını başarıyla kullandığını, Hıristiyan bir devletin işgali altındaki bir ülkede Müslüman'ın Müslüman'ı öldürdüğünü de herkes çok iyi biliyor. Yalnız bu olay bile, tüm dünyada, hem Müslüman-Hıristiyan çatışmasını hem de Müslümanlar arasındaki mezhep çatışmalarını körükleyici bir etki yapmaktadır.)

Kürt milliyetçiliği sadece Küreselleşmenin genel bağlamında değil, Irak'a yerleşmiş ve bölgeyi yeniden düzenlemekte olan ABD'nin özel desteğiyle de yükselmektedir.

Bir yandan İsrail'e karşı Arap olmayan bir devleti Kuzey Irak'ta hayata geçirmeye çalışan ABD, öte yandan Türkiye, İran ve Suriye'deki Kürtleri de nüfuzu altında tutarak bölgedeki egemenliğini rahatça sürdürmek istemektedir.

Ne yazık ki Emperyalizm "böl ve yönet" ilkesini sürdürürken, bir kez daha milliyetçilik kozunu oynamaktadır.

Tabii Küreselleşmenin genel etkileri bir yana, Kürt milliyetçiliği kozunun ABD tarafından kullanılması kendisi açısından da son derce riskli ve zor bir stratejidir.

Çünkü *birinci olarak,* aşağıda irdeleyeceğim gibi her geç milliyetçilik, biraz güçlendikten sonra kendisini kullanan Emperyalist güce karşı çıkar.

İkinci olarak, Kuzey Irak'ta bağımsız bir Kürt devletinin kurulması için Irak'ın Sünni bölgesi ve Şii bölgesi de dahil olmak üzere üçe bölünmesi gerekmektedir.

Oysa bu bölünme İsrail'in işine gelmez, çünkü karşısında düzgün, ciddi, laik bir Irak devleti yerine, Sünniler ve Şiiler tarafından ayrı ayrı tehdit oluşturan iki saldırgan dinci devlet bulacaktır.

Zaten ABD'nin Irak'ta yaptığı pek çok yanlışın yanında, İsrail'e destek vereyim derken, Irak'ta ve Filistin'de mezhepçiliği ve dolayısıyla dinciliği teşvik ederek, tam tersine, ona karşı olan tehditleri artırması, tüm bölgeyi istikrarsızlaştıran bir başka ögedir.

Üçüncü olarak, Amerika, gücü ve geleceği çok tartışmalı bağımsız bir Kürt devleti projesini destekleme bahasına, Türkiye gibi bölgesel bir güç olan bir ülkenin desteğini yitirecek, zaten kendisine karşı olan İran ve Suriye'yle de bağları iyice kopacaktır.

* * *

Sonuç olarak, Küreselleşmenin ve ABD'nin etkilerinin, Türk milliyetçiliğini diyalektik olarak güçlendirdiği kadar, Kürt milliyetçiliğinin yükselmesinde büyük desteği olduğunu söyleyebiliriz.

Zaten yukarıda da belirttiğim gibi bu iki etki doğrudan birbirine bağlıdır.

İleride Kürt milliyetçiliğinin, yine diyalektik süreçler sonunda Türk milliyetçiliğinden de etkilendiğine değineceğim.

Geç Milliyetçiliğin Ortaya Çıkışında Emperyalizmin Rolü

Milliyetçilik ideolojisi üzerinde araştırma yapanların genellikle gözden kaçırdıkları nokta, "geç milliyetçiliğin" çoğu zaman bir "tepki" olarak güçlendiği konusudur.

"Geç milliyetçilikten" kastım, Endüstri Devrimi sırasında ve hemen sonrasında, On Dokuzuncu yüzyılda oluşan milliyetçilik akımlarını izleyen dönemde, yani genellikle yirminci yüzyılda ortaya çıkan milliyetçilikler.

Özellikle de Türk ve Kürt milliyetçilikleri.

* * *

Endüstri Devrimi'nden sonra, fabrika üretiminin ortak çalışmayla yapılması zorunluluğu, hammadde sağlanması ve üretilen malların satılabilmesi için ortak bir pazar bulunması gereği, ortak dil bilincini, ortak bir hukuku ve bütün bunları düzenleyecek ortak bir siyasal otoriteyi gerektirdiğinden, milliyetçilik ideolojisi, âdeta kendiliğinden oluşmuştur.

Ulus devlet uygulamaları da bu "âdeta kendiliğinden" oluşan milliyetçilik ideolojisine koşut olarak güçlenmiştir.

Batı sömürgeciliği, Endüstri Devrimi'nden sonra güçlenerek sürerken, sömürgeci ülkeler sömürdükleri ülkelere ister istemez kendi kültürlerini ve ideolojilerini de götürmüşlerdir.

Böylece pek çok yerde, "sömürgecilik", diyalektik olarak geç milliyetçiliğin de tohumlarını atmıştır.

Türk Milliyetçiliğinin Kökenleri ve Niteliği

Osmanlı-Türk siyasal çizgisinde "milliyetçilik akımlarının" gelişmesi, imparatorluğun, özellikle Hıristiyan ümmetlerinin (ki Osmanlı bunlara "millet" diyordu) öncülüğünde oldu.

Özellikle Balkanlar'da ortaya çıkan Yunan Milliyetçiliği, Bulgar Milliyetçiliği gibi bağımsızlıkçı milliyetçilik hareketleri imparatorluğun sonunu getirdi.

Bu açıdan "Türk milliyetçiliği", hem Osmanlı İmparatorluğu

açısından hem de genel insanlık tarihi açısından "gecikmiş bir milliyetçilik" hareketidir.

İmparatorluk, zaten milliyetçilik akımlarını doğuran Endüstri Devrimi'ni kaçırmış olduğu için, böyle olması da doğaldır.

Sonuç olarak, ilk tohumları Batı dünyasından gelen "Türk Milliyetçiliği", ülkeyi işgal eden düşman güçlerine karşı verilen bir Kurtuluş Savaşı'nın üzerinde yükselmiştir.

Yani Türk Milliyetçiliği tarihsel açıdan, Endüstri Devrimi'nin doğal bir sonucu olarak "âdeta kendiliğinden" gelişen bir milliyetçilik değildir.

Düşman işgaline karşı verilen bir Bağımsızlık Savaşı'nın tepkisel kökleri üzerinde yükselmiştir.

İlginç olan nokta, **Mustafa Kemal Atatürk**'ün, Türkiye'deki devrimler, dünyada ırkçılığın ve faşizmin yükseliş dönemine rastlamasına karşın, Türk milliyetçiliğini saldırgan ve ırkçı bir biçimde değil, adalete dayalı, eşitlikçi bir yaklaşımla ele almış olmasıdır.

Yani Türkiye Cumhuriyeti ve Türkler, kendilerini öteki devletlerden ve milletlerden üstün görmezler, onlarla eşit ve adil haklar isterler.

Atatürk Türkiyesi'nin "Milli Eğitim stratejisinin" ürettiği "Demokratik bir milliyetçiliktir" bu.

Tabii bütün toplumlarda olduğu gibi Türkiye'de de ideolojiler, siyasal akımlar haline dönüştüğünden, aşırı milliyetçilik de terör eylemlerine yol açacak kadar etkili olabilmiştir.

Türkiye, Nazi Almanyası'ndaki gibi faşist bir cinayet çılgınlığı dönemi geçirmemiştir ama, 12 Eylül 1980 öncesindeki sağ-sol çatışmalarında aşırı milliyetçiliğin, cinayetlerin işlenmesine ortam oluşturduğu bir trajediyi yaşamıştır.

Dolayısıyla kamuoyu, goşist ideolojilere olduğu kadar faşist ideolojilere karşı da duyarlılığını korumaktadır.

* * *

İşte bu duyarlılıkların henüz kaybolmadığı bir toplumda kökleri adil ve eşitlikçi anlayışa dayanan "Demokratik bir milliyetçilik" ideolojisi, şimdi birdenbire yeniden bazı çevrelerce ve kimi yazarlarca neden ve nasıl "bir tehlike olarak" niteleniyor?

Birdenbire, "milliyetçiliğin (veya yeni Türkçe'yle), ulusçuluğun, Demokrasiye ve çağdaşlığa karşıymış gibi sunulması nereden çıktı?

(Bu arada katılmadığım bir ayrıma da işaret edeyim: Kimi yazarlar muhafazakâr ve dincilikle uzlaşma halindeki milliyetçiliğe "milliyetçilik", Atatürk milliyetçiliğine, ya da laik niteliği daha ağır basan milliyetçiliğe ise "ulusçuluk" demeyi tercih ediyorlar. Ben bu terim ayrılığını benimsemiyorum. Tabii herkesin kullandığı terminolojiye saygılıyım, o da ayrı.)

"Ulusal bir tepki", nasıl birdenbire "faşizan tehditleri anımsatan" bir bağlamda tartışılmaya başlandı?

Gerçekten böyle bir tehdit, böyle bir tehlike var mı?

Milliyetçilik, dincilikle birleşerek faşizme mi dönüşüyor?

Yoksa biz "normal bir yurtseverlik tepkisini", "Demokratik ve çağdaş bir ulusçuluk anlayışını", "faşist milliyetçilik" diye niteleyip karalayarak, Ulus Devlet kavramının altını oymaya devam mı ediyoruz?

Bütün bu süreçte Kürt milliyetçiliğinin, AB'nin ve ABD'nin rolü nedir?

Türkiye'de Milliyetçilik Niçin Yükseliyor

Son dönemde ülkemizde güçlenen milliyetçilik rüzgârlarının ardında birden çok neden var.

Ayrıca birbirine karşıt bazı çevreler bu rüzgârları, "fırtına" diye niteleyerek, durumu yozlaştırmaya ve kendi ideolojik-siyasal çizgilerine destek aramaya çalışıyor.

Yani hem milliyetçilik rüzgârları gerçekten güçlendi, hem de bu güçlenme özellikle abartılıyor.

Önce iki temel süreci derhal anımsamamız gerek:

1) Her milliyetçilik, başka milliyetçiliklerin ya da başka siyasal güçlerin yaptıkları baskıyla güçlenir.

2) Aynı coğrafyada yaşayan ya da aralarında işlevsel ilişki bulunan toplumlardaki her milliyetçilik akımı, öteki milliyetçilik akımlarını da tetikler ve destekler.

Türkiye'de bu her iki ilke de etkili olmuştur:

Türkiye'de son dönemdeki milliyetçilik rüzgârlarının ardında, hem etnik ayrılıkçılığın yeniden gündeme gelmesi hem de AB ile ABD'nin Türkiye'yi çok itip kakması olayı yatıyor.

AB'nin ve ABD'nin dış güçler olarak etnik ayrılıkçı akımlara destek veren tutumları, Türkiye'yi dışardan çok itip kakan tavırlarıyla örtüşünce, bu sürece karşı "ulusal bir tepki" doğmuştur.

Milliyetçilik Akımları Neden Abartılıyor

Unutmayalım, her toplumsal ve siyasal (ideolojik) oluşum kendi karşıtını da yaratır, besler.

Bu açıdan Türkiye'de gerçekten güçlenen milliyetçilik (veya ulusçuluk) akımları hem Türk hem de Kürt milliyetçiliği olarak bir yandan abartıldı, öte yandan karşı tepkiler doğurdu.

Tabii karşı tepkileri seslendirenler de, haklılıklarını kanıtlama açısından, milliyetçilik akımlarını iyi niyetle abartanlar (mübalağa edenler) arasında yer aldı.

Peki bu tepkileri abartan farklı gruplar kimlerdir?

Önce milliyetçilik yandaşı grupları belirtelim.

Çünkü bunların arasında da fazla iyimser bir görüşle yükselen bu akımı çok abartanlar var:

1) Emperyalizm konusunda duyarlı olan Antiemperyalist çevreler.

Bu grup Türk milliyetçiliğine vurgu yapıyor. Bunların içinde dönmemiş eski solcular, Atatürkçüler, Antiemperyalist niteliklerini koruyan eski ülkücüler, muhafazakâr milliyetçiler itilip kakılmaktan bıkan normal vatandaşlar da var.

2) Emperyalizmin etkisinde kalan çevreler.

Bunlar Kürt milliyetçiğini ön plana çıkarıyorlar.

3) Gerek Türk milliyetçiliği gerekse Kürt milliyetçiliği açısından, faşizan milliyetçilik çizgisine yakın duranlar ve bu gelişmelerden siyasal-ideolojik rant umanlar ve bence en tehlikeli olanlar da bunlardır.

Şimdi bir de özel olarak, "milliyetçilik karşıtı" gruplara bakalım.

Bunlar "Türk milliyetçiliği'nin bir tehlike oluşturduğu" kanısında olanlardır.

Bu tehlikenin büyüklüğünü vurgulamak için milliyetçilik akımlarını abartmaktadırlar.

1) Türk milliyetçiliğinin kendileri için bir tehdit oluşturduğunu düşünen ayrılıkçı etnik gruplar.
2) Ayrılıkçı etnik milliyetçiliğe destek veren iç ve dış çevreler.
3) Her türlü ulusal değerlerden bıkmış ve Ulus Devlet kavramına karşı olan, Türk kimliğini reddeden iç çevreler.
4) Milliyetçiliği kötü ve yanlış bir ideoloji ve kendilerine karşıt olarak gören dinciler.
5) Türkiye'yi AB'ye almak istemeyen dış çevreler.
6) Türkiye'de yükselen milliyetçiliğin kendisi için bir tehdit oluşturduğunu düşünen ABD.

Tabii bir de Kürt milliyetçiliğinin bir tehlike oluşturduğunu düşünenler var.

Bu düşüncenin temelinde, özellikle ayrılıkçı etnik terör örgütü PKK'nın sürdürdüğü silahlı isyan hareketi yatıyor.

Bunlar da iki gruba ayrılabilir.

1) Ülkenin bağımsızlığını, bütünlüğünü ve güvenliğini korumakla görevli olanlar.
2) Kürt milliyetçiliğinin nihai olarak Türkiye'nin parçalanmasına yol açacağını düşünenler.

* * *

Sonuç olarak, son zamanlarda güçlenen "ulusal tepkilerin" hem iç hem de dış ögelerden kaynaklanan doğal bir nitelik taşıdığını ve ortaya çıkan tepkilerin bazı çevrelerce abartıldığını rahatlıkla söyleyebiliriz.

Bu durumda iki genel ilke hiç aklımızdan çıkmamalıdır:

1) Milliyetçilik duyguları, ister Türk isterse Kürt milliyetçiliği olsun, hangi saldırılara karşı ne denli şiddetli tepkiler olarak ortaya çıkarsa çıksın, mutlaka Demokratik ve eşitlikçi bir çizgide tutulmalı, faşizan ve bölücü bir özellik kazanmaları engellenmelidir.

2) Demokratik milliyetçilik (siz buna ulusalcılık ya da yurtseverlik de diyebilirsiniz) toplumsal, ekonomik, siyasal ve uluslararası sorunlarımızın çözümünde, ulusal duyarlılıklar ekseninde gerçekleştirilecek ittifakların temelini, ancak laik ve Demokratik bir Türkiye çizgisinde kaldığı ölçüde oluşturabilir.

Bu çerçevede, milliyetçilik ideolojisinin kökleri, kökenleri, faşizme kayışı; Demokratik milliyetçi ideolojinin ayırt edici nitelikleri iyi irdelenmelidir.

Faşist Milliyetçilik, Demokratik Milliyetçilik

İnsanlık, Tek Tanrılı Dinler'le Tarım Devrimi'nde, Milliyetçilikle de Endüstri Devrimi'nde tanıştı.

Her iki ideoloji de, önce siyasal egemenliğin hem kaynağını ve meşruiyet gerekçesini, hem de uygulama ilkelerini belirledi.

Zaman içinde Tek Tanrılı Dinler de Milliyetçilik de devletlerin siyasal niteliklerini belirleyen toptancı niteliklerini yitirdi; sadece bireylerin kimliklerini oluşturan alanlardaki işlevleriyle varlıklarını sürdürüyorlar.

Tabii bu saptama, insanlık tarihinin genel çizgisini ve bu çizginin en ileri örneklerini oluşturan toplumlara ilişkin.

Ne yazık ki tüm insanlık ailesi aynı anda ve aynı hızla değişmiyor ve gelişmiyor.

Günümüzde bile, meşruiyet kaynağını ve uygulama il-
kelerini tek tanrılı dinlerden alan Ortaçağ kalıntısı rejimler,
Demokratikleşme sürecini özümleyememiş, ırkçı milliyetçiliğe
dayalı İkinci Dünya Savaşı ve Soğuk Savaş kalıntısı devletler var.

Tabii hem yönetimlerin içerdeki baskıları, hem de Tarım
Devrimi'nden sonraki toprak ve Endüstri Devrimi'nden sonraki
pazar savaşları, geniş kitlelerin desteğini alabilmek için ideolojik
gerekçeler kullandıklarından, gerek dinler ve mezhepler, gerekse
ırklar ve milletler, insanları gruplar ve devletler olarak birleştiren
ama tüm insanlığı ayıran ve kanlı savaşlara yol açan, hem "birleş-
tirici" hem de "bölücü" ögeler olarak tarihe geçtiler.

Günümüze kadar gelen değişmeler, insanlığın ortak değerleri
olarak Demokrasiyi ve insan haklarını geliştirdiği ve devlet-birey
ilişkilerinde din, mezhep, ırk, milliyet ayrımları yerine, siyasal an-
lamdaki eşit vatandaşlığı ön plana çıkardığı için, artık dinci ve
milliyetçi ideolojilerin sadece kimlik belirleme niteliklerinin de-
vam etmesi, buna karşılık, savaş ve kan kokan ayrımcı nitelikleri-
nin siyasal olarak rafa kaldırılması gerekir.

"Gerekir" ama, yukarıda da belirttiğim gibi, insanlık ailesi ay-
nı anda ve eşit hızda gelişip değişmediği için, ne yazık ki gerek
dinlerin ve mezheplerin, gerekse ırkçılığın ve milliyetçiliğin hâlâ
siyasal anlamda baskıcı ideolojiler olarak kullanılması sona erme-
miştir.

Şimdi "milliyetçilik" kavramının tarihten günümüze geçirdi-
ği evreleri, iki uç milliyetçilik kavramını, faşist ve bölücü milliyet-
çilik ile Demokratik milliyetçilik anlayışlarını karşılaştırarak irde-
lemek istiyorum.

Aşağıdaki bölümü, bu ilkelerin hem Türk hem de Kürt milli-
yetçiliği için geçerli olduğunu aklıda tutarak okuyalım.

Faşist milliyetçilik, ayrımcıdır, bölücüdür.

Demokratik milliyetçilik, uzlaşıcıdır, birleştiricidir.

Faşist milliyetçilik, bir ırkın ya da milletin üstünlüğü anlayı-
şına dayanır.

Demokratik milliyetçilik, bütün ırkların ve milletlerin eşitliği
anlayışına dayanır.

Faşist milliyetçilik, etnikçidir (ırkçıdır), ülkesinde ve dünyada olan olaylara etnik açıdan bakar.

Demokratik milliyetçilik, yurtseverdir, ülkesinde ve dünyada olan olaylara belli grupların değil, ülkesinin ve tüm halkının çıkarları açısından bakar.

Faşist milliyetçilik, kendi ırkından ya da milletinden görmediği insanları kendisiyle eşit kabul etmez ve toplum içinde onların eşit siyasal haklara sahip olmasını engeller.

Demokratik milliyetçilik, kendi ırkından ya da milliyetinden olmayan insanları da, toplum içinde kendisiyle eşit siyasal haklara sahip vatandaşlar olarak kabul eder.

Faşist milliyetçilik, insanları bir arada tutmak, ülkenin birlik ve beraberliğini sağlamak ya da kendi ayrılıkçı emellerini gerçekleştirmek için düşman arar, kin ve nefret ögelerini kullanır, baskıcıdır, totaliterdir, ırk ve millet olarak düşmanları vardır.

Demokratik milliyetçilik, insanları bir arada tutmak, ülkenin birlik ve beraberliğini sağlamak için insanların dostluk, refah ve barış içinde eşit vatandaşlar olarak birlikte yaşamalarını gerçekleştirmeye çalışır; Demokratik değerleri ve insan haklarına dayalı hukuku kullanır, baskıya, baskıcılığa, ayrımcılığa ve ayrılıkçılığa karşıdır, ırk ve millet olarak düşmanları yoktur.

Faşist milliyetçilik, saldırgandır, savaşçıdır, başka ırk ve milletlerin haklarına saygılı değildir, şiddete ve jenoside eğilimlidir.

Demokratik milliyetçilik, uzlaşmacıdır, barışçıdır, ancak kendi ülkesine haksızlık edilmesine karşıdır.

* * *

Son bir söz daha: **Mustafa Kemal Atatürk**, *"Ne mutlu Türk olana"* değil, *"Ne mutlu Türküm diyene"* diyerek ve *"Türk milletini"* *"Misakı Milli sınırları içindeki Türkiye Cumhuriyeti'ni kuran halka Türk milleti denir"* diye tanımlayarak faşist milliyetçiliğin değil, Demokratik milliyetçiliğin temellerini atmıştır.

Şimdi milliyetçilik ve yurtseverlik kavramları üzerinde durarak, konuyu biraz daha irdelemeyi sürdürelim.

Milliyetçilik ve Yurtseverlik

Her milliyetçilik akımı, kendi kimliği içinde, öteki kimliklere de saygılı ve kendi ırkından, milletinden olmayanlarla uyum içinde yaşayabilir.

Biz buna "Demokratik milliyetçilik" diyoruz.

Bu gerçek hem Türk hem de Kürt milliyetçiliği için geçerli.

Kendilerine Türk diyen Türkiye Cumhuriyeti vatandaşlarıyla, kendilerine Kürt diyen Türkiye Cumhuriyeti vatandaşları bu topraklarda birbirlerini gırtlaklamadan, uyum içinde yaşayabilirler; nitekim tarihsel olarak birlikte barış içinde yaşanan dönemler, birbirlerine saldırdıkları dönemlerden çok daha uzundur.

* * *

Türk ve Kürt milliyetçilikleri kendilerini yanlışa götürecek "faşizan milliyetçilik" tuzağına düşmemek için ne yapmalı?

Sanıyorum burada devreye sokmamız gereken kavram, "yurtseverlik".

Vatan ve millet sevgisini, kan ve ırk ilişkisine bağlamadan, başka ırkları, milletleri aşağılamadan ve kendisininkini yüceltmeden, üzerinde yaşanan toprakları sevmenin, korumanın ve yüceltmenin adı "yurtseverlik".

Türkiye, kendisine yönelik "faşizan milliyetçi" saldırılara karşı en güzel ve en etkin yanıtı, bütün öteki millet, ırk ve devletlerle ilişkilerinde eşitlik ve adalet esasına dayalı, bir yurtseverce davranış içinde verebilir.

Yurtseverlik, kan ve ırk bağını değil, Türkiye Cumhuriyeti'nin çıkarlarını ön plana alır.

Yurtseverlik, insanlarımızı Türk, Kürt, Rum, Ermeni olarak değil, Türkiye Cumhuriyeti vatandaşları olarak görür ve aralarında ayrım yapmaz.

Yurtseverlik, Amerika'ya ve AB'ye, Türk düşmanı ya da dostu olarak değil, Türkiye Cumhuriyeti'nin çıkarları bağlamında, eşitlik ve adalet ilkeleri çerçevesinde bakar.

Sanıyorum, **Mustafa Kemal Atatürk**'ün, kurduğu Cumhuriyet'in temeline koyduğu ünlü ilkesi "*Yurtta sulh cihanda sulh*", tam bu bunalım dönemi için söylenmiş bir özdeyiştir.

* * *

Buraya kadar Türkiye'deki her iki milliyetçiliği de irdelemekle birlikte daha çok Türk milliyetçiliği ekseninde çözümlemeler yaptım

Şimdi irdeleme eksenini daha çok Kürt milliyetçiliğine kaydırmak istiyorum

Kürt Milliyetçiliğinin Kökenleri

Sevgili okurlarım, her şeyden önce çağdaş milliyetçilik anlayışının insan iradesine ve tercihlerine dayalı olduğunu anımsatmak isterim.

Yani bir ırk var mıdır, yok mudur, millet midir, aşiret midir, bütün müdür, parçalı mıdır gibi soruların pek bir anlamı yoktur.

Sonuç olarak bir birey kendini bir milletin, bir ırkın, bir grubun üyesi olarak görüyorsa, o bilinci taşıyorsa, gerisi çok önemli değildir.

Tabii bireysel bilincin oluşmasında tarihsel gerçeklerin, toplumsal ve siyasal ögelerin de etkisi vardır ama sonuç itibarıyla bütün bu ögeler bireysel tercihi etkiledikleri oranda anlamlı olur.

Bu tercih ise bireysel olduğu kadar siyasal bir duruşa da bağlıdır ve tarihsel etkileşim içinde ortaya çıkmıştır.

Dolayısıyla burada Kürtlerin etnik kökenleri gibi konulara girmeyecek, olayı daha çok yakın tarih ve siyasal boyutuyla ele alacağım.

* * *

Türk ve Kürt milliyetçiliklerinin tarihsel aidiyet çizgisi aynıdır:

Her ikisi de Osmanlı devleti içinde yer almışlardır.

Önce Türk milliyetçiliği, sonra Kürt milliyetçiliği güçlenmiştir.

Osmanlı döneminde Türk kökenliler daha çok merkez yönetiminde yer alırken, Kürt kökenliler Doğu ve Güneydoğu Anadolu'nun dağlık bölgelerinde yerleşik olduklarından hem merkezden coğrafi olarak uzak, hem de yönetim olarak daha özerk bir yapıda yaşamlarını sürdürmüşlerdir.

Türkler genel olarak merkezde devletle daha çok bütünleşmişler, Kürtler kimi zaman merkezde de görev almakla birlikte, genel olarak çevrede, daha çok aşiret yapısında yaşamışlardır.

Zaten milliyetçiliklerin gelişmesi bakımından aralarındaki zaman farkı da buradan kaynaklanır.

Osmanlı döneminde Kürt aşiretler ile merkez arasında sürekli bir siyasal uzaklık da yaşanmıştır.

Ama Osmanlı devleti zaman zaman Kürt aşiretlerini kendi devlet politikasında etkin olarak kullanmış, önceleri Alevilere, sonraları da Ermenilere karşı, onların askeri gücünden yararlanmıştır.

Devletin Kürt aşiretlerle ilişkileri **Abdülhamid** döneminde daha sıkılaşmıştır.

Abdülhamid bir yandan İstanbul'da aşiret reisleri ve oğulları için devlet yönetimi eğitimi görecekleri bir okul açmış, öte yandan "Hamidiye" alayları kurarak, Kürtlerin insan gücünü devletin güvenliği için kullanmıştır.

Tabii Avrupa'da milliyetçilik akımlarının gelişmesi ve Rusya, İngiltere, Fransa ve Almanya gibi devletlerin bu akımları Osmanlı üzerindeki nüfuzlarını arttırmak için kullanması Kürtleri de bir ölçüde etkilemiştir.

Ama Batılı Emperyalist ülkelerin Osmanlı'yı denetlemek ve ondan toprak kapmak savaşları bağlamında, hem Hıristiyan olduklarından hem de imparatorluğun Batı bölgelerinde yaşadıklarından, Yunan, Bulgar, Arnavut ve Doğu'da bulunmalarına karşın Ermeni milliyetçilikleri öne çıkmıştır.

Bilindiği gibi Osmanlı İmparatorluğu'nun son dönemi, milliyetçilik akımları aracılığıyla toprak kaybı ve kapitülasyonlar aracılığıyla da egemenliğin yitirilmesi ve sonunda işgal edilerek, tarih sahnesinden silinmesi sürecini belirler.

Senaryo hep aynıdır:

Yerel Hıristiyan halk devlete karşı ayaklanır.

Osmanlı, ordularını göndererek isyanı bastırır.

Batılı Emperyalist devletler duruma müdahale eder ve Osmanlı'yı durdurur.

Bölgede önce yarı özerk, karma bir yerel meclis kurulur.

Daha sonra bu meclis bağımsızlığını veya bir Avrupa devletine katıldığını ilan eder.

Tabii bütün bu süreç sırasında savaşlar olur, çok kan dökülür ama imparatorluğun çöküşü durdurulamaz, çünkü artık ekonomik gücü de kalmamış, iflas etmiştir.

Tabii aynı oyun, Birinci Dünya Savaşı sırasında Ermeniler üzerinde de oynanmış, Rusya'yla savaşan Osmanlı İmparatorluğu'nda, Ermeniler devlete karşı ayaklandırılmıştır.

Bir yandan Rus ordularına destek veren Ermeniler, öte yandan yaşadıkları çevrelerdeki Türk ve Kürt köylerini çeteler halinde basıp kanlı katliamlar yapmışlar, Fransız ordularıyla geldikleri Akdeniz bölgesinde devlet bile kurmuşlardır.

(Ermeni soykırımı iddialarının altında bu savaş zamanında, Osmanlı Devleti'nin kendini arkadan vuran Ermenileri, kuzeydoğudaki cepheden güneye, Suriye'ye sürme kararı yatar. Değerli okurlarım, bu konuda *Tarihimizle Yüzleşmek* adlı kitabıma bakabilirler.)

İşte Emperyalizmle Kürt milliyetçiliğinin ilişkisi bu tarihlerde gündemde daha önemli bir yer tutmaya başlamıştır.

Ben bu ilişkilerin tarihine girecek değilim.

Meraklıları bu konuda yazılmış kapsamlı bir araştırma için, **Bilal Şimşir'in** *Kürtçülük 1787-1923* adlı kitabına bakabilirler.

* * *

Birinci Dünya Savaşı ve Kurtuluş Savaşı sırasında Emperyalist güçler, özellikle İngiltere, Kürt milliyetçiliğini, Osmanlı'yı denetlemek, bölmek, daha sonra da Kurtuluş Savaşı'nı engellemek için kullanmak istemiş ama Osmanlı'yı bölmekteki geçici zaferlerine karşın, **Mustafa Kemal Atatürk**'ün birleştirici ve bütünleştirici liderlik başarısı karşısında yenilmiştir.

Bu noktadan başlayarak Anadolu üzerindeki projelerini gerçekleştirmek isteyen, Ortadoğu'daki petrol alanlarını elinde tutmaya çalışan İngiltere ile Kürt milliyetçiliği arasındaki ilişkiler yoğunlaşmıştır.

Ama Kürt milliyetçiliği bu bağlamda Emperyalizmle ilişkilerinde tekdüze bir çizgi izlememiştir.

Birinci Dünya Savaşı sırasında ve sonrasında Batılı Emperyalist güçlerle **Şerif Paşa** gibi Kürt liderlerin yaptığı temaslar sonunda, Sevr Antlaşması'yla bir Kürdistan Devleti kurulması da karar altına alınmıştı.

Fakat Müslüman Kürtlere pek de sıcak bakmayan Batılılar, Anadolu'nun büyük kısmını Ermenilere vermişlerdi.

Hem bu nedenle, hem de Ermenilerin ve Hıristiyanların yaptıklara zulümler sonunda Anadolu'daki Kürtler, Kurtuluş Savaşı'nda **Mustafa Kemal Atatürk**'ün yanında yer aldılar.

Böylece Kürt milliyetçiliğinin tarihine Antiemperyalist bir savaş çizgisi de eklendi.

Fakat Ortadoğu petrolleri o denli önemliydi ve bu bölgenin siyasal kaderi o denli belirsizdi ki, İngilizler ellerini Kürtlerin üzerinden çekmediler.

Lozan'da bir sonuca bağlanamayan ve Milletler Cemiyeti'ne bırakılan Türkiye'nin Güneydoğu sınırları, ünlü ismiyle Musul sorunu, İngiliz Emperyalizminin Anadolu'daki müdahaleleriyle sürdü.

Bu olayların genel çizgilerini *21. Yüzyılda Türkiye* kitabımda anlattığım için burada ayrıntılara girmiyorum.

Yalnız şu kadarını belirtmekle yetineceğim:

İngilizler, yeni kurulan Cumhuriyet içindeki Kürt vatandaşları, Kürt milliyetçiliğini körükleyerek Türkiye aleyhine kullanma tutumlarını sürdürdüler ve **Şeyh Sait** isyanında olduğu gibi kimi zaman da sorun yaratmakta başarı kazandılar.

Tabii o dönemde Kürt milliyetçiliği bilinci yeterince gelişmemiş olduğu için dincilik yani, şeriatçılık da aynı bağlamda istismar edildi.

İkinci Dünya Savaşı'nda sonra dünyadaki İngiliz egemenliği sona erince, Ortadoğu'da denetimi ABD ele aldı.

Artık Kürtler üzerindeki oyunlar hem Türkiye'de hem Ortadoğu'da Amerikan eliyle oynanıyor.

Şimdi Türkiye'de "Kürt sorunu" denilen soruna Demokrasi açısından biraz daha yakından bakalım

Kürt Milliyetçiliğinin Farklı Boyutları

Konuya analitik olarak yaklaştığımızda çok boyutlu bir sorunla karşı karşıya olduğumuz ortaya çıkmaktadır.

1) Sorunun bir boyutu terördür.

Bu açıdan olaya yerel ve uluslararası terör, Küreselleşme, küreselleşen terör, terör ile siyaset ilişkileri, PKK/Kongra-Gel etkinlikleri, bu örgütün yapısı, lideri, konumu amaçları, lojistik destekleri, yerel halkın tutumu, uluslararası toplumun örgüte yaklaşımı ve benzeri konular çerçevesinde bakmak gerekir.

2) Sorunun bir boyutu etnik milliyetçiliktir.

Bu açıdan olaya, milliyetçiliğin tarihsel gelişimi, etnik milliyetçilik, faşizm ve Demokratik milliyetçilik arasındaki farklar, Türk milliyetçiliği ve Kürt milliyetçiliğinin gelişmeleri ve karşılıklı etkileşimleri, ekonomik kalkınmayla milliyetçilik arasındaki ilişkiler (herkesin sandığının aksine, milliyetçilik açlık dönemlerinde değil, kalkınma dönemlerinde gelişir), bir milliyetçiliğin, gelişmek için başka bir milliyetçiliğin zulmüne gereksinme duyması, eğitim, ideoloji, siyasal örgütlenme, uluslararası destekler gibi konular çerçevesinde bakmak gerekir.

3) Sorunun bir boyutu bölgesel dengesizliklerdir.

Bu açıdan olaya, tüm ülkelerin sorunu olan, üzerinde uluslararası literatürde sayısız çalışma bulunan "bölgeler arası toplumsal ve ekonomik dengesizlikler" açısından bakmak gerekir.

4) Sorunun bir boyutu Türkiye'nin Demokratik, laik ve sosyal bir hukuk devleti olma yolundaki eksikliklerdir.

Bu eksiklikler sadece "Demokratikleşme" konusuna indirgenemeyecek kadar önemlidir.

Hem "Laiklik" hem "Hukuk Devleti" hem "Sosyal Devlet" konusundaki eksiklikler, "Demokratik Devlet" konusundaki eksiklikler kadar önemlidir.

Bu açıdan olaya "sosyal güvenlik", "insan hakları", "vicdan özgürlüğü", "eğitim ve sağlık olanakları" gibi birbirlerinden ayrılamayacak kadar önemli konular çerçevesinde bakılmalıdır.

5) Sorunun bir boyutu Türkiye Cumhuriyeti'nin devlet yapısı konusundaki değişme istekleridir.

Bu açıdan olaya, Türkiye Cumhuriyeti'nin Anayasa'da belirlenen üniter özelliklerinin tartışılması çerçevesinde bakmak gerekmektedir.

6) Sorunun bir boyutu Emperyalizmdir.

Bu açıdan olaya, ABD, AB ve komşu ülkelerin, Türkiye Cumhuriyeti'ne bölgeye ve Kürtlere karşı tutumları açısından bakmak gerekir.

Bu bağlamda en çok önem kazanan ögelerden biri, sadece Küreselleşmenin lideri olarak değil, Kuzey Irak'taki komşumuz kimliğiyle de ABD'nin tutumudur.

*　*　*

Sevgili okurlarım, yukarıdaki çözümleme konularını *21. Yüzyılda Türkiye* adlı kitabımda ele aldığım için burada ayrıca üzerlerinde durmuyorum.

Yine de olayın terör cephesine yakından bir bakmakta yarar olabilir.

Kürt Sorunu ve Terör

Terör kalleştir.

Terör hedef gözetmeden çoluk çocuk, yaşlı demeden cinayet işler.

Terörün amacı korku ve nefret salmaktır.

Korku salarak gücünü abartır.

Nefret salarak rakibine yanlış yaptırmayı, kamplaşmayı, kutuplaşmayı, taraftarlarını çoğaltmayı hedefler.

* * *

Türkiye bütün eksiklerine ve yanlışlarına karşın uygar bir devlet yapısına doğru hızla yol almaktadır.

İdam cezasını kaldırmıştır.

İdam cezası olmayan bir devlete karşı yapılan terör daha da kalleştir:

Kullandığı cinayet yöntemlerini haklı çıkaracak hiçbir ama hiçbir akılcı gerekçesi yoktur.

* * *

Bir terör hareketi aşağıdaki iki özellikten birine sahipse, bitirilmesi, tümüyle yok edilmesi çok zordur.

Hele bir terör hareketi bu iki özelliğe aynı anda sahipse, artık onu sıfırlamak çok daha zor olur.

Birinci özellik, ideolojik bir bütünlüktür.

Bir hareketin arkasında dinci, mezhepçi, ırkçı, milliyetçi, ya da herhangi bir siyasal ideoloji varsa, bu ideolojinin taraftarları arasından terörist devşirmek ve teröristleri böyle bir ideolojinin etrafında eyleme geçirmek her zaman olanaklıdır.

Herhangi bir ideoloji, her zaman bir terörist eylemin kaynağı olarak kullanılabilir.

İkinci özellik, dış destektir.

Hele bu dış destek bir komşu ülkeden geliyorsa, terör çok daha büyük bir destek sağlamış olacaktır.

Demek ki her terör hareketi dört ögeye göre çözümlenebilir:

* * *

1) Korku ve dehşet salması.
2) Nefreti yaygınlaştırması.
3) İdeolojik bütünlük.
4) Dış destek.

Bu durumda ne yapılacağı çok açıktır.

Önerilerim, teröre karşı olan hem Türk kökenli hem de Kürt kökenli Türkiye Cumhuriyeti vatandaşlarına ve onları temsil eden politikacılaradır.

1) Korkmayacaksınız.

Günlük yaşama korku ve dehşetin egemen olmasını önleyeceksiniz.

2) Nefrete yenilmeyeceksiniz.

Olumsuz duyguların büyümesine ve yaygınlaşmasına izin vermeyeceksiniz.

Özellikle teröristlerin kullandığı ideolojiye yakın olan ama terörü desteklemeyenleri yabancılaştırmayacaksınız.

3) Terörün kullandığı ideolojik modele karşılık, kullanılan yöntemin kalleşliğinin bu ideolojiye zarar verdiğini anlatacaksınız.

Örneğin terör, ırkçılık ya da milliyetçilik adına yapılıyorsa, bu yöntemin o ırk ya da milliyet mensuplarının tümünün insanlık dışı olmakla suçlanmasına yol açabileceğini belirteceksiniz.

Bu ideolojiye destek veren ama teröre karşı olanlara sevgiyle, şefkatle ve anlayışla yaklaşacaksınız.

4) Teröre dış destek veren ülkelerle muhatap olacaksınız.

İster komşunuz olsun, ister dünyanın en güçlü devleti konumunda bulunsun, isterse iki niteliğe birden aynı anda sahip olsun, terör eylemlerine kim destek veriyorsa, kim bu eylemlere hoşgörüyle yaklaşıyorsa, sorumlular olarak onları gördüğünüzü açıkça belirtecek ve gereğini yapacaksınız.

Kürtlerle onlar adına eylem yapan terör örgütü PKK arasındaki ilişkiler mutlaka kesilmelidir.

Bu ilişki kesilmedikçe, sorunun bırakın çözümünü, soğukkanlı bir biçimde ele alınması bile çok zordur.

Bu ilişkiyi kesme sorumluluğu Türk kökenli politikacılardan ve Türk kökenli vatandaşlarımızdan çok, Kürt kökenli politikacılara ve Kürt kökenli vatandaşlarımıza düşmektedir.

* * *

Bu arada hep aklımı kurcalayan bir soruyu burada, siz okurlarımla paylaşmak istiyorum:

Acaba niçin, Kürt kökenli kardeşlerini pek seven Türk kökenli politikacılar Güneydoğu Anadolu'da bir toprak reformunu önermezler ve gerçekleştirmezler?

Neden acaba halkını, seçmenini pek seven Kürt kökenli politikacılar toprak reformu mücadelesi yapmazlar?

Yoksa o yöredeki kul-köle sistemine alıştırılmış köylülerimizin özgürleştirilmeleri, bilinçli vatandaşlar haline getirilmeleri, toprak sahibi olmaları, refaha kavuşmaları, ağaların, şeyhlerin, şıhların egemenliğinden kurtulmaları her iki grup politikacının da işine gelmiyor mu?

Adına Demokrasi denen bu yoz Çok Partili Düzenin, toprak ağalığı üzerinde böyle çarpık biçimde sürmesi kimlerin yararına acaba?

Halkın mı, yoksa halkın oylarıyla Meclis'e giden politikacıların mı?

Var mı bana bu soruyu mertçe yanıtlayacak politikacı?

Kürt Milliyetçiliğinde Kimlik Sorunu

Hiç kuşkusuz Kürtler de kültürel kimliklerini açıkça dışa vurmak, korumak ve geliştirmek konusunda Türkiye Cumhuriyeti'nde yaşayan tüm öteki vatandaşlar, Türkler ve başka etnik ve kültürel gruplar kadar özgür olmalıdır.

Burada herhangi bir kuşku olduğunu sanmıyorum.

Peki o halde sorun nereden kaynaklanıyor?

Sorun hem Türk kökenli hem de Kürt kökenli vatandaşlar ve politikacılar için, kültürel kimliğin, faşizan bir biçimde, ayrımcı ve ayrılıkçı olarak kullanılmasında ortaya çıkıyor.

Bu açıdan şu kimlik sorununa yakından bakalım diyorum.

* * *

Sevgili okurlarım, ülkemizdeki "Kimlik Sorunu" tartışmaları tam bir kör dövüşü biçiminde sürüyor.

"Ben Türk kimliğini kabul etmiyorum" diyenlerden, *"Bütün etnik ve dinsel gruplar bir araya gelsin, yeni bir federatif Anayasa hazırlasın"* diyenlere, *"Üst kimlik Türkiye Cumhuriyeti vatandaşlığıdır"* diyenlerden, *"Türkiye'de yaşayan herkes Türk'tür"* diyenlere kadar bir uçtan öbür uca, her türlü görüş Türkiye'nin gündeminde.

* * *

Tüm dünyada bu "Kimlik Tartışmasını" gündeme getiren kimdir biliyor musunuz?

Belki inanılması zor ama bu tartışmayı bilimsel temellere de oturtmaya çalışarak tüm dünyada ve tabii Türkiye'de de gündeme getiren kişi **Samuel P. Huntington** adlı Harvard'lı bir profesördür.

Hani şu ünlü *Uygarlıklar Çatışması* kitabını yazarak, Batı uygarlığını "taklit edilmez ve ulaşılmaz" sayan faşist görüşlü Amerikalı.

Batı Emperyalizmi'nin egemenliğini kolaylaştırmak amacıyla, sömürülen ülkelerin, bu sömürü sırasında Batı'dan öğrendikleri "laiklik, Demokrasi, insan hakları, bağımsızlık" gibi değerlerle Batı'ya karşı çıkmalarını önlemek için *"Bu değerler Emperyalizmin değerleridir, onları bırakın, sizin kadını ikinci sınıf vatandaş sayan İslami değerleriniz iyidir"* diyen yazar.

Atatürk'ün "Çağdaşlaşma" başarıları, ürettiği faşist kuramı yalanlayan tarihsel bir örnek olduğu için, onu reddeden kişi.

Türkiye'ye *"Siz Avrupa Birliği'ni bırakın, Atatürk'ü inkâr edin, İslam dünyasına yönelin"* diyen profesör.

* * *

Huntington, Sovyetler Birliği'nin çökmesinden sonra, rakibini yitiren Batı'nın laçkalaşmasını engellemek için yeni düşman üretmeye soyunduğunda, karşısına İslam uygarlığını almak için *"Biz kimiz?"* tartışmasını başlatmıştı.

Daha kitabının başında *"Kültürel kimlik farklılıklarının, sınıf çatışmalarından, zengin yoksul arasındaki mücadelelerden çok da-*

ha yaygın, önemli ve tehlikeli olduğunu" belirtiyordu. (*The Clash of Civilizations,* s.28).

Amerika'ya yapılan 11 Eylül 2001 **El Kaide** saldırısıyla tezlerinin kanıtlandığı iddiasını öne süren **Huntington,** daha sonra *Biz Kimiz* adlı bir kitap daha yazarak, "Kültürel Kimlik" tartışmalarını derinleştirdi.

Bu kitabının son sayfasında *"Amerikalılar, ulusal kimliklerini ve milli amaçlarını bulmak için yeniden dine dönerlerse, bu hiç de şaşırtıcı olmayacaktır"* yargısını verdikten sonra, *"Amerika dünya olur. Dünya Amerika olur. (Ama) Amerika Amerika olarak kalır"* diyordu. (*Who Are We?,* s.370).

* * *

Dünyada ve Türkiye'de "Kimlik Sorunu Tartışmaları" adı altında oynanan oyunu görmek için, sadece yukarıdaki satırları okumak, **Huntington'**u tanımak gerekmiyor.

Emperyalizmin en eski ve en etkili oyunu olan "Böl ve yönet" senaryosunun, dünyanın, Sovyetler Birliği'nin çöküşünü izleyen Küreselleşme aşamasında yeniden sahneye konduğunu görmek yeterli.

Üniter bir devlet yapısına sahip olan Türkiye Cumhuriyeti, "Kültürel haklar" adı altında dayatılan farklı dil, farklı hukuk, farklı eğitim ve kamu alanını da kapsayan farklı giyim ve farklı ibadet gibi uygulamalarla yok edilmek isteniyor.

"Demokratik, laik ve sosyal bir hukuk devleti" olan Türkiye Cumhuriyeti, gözümüzün önünde, üstelik de "Demokrasi" kavramı çarpıtılarak "insan hakları" kavramı istismar edilerek, "Kültürel haklar ve kültürel kimlik tartışmaları" adı altında dayatılan etnik ve dinci sloganlarla, Dinci Oligarşi ve etnik bölücülük tarafından kıskaca alınıyor.

* * *

Sevgili okurlarım, ister dinci olsun ister milliyetçi, masum bir kültürel kimlik sorununun nereye gideceğini görebilmek için onun siyasal açılımlarına ve sonuçlarına bakmak gerek.

Kimlik tartışmalarının özünde yatan sorun, bu tartışmaların bir toplumun bütünlüğüne mi, yoksa bölünmesine mi hizmet ettiği, rejimini değiştirmek isteyip istemediği hususudur.

Dünyada ve Türkiye'de hız kazanan bu tartışmaların altında, dünyayı yönetmeye soyunan büyük gücün yani Amerika Birleşik Devletleri'nin öncülüğünün yatması, bir zamanlar bu rolü üstlenmiş olan Büyük Britanya İmparatorluğu'nun ünlü "böl ve yönet" ilkesini anımsatıyor.

Milliyetçilik Açısından Kimlik Sorunu Tartışmaları

Her insan kaçınılmaz olarak bazı kültürel kimliklerle doğar.

Bunların çoğu alt-kimlik özelliği taşır, baskın olan bir tanesi ise genellikle üst-kimlik olarak işlev görür.

Ama zaman içinde bilinci gelişen birey, bu kimlikler arasında bir tercih yapabilir ve kendi üst kimliğini de yeniden belirleyebilir.

Bir insanın, kendi iradesi dışında, doğumda edindiği kimlikler beş tanedir:

1) Aile kimliği: Özellikle din-tarım toplumlarında, aşiret yapısının egemen olduğu feodal düzende aile bağları çok önemlidir; kimi insanlar doğuştan aşiret reisinin ailesine mensup olduklarından, hayata ağa, ya da şehzade olarak başlar.

2) Aşiret kimliği: Aile kimliğiyle yakından ilişkili olan bu kimlik, insanların doğuştan ait oldukları grubun kimliğidir.

3) Din ya da mezhep kimliği: Her insan otomatik olarak içine doğduğu ailenin sahip olduğu din ya mezhebe mensup olarak kabul edilir; zamanla bu anlayış terk edilmekle birlikte, Türkiye'de hâlâ vatandaşların nüfus kâğıtlarına, içine doğdukları ailenin inancı yazılmaktadır.

4) Coğrafya kimliği: Her kişi doğduğu coğrafyaya bağlı olarak dünyanın belli bir bölgesine, bir kentine, bir köyüne aittir ve kimi zaman o kişinin ırkını ya da hemşerilik ilişkilerini bu bağ belirler.

5) Irk ya da milliyet kimliği: Birey bilinçlendikten sonra, doğuştan zorunlu olarak gelen bu mensubiyeti açıkça reddetmedikçe, o kimlikle anılır.

6) Vatandaşlık kimliği: Aslında günümüzde, vatandaşlık kimliği, yani siyasal kimlik, bir devletin ve o devleti oluşturan toplumun ortak kimliği olarak kabul edildiğinden, yukarıdaki beş kimlik ögesine göre, en çok üst-kimlik olarak kullanılan husustur.

Bu altı ögeden ilk beşi, zaman içinde, tarihte çoğu zaman toplumları, grupları bir arada tutan üst kimlik işlevi de görmüşlerdir.

Özellikle din-tarım imparatorlukları döneminde din ve mezhep böyle bir işlevi yerine getirmiştir.

Daha sonra milliyet, din kimliğine ortak olmuştur.

Zaman içinde endüstrileşme sürecinin etkisiyle laiklik ve Demokrasi geliştikçe, her insanın din, mezhep, dil, ırk farkı gözetmeksizin eşit haklarla doğduğu inancı yerleştikçe, Demokratik ülkelerde vatandaşlık bağı bir üst kimlik niteliği kazanmıştır.

* * *

Türkiye'deki kimlik tartışmalarında ailenin, aşiretin, coğrafyanın, din ve mezhebin, ırk ve milliyetin yani alt kimlik niteliği taşıyan kültürel özelliklerin ön plana çıkarılması, hele hele üst kimlik olarak kullanılması, hiç kuşkusuz hem toplumsal bütünlük hem de Türkiye Cumhuriyeti'nin üniter yapısı açısından büyük önem taşır.

Bu kimlikler bir ülkede yaşayan halkın kültürel zenginliği, çeşitliliği olarak mı işlev görecektir, yoksa siyasal bütünlüğüne ve rejimine karşı bir tehdit mi oluşturacaktır?

Bu soruyu sormak zorunludur, çünkü Küreselleşme, inanca ve ırka dayalı alt kimliklerin, içinde bulunulan Ulus Devlet yapısından özerkleşme eğilimlerini yansıtan bir siyasal işlev yüklemiştir onlara.

(Bu bağlamda Türkiye Cumhuriyeti'nin Başbakanı'nın, yirmi birinci yüzyılda, yüzyıllar önce, Ortaçağ'da, bir üst kimlik niteliği taşıyan dini, toplumsal özellik olarak birleştirici öge sayması çok düşündürücüdür.)

* * *

Türkiye Cumhuriyeti Anayasası, devlete vatandaşlık bağıyla bağlı olan bireyleri Türk olarak niteler.

Bu niteleme ne ırka ne dine dayalı bir nitelemedir, sadece siyasal vatandaşlık bağını belirler.

Yani Türkiye Cumhuriyeti'ne vatandaşlık bağıyla bağlı olan herkese Türk denilir; aynen Amerikalı, Fransız, İngiliz gibi.

Tabii bu insanların kökenleri değişik olabilir: Kürt, Türk, Rum, Ermeni, Arap, Laz, Çerkez gibi.

İnsan alt kimliğiyle övünebilir, onu geliştirmek için her türlü çabanın içine de girebilir, bunda bir sakınca yoktur.

Sakınca, alt kimliklerin kullanılması yoluyla devletin üniter yapısının ya da laik ve Demokratik düzeninin reddedilmesinde yatar.

* * *

Kimi insanlar, oluşturulmasında hiçbir katkılarının bulunmadığı, "doğuştan gelen kimliklerine" çok bağlıdır.

Din, mezhep, ırk, milliyet, coğrafya, aile, aşiret ve vatandaşlık kimlikleri, bireyin kendi çabalarından, göreli özgürlük alanındaki davranışlarından bağımsız kimliklerdir.

Bu tür insanlar örneğin, tuttukları takımın da fanatik taraftarı olur çünkü övündükleri kimlik, kendi varlıklarının, katkılarının dışında oluşan bir kimliktir.

* * *

Oysa asıl kimlik bireyin, sahip olduğu tutum ve davranışlardan, yaptığı işlerden oluşur:

"Ahlâklı ya da ahlâksız olmak, çalışkan ya da tembel olmak, güvenilir ya da güvenilmez olmak, insanlara sevgi, eşyaya yaratıcılıkla yaklaşmak ya da yaklaşmamak, laik ve demokrat olmak ya da olmamak" gibi değerler bireyin asıl kimliğini belirleyen temel ögelerdir.

Ayrıca sahip olunan meslek, yapılan iş, geliştirilmiş olan özel hünerler, bir insanın kendi ürettiği kimlik ögeleridir.

Bütün bunlara ek olarak bireyin, içinde yaşadığı insanlık ailesine katkıları da onun kimliğini belirleyen önemli ögelerden biridir; başta sanat ve bilim alanları olmak üzere tüm mesleki başarılar, bireyin asıl kimliğinin temel taşlarındandır.

* * *

İnsanların doğuştan gelen kimlikleri, onların bireysel tutum ve davranışlarından, başarı ya da başarısızlıklarından bağımsızdır.

Dolayısıyla bireyin, kendi iradesiyle seçim yapmadığı bir alanda sorumluluk yüklenmesi de ancak ileriye dönük tutum ve davranışları açısından bir anlam taşır, geçmişin yükünü ya da onurunu paylaşması açısından değil.

Uygar insan dini, mezhebi, ırkı ve milliyetiyle övünmez.

Bunlardan utanmaz da.

Kendi kültürel kimliğinin bütün öteki kültürel kimliklerden ne daha üstün ne de daha aşağı olduğunu düşünür.

Kendine saygısı olan insan kimliğini, kendi bireysel çabalarıyla oluşturmaya çalışır, sahip olduğu tutum ve davranışlar ve yaptıklarıyla övünür ya da bunlardan dolayı üzülür.

Mesleğinde başarılı, sevilen, sayılan, ahlaklı, dürüst insan, doğuştan gelen kimliklerine de en büyük hizmeti yapmaktadır zaten.

Milliyetçilik ve Azınlıklar

Değerli okurlarım, belki de bir ülkedeki milliyetçiliğin Demokratik mi, faşizan mı olduğunun somut ölçütü o ülkedeki azınlık hakları ve azınlıklara nasıl muamele edildiğidir.

Tabii konu Türkiye için özel bir önem taşıyor.

Çünkü Osmanlı İmparatorluğu'nun yıkılış nedenleri çerçevesinde milliyetçilik akımlarının önemli bir yer tutması, tarihsel, siyasal ve toplumbilimsel açıdan, Türk milliyetçiliğini, öteki milletlere ve milliyetçiliklere karşı kuşkucu yapmıştır.

Tabii bunun doğal bir sonucu da, azınlıklara karşı kuşkucu bir yaklaşımın geliştirilmiş olmasıdır.

Osmanlı'yı parçalayan milliyetçilik akımlarının Hıristiyanlık çerçevesinde oluşması, toplumdaki din ayrımlarından dolayı konuyu daha da hassas bir hale getirmiştir.

Bu süreç içinde azınlık cemaatlerinin dini liderlerinin siyasal roller oynaması da ayrılıkçı akımları desteklediği için, ayrıca bir sorunun oluşmasına yol açmıştır.

*   *   *

Bu tatsız, kin ve nefret duygularını körükleyen çatışmacı tarihin üstüne sünger çekilmesi **Mustafa Kemal Atatürk**'ün ileri görüşlüğü sayesinde başarılmıştır.

Lozan'da, azınlıklar olarak tanınan Hıristiyan ve Musevi cemaatlerinin hakları kabul edilmiş, Türkiye Cumhuriyeti'nin kurulması, saltanatın ve hilafetin kaldırılması ve Medeni Kanun'un kabul edilmesiyle bütün Türkiye Cumhuriyeti vatandaşları, din ve ırk farkı gözetilmeksizin eşit haklara sahip kılınmıştır.

Böylece sorun önce siyasal ve hukuki anlamda çözülmüş görünmektedir.

Ama ne yazık ki olay bu denli basit değildir.

Süregelen Sorun: Rum Patrikhanesi'nin Ekümeniklik İddiası

Yunanistan ile Türkiye arasında yaşanan siyasal sorunlar, Kurtuluş Savaşı ve sonrasında yaşananlar, Yunan Devleti'nin ve milliyetçiliğinin Osmanlı-Türk düşmanlığı üzerine kurulmuş ve geliştirilmiş olması, Türkiye'deki en sorunlu azınlığın Rumlar olmasına yol açmıştır.

Kıbrıs davası dolayısıyla Demokrat Parti iktidarının gizli desteği sonunda İstanbul'da yaşanan 6-7 Eylül 1955 yağmalama olayları Türkiye'nin siyasal tarihine bir kara leke olarak geçmiştir.

Burada sürekli olarak akılda tutulması gereken olay, Kıbrıs sorununun Türkiye-Yunanistan ilişkilerinin normalleşmesini önlediği ve bu durumun kaçınılmaz olarak Türkiye'deki Rumları tedirgin ettiğidir.

(Konumuz olmadığı için Yunanistan'ın Batı Trakya'daki Türk kökenliler üzerindeki baskılarından ve yaptığı haksızlıklardan söz etmiyorum. Ama bu tutumun da Türkiye'deki Rum azınlığın durumu ve Patrikhanenin konumu açısından önemli bir öge olduğunu belirtmeliyim.)

Bütün bu süreç içinde İstanbul'daki Rumların önemli bir kısmı Yunanistan'a göç etmiştir.

Bu arada Türkiye'deki eğitim sisteminde yapılan değişiklikler bağlamında Heybeliada'daki ruhban okulu da kapatılmış ve bugüne kadar mevcut yasalar çerçevesinde bu okulun yeniden eğitime başlaması için bir çözüm bulunamamıştır.

Ama asıl sorun, Fener Patrikhanesi'nin Ekümeniklik iddiasında ortaya çıkmaktadır:

Fener Rum Patrikhanesi, bütün dünya Ortodokslarının üzerinde evrensel ve hiyerarşik üstünlük iddiasında bulunmakta, ABD bunu desteklemekte, fakat Türk Devleti, Lozan Antlaşması'nın esaslarına aykırı olduğundan, dünyadaki başka Patriklikler de dini nedenlerle bu iddiayı kabul etmemektedir.

Sorunun temelinde iki ana neden yatmaktadır.

Birinci ve en önemli neden, dünyadaki Ortodoks kiliselerinin önemli olanlarının, örneğin Moskova Patrikliği'nin bu iddiayı kabul etmemesidir.

Tarihi süreçler sonunda, dini ve siyasal nedenlerle, Katolik mezhebindeki Papalık kurumu gibi evrensel bir hiyerarşik yapı, Ortodoks mezhebinde kabul edilmemiştir.

Soğuk Savaş Dönemi'nde, ABD'nin, İstanbul Patrikliği yoluyla Sovyetler Birliği'ndeki Ortodoksları etki altına almaya çalışması ve Moskova'nın buna karşı çıkması, Ortodoks kiliseleri arasındaki ayrımları derinleştirmiş, zaten hiyerarşik olmayan bu yapıyı güçlendirmiştir.

Sorunun temelindeki *ikinci* neden Lozan'dan ve Türkiye'nin egemenlik haklarından kaynaklanmaktadır.

Lozan'a göre Fener Patriği bir Türkiye Cumhuriyeti devletinin vatandaşı olmak ve devletin yasalarına uymak zorundadır. Türkiye Cumhuriyeti Devleti bu nedenle Fener Patrikhanesi'nin Ekümenikliğine karşı çıkmaktadır.

Amerika, gözlemci sıfatıyla katıldığı Lozan Antlaşması'nda Patrikhanenin bu "ulusal" statüsünü kabul etmiştir:

Lozan'da, Patrikhane'nin İstanbul'da, sadece dini işlerle meşgul olmak ve siyasi, idari hiçbir faaliyette bulunmamak koşuluyla kalması kabul edilince bu anlaşmayı, gözlemci sıfatıyla, *"uygun bulunmuştur"* diye yazarak ABD temsilcisi F.L. Belin de imzalamıştı.

Fakat ABD sonradan, Soğuk Savaş başlayınca bu tutumunu değiştirmiş, Fener Patrikliği'nin Ekümeniklik iddiasına tam destek vermeye başlamıştır.

Bugün de destek aynıyla sürmektedir.

Amerika'nın büyük baskılarına karşın, sorun çözülememiştir.

Bugünden sonra da kolayca çözülebilecek gibi görünmemektedir.

Ekümeniklik sorununun konumuz açısından önemi, aynen Kıbrıs sorunu gibi, Türkiye'deki Rum azınlığın bu sorundan dolayı tedirgin olmasındadır.

Nitekim sorunun gerginlik boyutunda devam etmesinin bir nedeni de Türk-Yunan ilişkilerindeki anlaşmazlıklardır.

Rahip Santoro ve Gazeteci Dink Cinayetleri

Son yıllarda iki cinayet, Trabzon'da Katolik Rahip **Santoro**'nun öldürülmesi ve İstanbul'da Ermeni kökenli gazeteci **Hrant Dink**'in katli, Türkiye'deki milliyetçilik (ve dincilik) ile azınlıklar arasındaki ilişkilerin yeniden sorgulanmasına yol açmıştır.

Bu iki cinayetin faillerinin yakalanmış olması her ne kadar olumlu bir gelişme ise de, bu olayların bir insanlık suçu niteliği taşımasının ve Türkiye Cumhuriyeti'nin bu cinayetleri önleyememiş olmasının tarihsel ve siyasal sorumluğunun ağırlığını azaltmaz.

(Aynı sorumluluk katledilen Atatürkçü aydınlar açısından da sürmektedir.)

Burada konumuz açısından üzerinde durmak istediğim nokta (aynen Atatürkçü aydınların öldürülmesinde olduğu gibi), bu katilleri ve bu cinayetleri oluşturan ortamdır.

Her iki cinayetin soruşturması sonunda elde edilen bulgular, katilleri üreten kültürel ve siyasal ortamın üzerinde durmamızı gerektirmektedir.

Katillerin ilişkilerine ve içinde bulundukları, etkilendikleri ortama baktığımızda, ne yazık ki radikal dinci ve faşizan milliyetçi ideolojilerin ve bu ideolojiler üzerinde yapılan siyasetin etkilerini görüyoruz.

(Aynen Atatürkçü aydınların öldürülmesinde olduğu gibi.)

Bu konuyu, radikal dinci ve aşırı milliyetçi ideolojilerin üzerinden siyaset yapmanın son derece tehlikeli ve telafi edilemez sonuçlar doğuracağına bir kez daha işaret ederek burada noktalıyorum.

* * *

Türkiye'deki Rum ve Ermeni azınlıklarının sorunları devam etmekle birlikte, Musevi azınlığı açısından pek bir problem görünmemektedir.

Türk-Musevi ilişkilerinin beş yüzyılı aşan dostluk tarihi, Osmanlıların, İspanya'da zulme uğrayan Yahudilere kucak aşmasıyla başlamış, Cumhuriyet döneminde hem Dışişleri Bakanlığı mensuplarının Nazi zulmüne uğrayan Yahudilere kol kanat germesiyle, hem de Türkiye Cumhuriyeti'nin, Nazilerden kaçan Musevi bilim insanlarına görev vermesiyle sürmüş ve bugüne kadar sorunsuz gelmiştir.

Bugünlerde, Musevi kökenli bir işadamının, **Jak Kamhi**'in

cumhurbaşkanı tarafından devlet üstün hizmet madalyasıyla onurlandırılmış olması, bu dostça ilişkilerin ve dayanışmanın bir sonucudur.

Amerika'daki Yahudi lobisi de bugüne kadar, Ermeni soykırımı yasa tasarısının Kongre'de kabul edilmesine karşı Türkiye'ye destek vermiştir.

Fakat iktidarın gerek Hamas lideri **Halid Meşal**'e gösterdiği yakınlık, gerekse İran'la ekonomik yakınlaşma girişimleri, ABD'yi ve Musevi lobisini rahatsız edince, Amerika'daki Yahudi lobisi de Ermeni soykırımını kabul ettiğini belirten bir tutum sergilemeye başlamıştır.

Dilerim bu gelişmeler, Türkiye'de Musevi vatandaşlarımızın tedirgin olacağı tutum ve davranışların ortaya çıkmasına neden olmaz.

* * *

Azınlıklar konusunu bitirirken, son bir hususu daha belirtmek isterim.

Bir ülkedeki azınlıkların can ve mal güvenlikleri, şeref ve haysiyetleri, refah ve mutlulukları o ülkenin devletine, yönetimine, politikacılarına ve halkına bir emanettir.

Bu açıdan Türkiye'de yaşayan azınlıkların, Lozan'la tanınan hak ve özgürlük ayrıcalıkları başta olmak kaydıyla, her türlü vatandaşlık haklarından eşit yararlanmaları Türkiye Cumhuriyeti'nin çağdaş bir Demokrasiye sahip olup olmadığının en önemli göstergelerinden biridir.

Unutmayalım ki Türkiye'de yaşayan, Türk vatandaşı olan azınlıklar, kendi diasporaları tarafından "Türk" diye eleştirilme, dışlanma, Türkiye'de ise diasporalarının Türkiye üzerindeki tartışmalı iddialarının destekçileri gibi eleştirilme ve dışlanma tehlikesiyle karşı karşıyadır.

Onların bu trajik konumlarını anlayalım ve onlara sahip çıkalım.

* * *

Demokrasimizle yüzleşmek bağlamında, bu bölümde milliyetçilikle de yüzleşmeye çalıştım.

Bu konuyu bitirirken iki önemli noktaya daha değinmek istiyorum:

Önce, yükselen Türk milliyetçiliğini bir tehlike olarak gören dış çevrelerin başında gelen Almanya'nın kendi ülkesindeki son uygulamalardan söz etmek istiyorum.

Anayasasındaki ırkçı, faşizan hükümleri daha yeni değiştiren bu ülke, şimdi, orada yaşayan Türkiye Cumhuriyeti kökenli vatandaşlarının birinci derecedeki akrabalarıyla bütünleşmelerini ve vatandaş olmayanların vatandaşlığa geçmelerini hemen hemen olanaksız kılan bir dizi karar almıştır.

Bu kararlara göre, vatandaş olabilmek için şart koşulan pek çok özelliğin yanında, bir de Almanca bilmek ve özel bir sınavdan geçmek gerekmektedir.

Belki de yükselen İslam radikalizmini önlemek için alınan (ama asla kabul edilemeyecek) bu karar, bizleri eleştiren yabancıların çifte standardını yansıtması bakımından çok anlamlıdır.

* * *

Son bir söz olarak da, yurdun çıkarlarını ön plana almanın Demokrasiyle hiçbir çatışması olmadığını, tam tersine, Demokratik bir ülkenin bağımsızlığı için yurtsever çizgideki milliyetçiliklerin yararlı olduğunu da tekrar vurgulamalıyım.

Yeter ki milliyetçilik duyguları faşizan, ayrımcı ve ayrılıkçı çizgiye kaymasın.

10

Demokrasi ve Siyasal İslam

Sevgili okurlarım, Demokrasimizle yüzleşmeye çalışırken, şu anda Türkiye'deki Demokrasiye karşı en büyük tehdidi oluşturan şeriatçılığın temelinde yatan siyasal İslamla da yüzleşmezsek, çalışmamız eksik kalır.

Tabii hemen eklemeliyim ki, bu konu da milliyetçilik kadar, belki de ondan da hassas bir konudur.

Çünkü din sadece insanların kimliklerini belirlemekle kalmaz, aynı zamanda mukaddes inançları da kapsar.

Ben yalnızca bir toplumbilim öğrencisi olarak değil, aynı zamanda bir insan olarak da, herkesin inancına kendi inancım kadar saygı gösteren, herkesin de böyle yapması gerektiğine inanan bir yazarım.

İnanç özgürlüğünün, başkalarının inançlarına müdahale noktasını aşmamak kaydıyla, sonsuz bir biçimde yaşanmasını savunurum.

Bu açıdan irdelemelerim, inanç alanında değil, siyaset ve toplum alanında olacak.

Bu bölümde İslam dinini, Müslümanlığı tartışacak, irdeleyecek değilim.

Hiç kuşkusuz böyle tartışmalar da gereklidir ama o, din bilginlerinin işidir, benim değil.

Benim tartışacağım konu, siyasal iktidarın kaynağı olarak,

Demokrasi karşıtı bir görüşle dini öne süren siyasal İslam'ın konumu, işlevleri, uluslararası konjonktürdeki yeri ve Türkiye'deki serüvenidir.

* * *

Belki de önce dindar ile dinci arasındaki farkı vurgulamalıyım.

Çünkü Türkiye'deki dinciler, yani dini siyasete alet eden ve Dinci bir Oligarşi kurmak isteyen siyasal İslamcılar, dinciliğe yöneltilen her eleştiriyi derhal dine ve dindarlara yöneltilmiş sayarak, saldırıya geçmekte, hemen mukaddes inançlarımızın ardına saklanmaktadırlar.

Bu nedenle burada açıkça ifade ediyorum ki, bu bölümün İslam'la, Müslümanlarla, gerçek müminlerle ve dindarlarla hiçbir ilişkisi yoktur. Burada sadece mukaddes dini değerlerimizi siyasete alet edenler, onları kendi amaçları için kötüye kullananlar irdelenmektedir.

Mümin, Yani Dindar ile Mürtecinin, Yani Dincinin Farkları

Sevgili okurlarım, ne yazık ki irtica, önemli ölçüde bugünkü siyasal iktidardan güç alıyor.

Ve yine ne yazık ki iktidarın bu tutumu, Demokrasiye en çok gereksinme duyan kesim aydınlar olduğu halde, Demokrasinin altını oyan yani kendi bindikleri dalı kesen bazı entelektüellerden de destek görüyor.

* * *

Dinciler, yani mürteciler, kendilerine destek veren sözde entelektüellerle birlikte, Demokrasiyi savunanlara, irticaya karşı çıkanlara *"Siz militarizmi destekliyorsunuz"*, *"Siz darbecisiniz"*, *"siz dine karşısınız"*, *"siz dinsizsiniz"*, *"siz sebatayistsiniz"*, *"siz gavursunuz"* gibi iftiralar atarak şantaj yapıyor ve onları susturmaya çalışıyor.

İrticayı destekleyenlerin son iddiası da, *"İrticanın tanımı yoktur"* demeleri.

Bunlar kısa bir süre önce, hem Anayasa'da açıkça belirtilmiş olan ve hem de Anayasa Mahkemesi tarafından ayrıntılı bir biçimde tanımlanmış olan "Laikliği" de *"Tanımı yoktur, yeniden tanımlanmalıdır"* diye tartışmaya açmışlardı.

Medyada, aklı başında olan, Demokrasiden yana tavır koyan yazarlar tarafından bunlara pek çok bilimsel, toplumsal, tarihsel ve hukuksal yanıt verildi.

Bu yanıtların hemen hemen hepsi, (haklı ve doğru olarak) irticayı, saldırdığı karşıt kavramlar olan Demokrasi ve laiklik açısından irdeleyen yorumlardı.

Burada ben irtica yanlısı insanları, yani mürtecileri, bir başka karşıt kavramla, dindarlarla, imanlı insanlarla yani müminlerle karşılaştırarak tanımlamak istiyorum.

Çünkü mürteciler, sadece Demokrasiye ve onun ayrılmaz bir parçası olan laikliğe değil, İslam dinine de, müminlere de zarar veriyor, onların inançlarını da zedeliyor.

* * *

Dinci-mürteci için siyaset sadece din açısından önem taşır.

Dindar-mümin için siyaset, bağımsızlık, Demokrasi, adalet gibi kavramları da içerir.

Dinci-mürteci, tüm devletin din esaslarına göre örgütlenmesini ister.

Dindar-mümin, devletten bireylerin inançlarını ve ibadet özgürlüğünü korumasını ister.

* * *

Dinci-mürteci, farklı inanç ve düşünce sahiplerinin "katlini vacip görür".

Dindar-mümin için, tüm inanç sahipleri ve hatta inanmayanlar bile eşit vatandaşlık haklarına ve hukuk güvencelerine sahip insanlardır, onlar için her ne nedenle olursa olsun insan öldürmek günahtır.

* * *

Dinci-mürteci, nefret ve kin doludur.
Dindar-mümin, sevgi doludur.

* * *

Dinci-mürteci katıdır, bağnazdır, peşin yargılıdır.
Dindar-mümin bağışlayıcıdır, hoşgörülüdür.

* * *

Dinci-mürteci ne kul, ne insan, ne de vatandaş olarak makbuldür.
Dindar-mümin hem kul, hem insan, hem de vatandaş olarak makbuldür.

* * *

Bu konuyu kapatmadan son bir gerçeği şöyle vurgulamak istiyorum:
Devlet, gerçekten laik ve Demokratik olan devlet müminleri korumakla, mürtecileri cezalandırmakla yükümlüdür.

Bir Siyasal İdeoloji Olarak Dinin Evrensel Evrimi

Sevgili okurlarım, ABD'nin Irak'taki varlığından tutun da Küresel Terör'ün kaynaklarına kadar günümüzün pek çok sorununa baktığınızda, Siyasal İslam'ın bir ideoloji olarak ilerlediği izlenimi ediniliyor.

Acaba gerçekten durum böyle mi?

Yoksa normal bir toplumsal ve siyasal süreç içinde gittikçe gücünü yitirmekte olan dinci ideolojiler ve tabii bu arada Siyasal İslam gerek kendi içinden, gerekse dışardan, örneğin ABD'deki **Bush** yönetiminden, Vatikan'dan, **Huntington** gibi onu "kullanmak" isteyenlerden gelen etkilerle yapay bir gelişme çabasıyla mı gündeme oturdu?

* * *

Değerli okurlarım, tek tanrılı dinler, Tarım Devrimi'nin getirdiği bir ideolojik şemsiye olarak ortaya çıkmıştı.

Bu söylediğimin dinsel inanca aykırı hiçbir tarafı da yok:

Allah, kulları yerleşik kültüre geçip tarımla meşgul olmaya başlayınca onlara bir arada yaşamanın kurallarını öğreten (kitap sahibi) peygamberlerini yollamaya başlamıştı.

Bu dönemin en önemli özelliği, toprağın artık bir üretim aracı haline gelmiş olmasıydı.

Toprak artık bir üretim aracı haline dönüştüğü için, toprağa dayalı olarak ortaya çıkan din-tarım imparatorlukları, onu elde etmek ve elde ettikleri toprağı ellerinde tutmak için savaşlar yapmaya başlamışlardı.

Tabii bu savaşlar genel olarak din ve mezhep savaşları olmuştur, çünkü dönemin kimlik belirleyici ideolojisi, yalnız birey düzeyinde değil devlet düzeyinde de dinler ve mezheplerdir.

*　*　*

Tarım Devrimi'ni izleyen Endüstri Devrimi bir yandan fabrikalardaki üretimi devreye sokarken, öte yandan dönemin şemsiye ideolojisi olarak milliyetçiliği üretmişti.

Savaşlar artık topraktan çok hammadde ve pazar için yapılmaya başlanmış, ideolojik olarak da milliyetler arası çatışmalar ön plana çıkmıştı.

Ama Endüstri Devrimi ve milliyetçilik, dinlerin ve mezheplerin arkasından gelmekle birlikte, onların kimlik belirlemekteki binlerce yıldır devam eden gücünü yok etmemiş, sadece ikinci bir kimlik olarak onların üstüne oturmuştur.

O güne kadar sadece dinleri ya da mezhepleriyle birbirlerinden ayrılan insanlar ve devletler, Endüstri Devrimi'nden sonra ayrıca (siyasal ve ideolojik açıdan) milliyetleri (ırkları) itibarıyla da birbirlerinden farklılaşır olmuşlardır.

Dolayısıyla, toprak savaşlarına dayalı olarak güçlenmiş olan dinsel kimlik, Endüstri Devrimi'nden sonra etkisini biraz yitirmiş, ideolojik ve siyasal işlevini milliyetçilikle paylaşmak durumunda kalmıştır.

* * *

Nitekim Birinci Dünya Savaşı'ndan sonra din-tarım imparatorlukları tasfiye edilmiş, yerlerine genellikle milliyetçilik ekseninde örgütlenen Ulus Devletler gelmiştir.

Bu durum hiç kuşkusuz Endüstri Devrimi'nde ilerlemiş olan ülkelerde dinin, ideolojik ve siyasal işlevini daha azaltmış, buna karşılık tarım döneminden çıkamayan, Endüstri Devrimi'ni yaşa(ya)mayan ülkelerdeki etkisinin ise Ortaçağlardaki gibi bütün gücüyle sürmesini sağlamıştır.

Şu anda Batı ile Ortadoğu ülkeleri arasındaki temel fark buradan kaynaklanmaktadır.

Ortadoğu ülkeleri de endüstrileştikçe, yani milliyetçilik ve ayrıca Demokrasi güçlendikçe, bu ülkelerde de dinin bir siyasal ideoloji olarak işlevi azalacaktır.

* * *

Her ne kadar Hamas örneğinde olduğu gibi, Demokratik hareketler içinde sandıktan da çıkmaya başlayarak veya Malezya'da olduğu gibi, devlet ve toplum katında iktidarı paylaştığı için gücü artıyormuş gibi görünse de Siyasal İslam'ın bütün dünyadaki gücünün zaman içinde kaçınılmaz olarak azalmaya başlayacağı bu evrensel oluşum çerçevesinde rahatça görülebilir.

Ama ileri bir zaman sürecindeki bu güçsüzleşme süreci, yakın dönem açısından tam ters bir eğilim göstermekte, Amerika'nın da özel gayretleriyle, sanki güçleniyormuş gibi bir tablo ortaya çıkmaktadır.

Tüm dünyayı ve Türkiye'yi de bu yakın dönem eğilimlerinin yani güçlenme göstergelerinin uzunca bir süre etkileyeceği tahmin edilebilir.

* * *

Endüstri Devrimi sonrasında din, Batı'da siyasal işlevini yitirmeye başladı.

Bu devrimi hazırlayan Aydınlanma süreci, zaten insan düşüncesini, dinin doğa karşıtı egemenliğinden kurtarmıştı.

Endüstri Devrimi'ni kaçıran İslam dünyasında yani Osmanlı İmparatorluğu'nda ise din, hâlâ devlet ve toplum üzerindeki egemenliğini sürdürüyordu.

Tabii, bu egemenlik de gittikçe güçsüzleşiyordu, çünkü dünyadaki gelişmeler Osmanlı'yı da etkiliyordu.

Üstelik Osmanlı'nın İslam Şeriatı'na dayalı dinci yapısı, adli kapitülasyonlar yoluyla ülkenin yönetiminin ve adaletinin de çok hukuklu bir sisteme dönüşmesine yol açmış, böylece, Hıristiyan cemaatlerinin imparatorluktan kopmaları kolaylaşmıştı.

İslam dünyasının Endüstri Devrimi'ne ayak uydurma çabası, ancak Batı'nın Osmanlı İmparatorluğu'nu işgal etmesinden sonra, onu yenen **Mustafa Kemal Atatürk** tarafından kurulan Türkiye Cumhuriyeti aracılığıyla, gecikmiş olarak tarih sahnesine çıkacaktı.

Türkiye Cumhuriyeti dışındaki İslam dünyası, Endüstri Devrimi'nin ve Aydınlanma'nın dışında kaldığı için, bu ülkelerde dinin, devlet ve toplum üzerindeki gücü bir ölçüde sürüyordu ama bu güç de hem bu ülkeler geliştikçe, hem de dış dünyayla etkileşimleri arttıkça genel eğilimlere koşut olarak gittikçe zayıflayacaktır.

Din Bir Siyasal İdeoloji Olarak Ne Zaman ve Neden Yeniden Güç Kazandı?

Genel olarak dinin ve özel olarak İslam'ın bir siyasal ideoloji olarak gücünü yitirmesi süreci Soğuk Savaş Dönemi'nde ters bir eğilim gösterdi:

Çünkü dinleri ve milliyetleri reddeden, sınıf temeli üzerine kurulduğunu öne süren Sovyetler Birliği'yle sürdürülen Soğuk Savaş'ta Amerika Birleşik Devletleri, dinci ve milliyetçi ögeleri silah olarak kullandı.

Hem Hıristiyan hem de Müslüman dinci siyaset, "Allahsız Komünistler"e karşı savaşta, ABD'nin doğal müttefikleri olarak görülüyordu.

Bu savaşta din olarak Hıristiyanlık ve özellikle Ortodoksluk, milliyetçilik olarak da Slav milliyetçiliği ve öteki Balkan milliyetçilikleri ön planda idi.

Tabii Sovyet nüfusu içindeki Müslümanlığın da yaygınlığından dolayı, Müslümanlık ile Türk ve Arap milliyetçilikleri de bu savaşın kaçınılmaz araçları oldular.

Sovyetler Birliği'nin güney sınırı, adına "Yeşil Kuşak" denilen, Anadolu'dan başlayan ve Güneydoğu Asya'ya kadar uzanan bir "Müslüman Devletler" ittifakıyla sınırlandı.

"Yeşil Kuşak" Amerikan dolarını değil, İslam vurgusunu niteliyordu.

Sovyetler'in yayılmacılığına karşı, dinci ve milliyetçi gruplar desteklendi.

Örneğin, Afganistan'ı işgali sırasında **Usame Bin Ladin**, bir "İslam Mücahidi" olarak desteklendi, örgütlendirildi, silahlandırıldı ve sonunda Sovyetler, Afganistan'da mağlup edildi.

İşte Soğuk Savaş Dönemi, bu dönemde Amerika, dinci ve milliyetçi ideolojileri Sovyetler'e karşı kullandığı için, dinlerin siyasal işlevlerinin giderek güçsüzleşmesi genel eğilimine ters olarak bütün dünyada anakronik (tarih içinde yerini şaşırmış; tarihe ters) bir yeniden canlanmaya tanık oldu.

Yani dinlerin ve tabii Müslümanlığın bu yeniden canlanması, sırf Sovyetler'le savaşta Amerika'nın desteğinden kaynaklanan yapay bir olaydı.

Çünkü artık laiklik, Demokrasi, insan hakları gibi kavramlar, sadece genel eğilimler olarak değil, Soğuk Savaş mantığı içinde de, evrensel kabul gören ilkeler halini alıyor ve tabii, Tarım Devrimi'nden sonra meşruiyet kaynağı olan ve tüm kamu alanlarını düzenleyen dinin gücünü sarsıyordu.

Nitekim Sovyetler yıkılınca, Amerika'nın, Soğuk Savaş stratejisinden kaynaklanan ve tarihe ters düşen bu desteği ortadan kalkınca tarih yeniden hükmünü icra etmeye başlayacaktı.

Ama siyasal İslam, gücünü artırmaya devam etti, çünkü Amerika'nın İslam dünyasına yaptığı yatırım büyüktü.

Bu yatırımın büyük birikimlere sahip olan sonuçları bir anda yok olamazdı.

Soğuk Savaş bitince, onun yerini Amerikan öncülüğündeki Küreselleşme süreci aldı.

Küreselleşme bağlamında Amerika'nın başını çektiği Ulus Devletlerin güçsüzleştirilmesi operasyonunda, dinler ve mezhepler, Ulus Devletleri bölmek konusunda işlevselliklerini sürdürüyordu.

Küreselleşme, Soğuk Savaş'ın dinciliği ve milliyetçiliği destekleyen politikalarını ve bu politikaların oluşturduğu birikimi devralmıştı.

*   *   *

Amerika'nın desteklediği radikal siyasal (ve askeri) İslam, Antikomünist işlevini yitirince bu kez döndü, Arap-İsrail anlaşmazlığını bahane ederek ABD'yi vurdu.

Şimdi Amerika, uluslararası terörizm tehdidi adını verdiği ve kendi yarattığı bir canavarı denetlemeye uğraşıyor.

Soğuk Savaş Dönemi'nde yeniden işlev kazanan siyasal İslamcılar Sovyetler Birliği'nin yıkılmasından sonra siyasal açıdan desteksiz ve işlevsiz kaldıkları için şaşırmış durumdayken, imdatlarına Küreselleşme süreci ve bu sürecin İslam dünyasına yönelik tezlerini oluşturan **Huntington** yetişti:

Sovyetler'in çöküşünden sonra Amerika'nın artık rakibi olmadığı için rehavete kapılıp laçkalaşmasını önlemek amacıyla, siyasal radikal İslam'ı Amerika'nın düşmanı ilan etti ve böylece radikal siyasal İslamcılara bir amaç vererek onların varlıklarını devam ettirmelerini sağladı. (**Huntington**'un kuramının irdelenmesi ve eleştirilmesi için benim *Küresel Terör ve Türkiye* adlı kitabıma bakılabilir.)

Siyasal İslam'ın Evriminde Türkiye'nin Yeri ve Rolü

İnsanlık tarihinde, Tarım Devrimi'yle birlikte din ve gelenek siyasal iktidarın meşruiyet kaynağı olmuştu.

Bütün din-tarım imparatorluklarının yöneticileri, ya kendileri ya da ataları o toprakları fethetmiş veya saray darbesiyle iktidara el koymuş olarak Allah adına hüküm sürerlerdi.

İslam imparatorluklarındaki Halifelik, Hıristiyan imparatorluklarında ise yöneticinin (kralın veya imparatorun) kilisenin de başı olması geleneği bu düzeni sürdüren esas ögeydi.

Endüstri Devrimi, siyasal iktidarın meşruiyet kaynağını dinden ve gelenekten alıp halka-millete verdi, "Milli Egemenlik" kavramını oluşturdu.

Bu oluşumun ardındaki temel güç, Tarım Devrimi'nden Endüstri Devrimi'ne geçişte, geleneksel sınıflar olan toprak ağalarıdin adamları sınıfı ile köle köylü sınıfının yanında, önce sermaye sınıfının, sonra da bu sınıfın yarattığı kendi karşıtı olan işçi sınıfının "modern" sınıflar olarak ortaya çıkmasıydı.

Önce sermaye sınıfı, toprak ağaları ve din adamları sınıfının yanında iktidara ortak oldu.

Sonradan işçi sınıfının güçlenmesiyle geleneksel sınıfların yönetim gücü tasfiye oldu ve yine işçi sınıfının zorlamasıyla Endüstri Devrimi'yle ortaya çıkan "milliyetçilik" ideolojisi çerçevesinde, "halk egemenliği" ya da "Milli Egemenlik" kavramının gelişmesiyle, iktidarın meşruiyet kaynağı değişti.

Bu durum kaçınılmaz olarak, dinin siyasal işlevini de hem sınırladı hem de kısıtladı.

*　*　*

Batı Avrupa'da bu gelişmeler olurken, Endüstri Devrimi'ni kaçıran Osmanlı, hâlâ dinsel-geleneksel yapısını sürdürüyordu.

Dolayısıyla din, Batı'daki oluşumların aksine, Osmanlı İmparatorluğu'nda hem meşruiyet kaynağı olma hem de kamuyu düzenleme işlevini çok daha uzun süre sürdürdü.

Gerek Birinci ve İkinci Meşrutiyet'ler, gerekse Hıristiyan tebaa için verilen adli ve siyasi kapitülasyonlar, dinin hem meşruiyet kaynağı olma özelliğini hem de kamuyu düzenleme gücünü sınırlayıcı ve kısıtlayıcı etkiler yaptı ama iktidarın kaynağındaki temel felsefeyi ve dinin siyasal gücünü çok fazla etkilemedi.

Ama din artık Osmanlı için sadece toplumsal değil, adli ve siyasal anlamda da bölücü bir işlev görmeye başlamıştı.

Mustafa Kemal Atatürk'ün Kurtuluş Savaşı boyunca yaşadığı bütün güçlüklere karşın, Meclis'i açık tutması, aslında Halife-Sultan'ın, meşruiyetini dinden ve gelenekten alan siyasal gücüne karşı, meşruiyetini halktan (milletten) alan bir egemenlik anlayışına dayalı rakip bir siyasal güç oluşturmak niyetinden kaynaklanıyordu.

Halife-Sultan'ın bir İngiliz gemisiyle kaçması, Mustafa Kemal'in ekmeğine yağ sürdü; rakip siyasal güç başsız kalmıştı.

23 Nisan 1920'de Meclis'in açılması esas olarak iktidarın meşruiyet kaynağını, dinden ve gelenekten alıp halka (millete) aktarma yolunda atılmış çok önemli bir adımdı.

Ama asıl büyük devrim, 1 Kasım 1922'de saltanatın kaldırılması ve 29 Ekim 1923'te Cumhuriyet'in ilanıyla yaşandı:

Artık siyasal meşruiyetin kaynağı din ve gelenek değil, bütünüyle "millet" olmuştu.

Bu atılımlar, önce Hilafet'in ve Şeriye Vekaletinin kaldırılması, Öğrenim Birliği Yasası'nın (Tevhidi Tedrisatın) kabulü ve sonra da Medeni Kanun'un yürürlüğe girmesiyle pekiştirildi.

Aslında böylece, Müslüman bir toplumda laik bir devlet yapısı kurularak İslam dininde büyük bir reform gerçekleştirilmiş oluyordu.

* * *

Bütün bu köktenci değişme, bir Endüstrileşme ve bir Aydınlanma süreci sonunda değil de bir Kurtuluş Savaşı'nın kazanılmasıyla elde edilen siyasal güce dayalı olarak, âdeta bir anda gerçekleştirildiği için, dinin, başta kamu alanındaki egemenliği olmak üzere bütün toplumsal etkisi olanca gücüyle sürüyordu.

İktidarın kaynağının dinden ve gelenekten, millete aktarılmasına koşut olarak yapılması gereken toplumsal ve yasal düzenlemeler, saltanatın ve hilafetin kaldırılması, Medeni Kanunun kabulü, eğitimin laik bir yapı altında birleştirilmesi, kıyafet kanunu, yazı devrimi, dil devrimi gibi atılımlarla gerçekleştirildi.

Böylece sadece meşruiyet kaynağı olarak değil, kamuyu ve toplumsal yaşamın öteki alanlarını düzenleyen öge olarak da dinin etkisiyle birlikte geleneksel Osmanlı-Arap-Fars kültürünün ve özellikle Arap kültür Emperyalizminin egemenliğine son verilmek istendi.

Tabii bütün bu değişmeler dinin siyasal işlevini sınırladı.

İşte bugün hâlâ bir simge olarak "türban"la sürdürülmek istenen savaş, temelde siyasal iktidarın meşruiyet kaynağına ilişkin tortu iddialarla birlikte, dinin kamusal alanlarda egemenliğine ilişkin geriye dönüş özlemlerini yansıttığı için toplumu bir bunalıma sürüklüyor.

Türbanın Simgelediği Siyasal Savaşın Toplumsal Kökleri

Soğukkanlı bir biçimde kendimize sormamız gereken soru, niçin Hıristiyanlığın çoktan aşmış bulunduğu "dinin kamu alanındaki egemenliği" sorununu Müslümanlığın hâlâ aşamamış olduğudur.

Bu sorunun yanıtı, Hıristiyanlık ve İslam arasındaki farklarda, din felsefesi alanında değil, siyasal gelişme alanında aranmalıdır:

Endüstri Devrimi sonrası gelişen Demokrasi, kamu alanlarını inançların egemenliğinden kurtarmış, insanların din, mezhep, ırk, milliyet ve dil farkı olmaksızın eşit kabul edildiği bir alan haline getirmiştir.

İnsanların din, dil, milliyet farklarına karşın, eşit kabul edilmeleri anlayışı kolay erişilmiş bir aşama değildir.

Bu uğurda kanlı savaşlar yapılmış, insanlar kendi özel inançlarının genel kamu yaşamına egemen olması anlayışından kolay vazgeçmemişlerdir.

Batı uygarlığının tarihi, büyük ölçüde bu tür savaşların tarihi olarak da algılanabilir.

Sadece din, dil ve milliyet farklarının değil, temelinde kölelik anlayışının yattığı sınıfsal sömürünün hukuksal temellerinin ortadan kaldırılması bile çok kanlı olmuştur.

Örneğin, bugün bütün dünyaya Demokrasi götürme iddiasını taşıyan Amerika Birleşik Devletleri, köleliği kaldırmak için On dokuzuncu yüzyılın ortalarında, yani neredeyse ancak bir buçuk yüzyıl önce, bir iç savaş geçirmiştir.

İnsanlık dinsel ve mezhepsel inançların belirlediği siyasal ve kamusal yaşam anlayışından, ancak Endüstri Devrimi ve bu Devrime öncülük eden Aydınlanma süreci sonunda gelişen Demokrasiyle kurtulmuştur.

Yukarıda da anlattığım gibi, bu Devrim Batı Avrupa'da yaşanmış ve bu nedenle de Demokrasi Batı'da gelişmiş, bu Devrimin dışında kalan Osmanlı İmparatorluğu parçalandıktan sonra ortaya çıkan Müslüman devletler ise dinin siyasal ve kamusal egemenliği altında yaşamaya devam etmişlerdir.

Müslüman devletler arasında bir tek Türkiye Cumhuriyeti laik ve Demokratik bir siyasal yapı kurmuş, bu nedenle de İslam dünyasının en gelişmiş ülkesi konumuna gelmiştir.

* * *

Fakat Türkiye de Soğuk Savaş'ın etkilerinden kaçınamadı.

Sovyet tehditlerinden korkarak, Batı dünyasıyla ittifaka giren ve bu dünyanın ileri karakolu haline gelen Türkiye'de Müslümanlık, Sovyetler'in ideolojisini ve genel olarak "solculuğu", özel olarak da komünizmi reddetmekte kullanılan araçlardan biri oldu.

Amerika, Kuzey Afrika'nın, Ortadoğu'nun Orta Asya'nın ve Güneydoğu Asya'nın Müslüman ülkelerindeki Sovyet etkisini, "Siyasal İslam" aracılığıyla dengelemeye çalışmıştır.

Bu durum kaçınılmaz olarak siyasal İslam'ın zaman zaman zor da kullanan askeri bir içerik kazanmasını zorunlu kılmıştır.

Soğuk Savaş bitince, tarihe ters düşen bu politika ve onun etkileri, Küreselleşme sürecinde ve Ortadoğu Savaşı çerçevesinde kendine yeni bir ortam ve amaç bulmuştur.

İşte bir simge olarak türban, bu evrensel oluşumların dünya üzerindeki görüntüsüdür.

Çelişkili bir biçimde gücünü dün Antikomünizm'den alırken,

bugün hem Küreselleşmeden, hem de Batı Emperyalizmi'ne ve İsrail'e karşı duruştan beslenmeye çalışmaktadır.

Tabii bu noktada bir başka ciddi çelişki hemen okurlarımın gözüne çarpmıştır:

Türkiye'de iktidar Amerikan yanlısı olduğundan, türbanın Antiemperyalist niteliği devredışı kalmış, sadece laik ve Demokratik rejime karşı bir akımın simgesi haline indirgenmiştir.

Bir Siyasal İdeoloji Olarak Din Nasıl İrdelenmelidir?

Sevgili okurlarım, Türkiye'de tarih yanlış okutuluyor.

(Biliyorsunuz, sırf bu nedenle *Tarihimizle Yüzleşmek* diye bir kitap yazdım.)

Sadece Türkiye tarihi değil, Dünya tarihi de yanlış okutuluyor.

Gerek Dünya tarihi gerekse Türkiye tarihi, insanlığın ve genel eğilimlerin ışığında değil, liderlere, devletlere ve savaşlara göre öğretiliyor.

Örneğin, "devrim" deyince akla Tarım Devrimi ve Endüstri Devrimi değil, Fransız Devrimi, Sovyet Devrimi ve Türk Devrimi geliyor.

Tabii Fransız, Sovyet ve Türk devrimleri de önemli ama, ancak bu devrimlerin Tarım Devrimi ve Endüstri Devrimi'yle olan ilişkileri belirlenmek kaydıyla bu önem anlaşılabilir.

Dinler tarihi de yanlış öğretiliyor.

Totemizm, Şamanizm, çok tanrılı dinler ve tek tanrılı dinler tabii önemli ama dinlerin tarih içinde oynadığı siyasal ve toplumsal roller, ancak bu rollerin Tarım ve Endüstri Devrimleriyle ilişkileri kurulmak ve siyasetle aralarındaki bağı belirlenmek kaydıyla anlaşılabilir hale gelir.

Örneğin her tek tanrılı din çıktığı veya inanca uygun deyişle indiği anda devrimcidir.

Ama daha sonra, Endüstri Devrimi'nin tohumlarının filizlendiği dönemde, yani Dünya değişmeye başlayınca bütün tek tanrılı dinler tutuculaşır.

Örneğin, Müslümanlar, Amerika'nın ve yeni ticaret yolları-
nın keşfinden sonra, Dünya'nın değişmeye başladığı dönemde,
1580'de **Takiyeddin**'in rasathanesini topa tutarak yerle bir etmiş-
ler, Hıristiyanlar da 1613'te **Galile**'yi yargılamış ve mahkûm et-
mişlerdir.

Bu tutuculuk, tek tanrılı dinlerin devrimci özelliğini ve güzel-
liğini zedeleyen iktidar sahibi din adamlarının, ellerinde tuttuk-
ları gücü korumak uğruna değişmeye karşı çıkmalarından kay-
naklanmıştır.

Ayrıca bütün mezheplerin ortaya çıkışları, Allah'ın ve pey-
gamberlerin sözlerinin yorumundan çok, doğrudan doğruya si-
yasal iktidar kavgasına dayanır.

Hıristiyanlığın iki ana mezhebi olan Katoliklik ve Ortodoksluk,
Hıristiyanlığın ele geçirdiği Roma İmparatorluğu'nun ikiye bö-
lünmesiyle biçimlenmiştir.

Protestanlığın ardında, Papa ile iktidar kavgasına giren Alman
prenslerinin ve karısını boşamak isteyen İngiltere Kralı **Sekizinci
Henry**'nin siyasal gücü vardır.

Bizim dinimizin üç ana mezhebi, Sünnilik, Şiilik ve Haricilik,
Dört Halife Dönemi'nin son halifesi olan **Hz. Ali**'nin iktidarının,
Muaviye tarafından kabul edilmemesi sonunda, Haricilerin de
işe karışmasıyla ortaya çıkan suikastlar ve siyasal gelişmeler so-
nunda oluşmuştur.

* * *

Yakın tarih açısından da, dünyanın genel siyaseti irdelenme-
den, yukarıda anlattığım Soğuk Savaş ve Küreselleşme bağlamına
oturtulmadan siyasal İslam'ın rolü anlaşılamaz.

Siyasal İslam'ın Türkiye'deki
Serüveninin Kökleri

Türkiye'nin güncel siyaseti, dinci yaklaşımı ya da Siyasal
İslam'ı, **Erbakan** çizgisinde ve sonra bu çizgiden ayrılarak iktidar
olan AKP kimliğinde tanır.

Oysa, Siyasal İslam'ı anlamak için gerek tarihsel, gerekse evrensel açıdan çok daha derinlere gitmek gerekir:

Suudi Arabistan'daki totaliter rejimden Afganistan'daki "İslam Mücahidi" **Usame Bin Ladin**'e kadar "siyasal ve askeri İslam" örnekleri, Amerikalıların "Soğuk Savaş" sırasında Sovyetler'e karşı mücadelede dinin siyasallaşmasına verdikleri desteğin ürünleridir.

Dünya, "Soğuk Savaş"tan dolayı, anakronik (tarih içinde yerini şaşırmış olan) bir süreci yaşadı:

Siyasal ve ideolojik olarak gerilemesi gereken dinler 1945-1991 arasında güçlendi.

Aynı dönemde Türkiye'de de bir iktidar değişikliği oldu ve Demokrat Parti iktidara geldi.

Aslında "Soğuk Savaş"ın belirtileri daha CHP iktidarı zamanında ortaya çıkmıştı:

Bugün bile dünyanın en önemli eğitim atılımlarından biri olarak kabul edilen Köy Enstitüleri projesinden CHP döneminde geri dönüldü ve İlahiyat Fakültelerinin açılmasına başlandı.

Marshall yardımı yine CHP iktidarı zamanında alınmaya başlandı.

1950'de iktidara gelen Demokrat Parti, tanım gereği, Cumhuriyeti kuran partinin, CHP'nin muhalefeti olarak cumhuriyet devrimleri açısından "karşı devrimci" idi.

Nitekim iktidara gelir gelmez, laik ve Demokratik Ulus Devlet modeline dayalı olan Cumhuriyet'in en önemli simgelerinden biri olan dile saldırı başlatıldı ve ders kitaplarındaki *"Genelkurmay Başkanı"* yeniden *"Erkan-ı Harbiye-i Umumiye Reisi" "Anayasa" "Teşkilat-ı Esasiye Kanunu"* yapıldı, ezan Türkçe'den Arapça'ya çevrildi.

Tabii bu "geri dönüşün" altında yatan esas öge, "dinci" siyasal ideolojinin geniş halk kitlelerini "Antikomünizm'e" yönlendirecek biçimde kullanılması idi.

Türkiye, bir din-tarım imparatorluğu olan Osmanlı'nın talan edilmiş mirası üzerine, bir Kurtuluş Savaşı kazanarak laik ve Demokratik bir Ulus Devlet kurmuş olmasına karşın, 1945'ten sonra dinci ve milliyetçi ideolojilerin egemenliğinden kurtulamadı.

Çünkü Sovyet korkusundan dolayı içinde zorunlu olarak yer aldığı "Batı Dünyası" onu buna mecbur etti.

Oysa bu durum, Cumhuriyet'in kuruluş ideolojisine, felsefesine aykırıydı.

Nitekim bu çelişki, **Menderes**'in Demokrasiyi "çoğunluk diktatörlüğü" biçiminde yozlaştırmasına ve "Tahkikat Komisyonu"yla yaptığı rejim darbesine karşı, ordunun 27 Mayıs 1960 müdahalesine yol açtı.

Ama çok özgürlükçü olan 1961 Anayasası da durumu düzeltmeye yetmedi, çünkü "Soğuk Savaş" devam ediyordu.

Nitekim "Soğuk Savaş" koşulları, 1961 Anayasası'na karşı intikamını, 12 Mart 1971'de bu Anayasa'yı sınırlayarak ve 12 Eylül 1980'de onu tamamıyla yok edip yerine baskıcı 1982 Anayasası'nı koyarak acımasızca aldı. (Bilmem, ordunun siyasetteki yerinin niçin değişken ve tartışmalı olduğu, darbelerin toplumsal ve siyasal sonuçlarının niçin birbirlerinden farklı nitelik taşıdığı bu olaylardan anlaşılıyor mu?)

Böylece 1945-1991 arasında Dünya'yı pençesine alan "Soğuk Savaş" Türkiye'de de 1945-1997 (28 Şubat) arasında bütünüyle egemenliğini sürdürdü.

Hem dış hem de iç dinamik ögelerinin birbirlerini desteklemesiyle ortaya çıkan büyük güç, bu dönemde, Türkiye Cumhuriyeti'nin kuruluş felsefesine karşın, İslam'ın bir siyasal ideoloji olarak da güçlenmesine yol açtı.

Eğitimde ve siyasette İslam'ın ağırlığı, bu etkinin uzun dönemli olmasını sağladı.

* * *

Soğuk Savaş bitince, onun yerini Küreselleşme aldı ve bu kez siyasal İslam'ı bu süreç kullanmaya başladı.

Böylece Türkiye'deki siyasal İslam'ın etkinliği devam etti.

Türban denilen olay işte bu sürecin dışavurumunu gösteren simgelerden biridir.

Türban Sorununun Arkasında Amerikan ve Arap Emperyalizmi Vardır.

Türkiye, Soğuk Savaş çerçevesinde, 1919-1945 yıllarını kapsayan "Kuruluş" dönemini kapatıp 1945'ten itibaren "Antikomünist" stratejiye uygun olarak yeniden yapılandırılmaya başlandı.

İkinci Dünya Savaşı sonrasındaki "Antikomünist" yapılanma 27 Mayıs 1960'da bir kesintiye uğradı.

Fakat bu kesinti 1965 yılında gerçekleşen ve Demokrat Parti'nin devamı niteliğinde olan Adalet Partisi iktidarıyla çabuk aşıldı ve Türkiye yeniden bütün hızıyla "Soğuk Savaş" içindeki "Antikomünist" yapılanmasını sürdürdü.

Dini inançlar aracılığıyla güçlenen Arap Emperyalizmi, siyasal ve ekonomik ilişkiler aracılığıyla güçlenen Amerikan Emperyalizmi'yle birlikte, el ele, Türkiye'yi artık yeni bir aşamaya taşıyordu:

1945 yılında başlayan bu "yeniden yapılandırma süreci", 1960'ların sonuna doğru, 25 yıl boyunca süren değişimler sonucunda, artık siyasette dinci partiyi güçlendirmiş, eğitimde de İmam Hatip çizgisinde yeterince genç öğrenci yetiştirmişti.

Böylece bu sorunu toplumsal platforma taşıyacak siyasal ve beşeri güç oluşturulmuştu.

1970'li yıllarda, ortaya çıkan terör salgınının bir parçası olarak Ankara ve İstanbul'da büyük gösterilerle kılınan "Antikomünist cuma namazları" dinin Soğuk Savaş çizgisinde siyasallaştırılmasının en güzel örneğiydi.

1970'li yılların Soğuk Savaş politikaları, sonunda 1980 askeri darbesiyle taçlandırıldı ve "Türban" da böylece siyasal gündemimizin birinci maddesi oldu.

Amerika'nın Soğuk Savaş politikalarının Türkiye'deki doruk noktasını oluşturan 12 Eylül 1980 darbesi, bir yandan din eğitimini Anayasa'ya koyarak, öte yandan İmam Hatip mezunlarının doğrudan üniversitelere geçişini sağlayarak İslam dinini, toplumun "Antikomünist" çizgideki en önemli toplumsal denetim ögelerinden biri haline getirdi.

* * *

İşin ilginç yanı, Türkiye'deki baskıcı rejimlerin de en koyu örneklerinden birini oluşturan 12 Eylül Yönetimi'nin, bütün bu uygulamaları "Atatürkçülük" adına yapması ve böylece hem Atatürkçülüğü yıpratması, hem yeni Atatürk düşmanları üretmesi hem de ayrıca, Demokrasiye inanmış olan Atatürkçüleri de başta üniversiteler olmak üzere, toplumun bütün kesimlerinden tasfiye etmesiydi.

İşte "Türban" 1945'de Soğuk Savaş'la ortaya çıkan, meyvelerini 1960'ların sonunda vermeye başlayan ve 1970'lerden günümüze kadar güçlenerek süren bu "Antikomünist" "İslamlaştırma" sürecinin sonunda belirginleşen bir sorundur.

Tabii burada hemen dikkat edilmesi gereken nokta, dış dinamik ögeleriyle, iç dinamik ögeleri arasındaki etkileşimdir.

Yaptığı büyük devrimi, Köy Enstitüleri'yle yani eğitim yoluyla geniş kitlelere aktarmak isteyen Türkiye'nin, 1945 yılında Soğuk Savaş'la yolu kesilmiş, Soğuk Savaş'la içerde bu büyük dönüşümden rahatsız olan İslamcıların ittifakı ortaya çıkmıştır.

Tabanları endüstrileşememiş, yani kentleşememiş ve Demokratikleşememiş geniş kitlelerin bilinçsiz yaklaşımlarına dayalı olan iç dinamik ögeleri, iktidara yönelik örgütlenmelerinde, Soğuk Savaş bağlamında ortaya çıkan Amerikan ve Arap Emperyalizmlerinin verdiği desteği kullanmışlardır.

İşte türban sorununun arkasında tarihsel olarak Amerikan ve Arap Emperyalizmlerinden kaynaklanan dış dinamik ögeleri ile geçmiş dinci kültüre ve feodaliteye dayalı iç dinamik ögelerinin bu büyük ve güçlü "Antikomünist" Soğuk Savaş ittifakı vardır.

Oysa Sovyetler Birliği çökünce, yani Soğuk Savaş bitince, Amerikan Emperyalizmi'yle Arap Emperyalizmi arasındaki ittifak da anlamsızlaşmış, yalnız çökmekle kalmamış, Arap-İsrail anlaşmazlığından dolayı Amerikalılar'la Araplar arasında ilişkiler düşmanlığa dönük bir nitelik kazanmıştır.

* * *

Amerika bu çerçevede bir yandan Küreselleşme bağlamında Ulus Devletleri güçsüzleştirmek için dinciliği teşvik ederken, öte yandan Irak'taki direnişi kırmak için Müslümanlar arasındaki mezhep çatışmalarını körükledi.

Bu bağlamda önümüzdeki yıllarda Türkiye'de sadece dinciliğin Oligarşik bir yapıyla topluma egemen olmasından değil, bir süre sonra mezhep çatışmalarının da ortaya çıkmasından korkuyorum.

Çünkü hem Türkiye'nin gittikçe kaymakta olduğu Dinci Oligarşi'nin doğasında mezhep çatışmaları yatar, hem de mezhep çatışmaları Amerika tarafından körüklenmektedir.

Totaliter İslam, Demokratik İslam

Sevgili okurlarım, günümüzde hiçbir dinin Demokrasiyle doğrudan çeliştiği kanısında değilim.

Bu tümcedeki belirleyici sözcük "günümüzde" kelimesidir.

İnsanoğlunun, gelişme aşamaları bakımından günümüzde ulaştığı nokta, dini, dili, ırkı, milliyeti, yani kökeni ve inancı ne olursa olsun herkesin eşit doğduğu ve devletle olan vatandaşlık ilişkisinde siyasat ve hukuksal olarak eşit muamele görmesi gerektiğidir.

Tabii "günümüzde" ulaşılan bu aşamaya gelinmesi kolay olmamıştır.

İnsanlar yüzyıllar boyunca dinler ve mezhepler arası mücadelelerle birbirlerinin kanını dökmüş, sonra buna milliyetçilik esasına göre yapılan savaşlar eklenmiş, ardından gelen komünizmkapitalizm kavgası da bu katliamı sürdürmüştür.

Altında ekonomik çıkar çatışmalarının yattığı bu savaşlar sonunda insanlar ayrımcılığın kötü bir şey olduğunu anlamışlardır.

Böylece ilk çıktıkları zaman hem ayrımcı hem de yayılmacı olan tek tanrılı dinler, zaman içinde daha hoşgörülü, daha insancıl, daha uzlaşmacı bir niteliğe kavuşmuş, din ya da mezhep ilkelerine göre toplumu biçimlendirmek, yönetmek ve bu uğurda savaşmak ilkelerinden vazgeçerek insan ile Allah arasında semavi ve ulvi bir bağ oluşturmak işlevini ön plana çıkarmışlardır.

Tabii bu değişme, dinleri daha eski olduğu ve Endüstri Devrimi'ni doğrudan yaşadıkları için önce Hıristiyan toplumlarda ortaya çıkmıştır.

* * *

Müslüman toplumlar da bu değişme ve gelişmelerden etkilenmiş, fakat Osmanlı İmparatorluğu Endüstri Devrimi'ni kaçırdığı için, İmparatorluk parçalandıktan sonra ortaya çıkan bağımsız Müslüman devletler, Türkiye Cumhuriyeti dışında, Demokratik düzene geçememişlerdir.

Bu nedenle de felsefi ve siyasal alanda İslam'ın Demokratikleşmesi, sadece Türkiye Cumhuriyeti'nde yaşanmış, İslam Âlemi'nin geri kalan ülkeleri, kendi rejimlerine doğrudan tehdit oluşturan Türkiye'ye karşı olumsuz bir tutum takınmışlardır.

Bu çerçevede Türkiye Cumhuriyeti, sadece bir Bağımsızlık Savaşı sonrasında kurulan bir Ulus Devlet modelinin değil, İslam'ın çağdaşlaşmasının ve Demokratikleşmesinin de öncüsü olmuştur.

Buna karşılık İslam'ın ilk çıktığı zamanlardaki yapısını sürdürmek isteyen görüşler de varlıklarını korumaktadır.

Aşağıdaki örnekte görüldüğü gibi toplumsal, kültürel, ekonomik ve siyasal yaşamın tüm alanlarını kapsayan, bu nedenle de "totaliter" nitelik taşıyan bir İslam kavramı bugün de savunulan görüşler arasındadır.

İslam bir hayat tarzıdır ve hayatın bütün yönlerini kapsayan bir sistemdir. Bu sistemin, siyasi, sosyal, kültürel, iktisadi, vb. alt öğelerinden söz edilebilir. Başka bir ifadeyle İslam, bir bütündür ve karşılıklı bağımlılık ve etkileşim içinde olan öğelerden oluşur. Daha üst ve genel bir kavram olan İslamın bir alt öğesiyle zikredilmesi —yani siyasal İslam, kültürel İslam, sosyal İslam şeklindeki ayrımları— onun kapsamını daraltır ve bütünlüğünden koparır.

Hiç kuşkusuz "totaliter İslam" anlayışı da bir görüştür. Ama bu görüş devlete egemen olursa, artık o devletin Demokratik bir rejimle yönetildiğini öne sürmek olanaksızlaşır.

Uzun bir süre başbakanlık müşteşarlığı koltuğunda oturduktan sonra şimdi milletvekili seçilmiş olan **Ömer Dinçer**'e ait olan yukarıdaki satırlar, "totaliter İslam" anlayışının Türkiye Cumhuriyeti Devleti'nde bürokrasinin en üst makamında ve siyasette egemen olduğuna işaret ediyor.

Türkiye'deki rejim böylece tedricen bir Dinci Oligarşi haline dönüştürülüyor.

Türkiye'de İslam Antiemperyalist Kimliğinden Sıyrılıp Amerikan Yandaşı "Ilımlı İslam" Kimliğine Nasıl Dönüştü?

Sevgili okurlarım, siyasal İslam konusunda en çarpıcı operasyon Türkiye'de 28 Şubat 1997'de, askerlerin müdahale benzeri girişimiyle yapıldı.

28 Şubat 1997 tarihli Milli Güvenlik Kurulu toplantısında artık Sovyetlerin çökmüş olduğuna işaret edilerek, komünizm milli tehdit olmaktan çıkarılmış, yerine irtica konmuştu.

Aynı toplantıda, zorunlu ilköğretim sekiz yıla çıkarılmış böylece İmam Hatip okullarının orta kısımları kapatılmıştı.

O sırada başbakan olan ve hem içteki hem de dıştaki dinci tutum, davranış ve temaslarıyla pek çok tepki çeken Refah Partisi Genel Başkanı **Necmettin Erbakan**, bu tepkileri azaltmak için, başbakanlık koltuğunu koalisyon ortağı, Doğru Yol Partisi Genel Başkanı **Tansu Çiller**'e devretmek için istifa etmişti.

Bunun üzerine, bu koalisyondan zaten rahatsızlık duyan DYP'li milletvekillerinin bir bölümü partilerinden ayrılıp koalisyondan desteklerini çekince, Cumhurbaşkanı **Süleyman Demirel**'in yeni kabineyi kurmakla görevlendirdiği **Mesut Yılmaz**'ın başbakanlığında başka bir koalisyon hükümeti kurulmuş, böylece **Erbakan** başkanlığındaki, ünlü adıyla Refah-Yol hükümeti iktidardan düşmüştü.

* * *

Erbakan, Amerikan karşıtı, Antiemperyalist bir dinci görüşü temsil ediyordu.

Bu niteliğiyle başta Türk Silahlı Kuvvetleri olmak kaydıyla hem içerdeki laik çevrelerin, hem de dışarda Amerika'nın tepkisini çekiyordu.

Önce Milli Nizam Partisi'ni kurmuş, bu parti dincilikten Anayasa Mahkemesi tarafından kapatılınca Milli Selamet Partisi'ni kurdurmuş, bu partinin genel başkanıyken **Bülent Ecevit**'le koalisyon yapıp hükümetin küçük ortağı olarak iktidara ortak olmuştu.

Daha sonra **Süleyman Demirel**'in Birinci ve İkinci Milliyetçi Cephe hükümetlerinde yer almış ve iktidarını sürdürmüştü.

1980 darbesinde Milli Selamet Partisi de kapatılınca, siyasal yasaklar kalktıktan sonra, bu kez Refah Partisi'ni kurarak siyasete devam etmişti.

Bu parti 1995 seçimlerinden birinci çıkınca seçim kampanyası sırasında kendisini, *"PKK'dan daha tehlikeli"* ilan eden **Tansu Çiller**'le koalisyon kurmuş ve başbakan olmuştu.

28 Şubat 1997 müdahalesi, Türkiye'de artık hem Antiemperyalist ve hem de Amerikan karşıtı bir İslamcı partinin iktidarının pek de sürdürülemeyeceğinin işareti olarak algılandı.

Zaten bir süre sonra, Refah Partisi de Anayasa Mahkemesi tarafından dincilikten kapatıldı.

Refah Partisi'nin kapatılması tehlikesine karşı daha önce Fazilet Partisi kurulmuştu.

Erbakan'ın öğrencileri ve yol arkadaşları olan genç politikacılar, Fazilet Partisi'nden ayrılarak **Recep Tayyip Erdoğan**'ın genel başkanlığında Amerika'ya yakın yeni bir İslamcı parti kurdular.

İşte ABD'nin büyük destek verdiği Adalet ve Kalkınma Partisi böyle yola çıktı, 2001'de kurulduktan çok kısa bir süre sonra da 2002 seçimleriyle iktidara geldi.

Bu arada **Erbakan** da yeni kurduğu Saadet Partisi'yle yoluna devam etti.

İlginç olan nokta, daha 1990'lı yıllarda **Recep Tayyip Erdo-**

ğan'ın ve **Abdullah Gül'ün**, Amerika'nın desteğiyle iktidara geleceklerine ilişkin söylentilerin yayınlanmaya başlamış olasıydı.

Zaten **Recep Tayyip Erdoğan**, AKP kurulduktan sonra daha başbakan olmadan Amerika'ya gitmiş ve Başkan **Bush** tarafından bir hükümet başkanı, bir lider gibi karşılanmıştı.

Dini siyasete alet etmekten yargılanıp hapse girdiği için 2002 seçimlerine katılamayınca, çıktıktan sonra CHP'nin de desteğiyle Anayasa değiştirilerek Siirt'te yapılan ara seçimle Meclis'e girmiş ve yerine başbakanlığı yürüten **Abdullah Gül'ün** istifasıyla hükümetin başına geçmişti.

Hapisteyken, ABD'nin İstanbul başkonsolosu tarafından resmen ziyaret edilmesi, Amerika'nın hem şahsına hem de Amerikancı ve İslamcı partisine olan desteğinin bir ifadesiydi.

İşte sevgili okurlarım, Amerikan karşıtı Antiemperyalist siyasal İslam'ın, Türkiye'de, Amerikan uzantısı, Ilımlı İslam biçimine dönüşmesinin ve iktidara gelmesinin kısa öyküsü budur.

AKP kurulduktan sonra, Amerikan karşıtı olan İslam'ın "Radikal İslam", Amerikan yandaşı olan İslam'ın ise "Ilımlı İslam" diye nitelenmesi dönemi başladı.

Türkiye'de Toplumu ve Devleti İslamlaştırma Kendiliğinden Değil, Zorlamalarla Gerçekleştiriliyor

Değerli okurlarım, birtakım yazarlar, Türkiye'de bugün yaşanan İslamlaşma sürecini, sanki kendiliğinden ortaya çıkan bir olgu gibi sunarak, bunun bir anlamda, doğal, normal yani kaçınılmaz bir olay olduğunu söylemek istiyorlar.

Bunların tezine göre, *"Türkiye Müslüman vatandaşlardan oluştuğu için, Cumhuriyet rejimi tarafından kurulan laik düzen, Demokratik hak ve özgürlükler geliştikçe, İslama kayacaktır ve bu İslamlaşma hem doğal, hem normal hem de Demokratik bir süreçtir."*

Bu nedenle de *"İslamlaşma sürecine karşı çıkmak, toplumun doğal gelişimine ve Demokrasiye karşı çıkmak anlamını taşır."* diyorlar.

Bu düşüncelerin daha da ötesini ve cesurunu **Ömer Dinçer** dile getirmiştir.

Dinçer'e göre, Türkiye Cumhuriyeti'nin Cumhuriyetçilik ilkesi önemini, etkisini ve gücünü yitirirken, Demokrasi güçlenmekte, bu ise halkın İslam inancına uygun devlet uygulamalarını gündeme getirmektedir.

Bir anlamda, **Ömer Dinçer**, Türkiye Cumhuriyeti'nin laik ve Demokratik rejiminin artık İslamlaşmasının sadece doğal ve normal olduğunu değil, böyle olmasının gerekli olduğunu da vurgulamaktadır.

Müsteşar olmadan önceki bir tebliğinde bu düşüncelerini savunan **Dinçer**, müsteşar olduktan sonra bu düşünceleri yeniden gündeme getirildiğinde, yine aynı görüşlerinin arkasında durduğunu açıkça belirtmiştir.

Şimdi de bu düşüncelerini Meclis'te savunacaktır.

* * *

Bu tezin hem tarihsel ve güncel, hem de evrensel ve yerel sakatlığı açıktır:

Tarihsel olarak Demokrasi, dinsel baskıdan kurtulabilen (Aydınlanma sürecini yaşamış) toplumlarda yeşermemiş midir?

Şimdi bu süreci tersine işletip laik ve Demokratik düzenden dinsel düzene geçmeyi, hem de Demokrasi adına, tarihsel açıdan bir gelişme olarak nasıl savunabilirsiniz?

Evrensel olarak, dinselleşme, Demokratikleşmenin doğal bir sonucu ise, niçin Hıristiyan Dünyası'ndaki Demokratik toplumların laik rejimleri dinsel yönetimler haline dönüşmedi ve dönüşmüyor?

Türkiye açısından dinselleşme, laiklikten geri dönüş olduğu için toplumun temel hak ve özgürlüklerini, İslami kültür ve siyaset açısından vesayet altına alarak Demokrasiyi tahrip etmez mi?

Bu soruların yanıtları açıktır:

Demokratik bir yapıdan –bu yapı Liderler Oligarşisi'ni ve yağma düzenini içeren bir yapıya dönüşmüş de olsa– Dinci Oligarşi'ye geçiş hem evrensel, hem tarihsel, hem de ulusal olarak yanlıştır.

* * *

Hüzünlü olan nokta, Türkiye'de İslam kültürü ve düşüncesiyle uzaktan yakından ilişkisi olmayan birtakım yazarların, siyasal ve ekonomik rant uğruna, (veya basit popülist kaygılarla) bu yanlış görüşlere destek vermesidir.

İşin ilginç yanı ise, İslamcı dönüşümü savunan yazarların, Cumhuriyet'in kuruluşunu toplumsal mühendislik olarak niteleyip üstelik başına bir de Jakoben sıfatı ekleyerek, Osmanlı'dan Cumhuriyet'e geçiş sürecini, Demokrasi adına karalama gayretleridir.

Oysa yine açıktır ki, bir din-tarım imparatorluğunda, Demokrasinin hiçbir altyapısının ve insanlarda vatandaşlık bilincinin oluşmadığı bir toplumda, Demokrasiye geçişin yolu ancak devrimdir.

Böyle bir devrimi, Demokrasinin altyapısının ve bireylerin vatandaşlık bilinçlerinin oluştuğu endüstri toplumlarındaki Demokratik süreçlerle yargılamanın yanlışlığı, açıktır.

Türkiye'de insanı hayrete düşüren bir başka nokta, kavramlar altüst edilirken, tarihsel ve bilimsel gerçeklerin bütünüyle çarpıtılmasına bilimsel çevrelerden hiçbir tepki gelmemesi, tam tersine bazı çevrelerin (ya da akademik unvanlı kişilerin) yine siyasal ve ekonomik rant uğruna (veya basit popülist kaygılarla) bu çarpıtmalara destek vermeleridir.

Burada işaret etmek istediğim bir başka çarpıtma, Cumhuriyet döneminde toplumun Demokratikleştirilmesi süreci için uygulanan devrimleri, İslamcıların, "Toplumsal mühendislik" diye niteleyerek karalama çabalarıdır.

Oysa Cumhuriyet dönemindeki devrimler tabii ki toplumsal mühendislik niteliği taşır ve toplumu Demokratikleştirmek için uygulanan bir dizi yasal, siyasal ve kültürel-eğitimsel önlemleri içerir.

Benim işaret etmek istediğim çarpıtma, aynı toplumsal mühendislik çabalarının, İslamcılar tarafından çok daha etkin ve Demokrasiyi tahrip eden bir biçimde, özellikle eğitimde ve siyasette kullanılmış ve kullanılmakta olmasıdır.

Yani bu yazarlara göre, toplumsal mühendisliği İslamcılar yapınca iyi, Cumhuriyet döneminde Demokrasi adına yapılınca kötü oluyor.

* * *

Bugün Türkiye'de görülen İslamlaşma eğilimleri, asla "kendiliğinden" olmayıp tamamen bu bilinçli ve planlı iç ve dış çabaların, yani önce Soğuk Savaş, sonra da Küreselleşme bağlamındaki toplumsal mühendisliğin bir sonucudur.

1945'te başlayan bu "geriye dönüş" ya da "dinselleşme" birkaç dönemde büyük ivme kazanmıştır.

Birinci ivme dönemi 1950'de Demokrat Parti'nin iktidara gelmesiyle ortaya çıkmıştır.

İkinci ivme döneminin başlangıcını 1975'te kurulan Birinci Milliyetçi Cephe hükümeti simgeler.

Üçüncü ivme dönemi **Fethullah Gülen**'in "cennetlik" diye nitelediği **Kenan Evren**'in liderliğindeki 1980 darbesiyle başlar.

Dördüncü ivme dönemi 1983'te **Turgut Özal**'ın başkanlığında kurulan ANAP hükümeti ile başlar.

Beşinci ve son ivme dönemi ise, AKP'nin iktidara geldiği 3 Kasım 2002 seçimleriyle başlamıştır ve bugün de hızlanarak devam etmektedir.

22 Temmuz 2007 seçimlerini ve 28 Ağustos 2007'de **Abdullah Gül**'ün cumhurbaşkanı seçilmesini *altıncı bir ivmenin* başlangıcı olarak kabul edebiliriz.

Beşinci ve altıncı dönemleri öncekilerinden ayıran bir özellik vardır:

Bu dönemde rejimin bir Dinci Oligarşi'ye dönüştürülme ivmesi, kendine önceki dönemlerde yeterli birikim sağlandığı ve Küreselleşme bağlamında, hem siyasal hem de ekonomik (sadece IMF desteği ve sıcak parayla değil, aynı zamanda Türkiye'ye kayan Arap sermayesi yoluyla) dış destek de temin edildiği için hız kazanmıştır.

Hükümetten sonra, Cumhurbaşkanlığı da denetime alınmış, kamu kurumlarındaki dönüşüm hızlandırılmıştır.

* * *

Her dönemde, bir yandan İslamcı Oligarşi'ye doğru yasal düzenlemeler yapılır ve bürokrasideki kadrolaşma gerçekleştirilirken, öte yandan esas olarak eğitim sistemi üzerinde etkili olunmuş, hem normal eğitim dinselleştirilmiş, hem de dinsel eğitim yaygınlaştırılmıştır.

Eğitime yapılan her yatırım, bir sonraki dönemdeki kültürü dinselleşme yönünde etkilemiş, böylece İslamcıların seçmen desteği yıllar içinde giderek yükselmiştir; bu gidişle daha da yükselecektir.

Bu arada, yasalarda ve eğitimde gerçekleştirilen İslamlaştırma atılımları sonuç verdikçe, devlet eliyle İslamcı sermayenin yaratılması ve güçlendirilmesi de gündeme gelmiş ve bu proje de başarıyla uygulanmaya başlanmıştır.

Devleti İslamlaştırma projesi gizli kapaklı bir biçimde hazırlanmamıştır.

Herkesin gözü önünde, devletin resmi belgelerinde yer alan bir biçimde hazırlanmıştır.

Devleti Dincileştirme Mühendisliğinin Bir Belgesi

Sevgili okurlarım şimdi size bir belge açıklayacağım.

Bunu okuduğunuz zaman devleti İslamlaştırma, rejimimizi Dinci Oligarşi haline dönüştürme projesinin ne denli planlı ve köklü bir proje olduğunu bir kez daha fark edeceksiniz.

Bu belge, kamuoyunda İkinci Milliyetçi Cephe hükümeti diye bilinen 41. Bakanlar Kurulu kararıyla kabul edilip Meclis'e sevk edilen Dördüncü Beş Yıllık Kalkınma Planı taslağının "Manevi Kalkınma" bölümüdür.

"4 ilkeden" ve "13 tedbir"den oluşan bu taslak, Milli Selamet Partisi, Milliyetçi Hareket Partisi ve Adalet Partisi tarafından kurulmuş ve 21 Temmuz 1977 ile 5 Ocak 1978 tarihleri arasında ülkeyi yönetmiş olan **Demirel** hükümeti tarafından Bakanlar Kurulu kararı haline getirilmiş ve Meclis'e sevk edilmiştir.

Bu hükümette **Necmettin Erbakan** ve **Alpaslan Türkeş** başbakan yardımcıları sıfatıyla görev yapmaktadırlar.

Dördüncü Beş Yıllık Plan Meclis'te yasalaşamadan hükümet düşmüş, yerine gelen **Ecevit** hükümeti bu metni de içeren taslağı Meclis'ten geri çekerek, yeni bir Kalkınma Planı hazırlamıştır.

Her ne kadar yasalaşmamışsa da, metin, Türkiye'nin "devlet eliyle İslamlaştırılma projesinin" ana belgelerinden biri niteliğiyle bir "Bakanlar Kurulu Kararı" olarak tarihteki yerini almıştır.

* * *

İkinci Milliyetçi Cephe hükümeti zamanında Bakanlar Kurulu tarafından kabul edilen ve 1977 tarihinde Meclis'e sevk edilen Dördüncü Beş Yıllık Kalkınma Planı taslağında, *Manevi Kalkınma* başlığı altında kararlaştırılan *İlkeler ve Tedbirler:*

İlkeler:
1) *Manevi kalkınma bir bütündür ve topyekûn planlama ihtiyacından doğmuştur. Manevi planlama ve kalkınma toplumun bütün kesimlerini içine alır. Manevi kalkınma ve planlama içerisinde; Aile, Milli Eğitim, Tiyatro, Sinema, Basın, TRT ve diğer müesseseler bulunur.*

2) *Milletimizin manevi ve maddi kalkınmasında birlik ve bütünlüğümüzün sağlanmasında güçlü ve tükenmez bir kaynak olan dinimizin ulvî prensiplerinden faydalanılacaktır.*

3) *Cumhuriyetimizin temeli olan Milli Kültürümüzün korunması, yaşatılması, geliştirilmesi, yeni nesillere ve bütün cihana duyurulması manevi kalkınmanın temel ilkelerindendir. Vatandaşların ve özellikle genç nesillerin milli kültür hazinelerimizle kaynaşması için her türlü tedbir alınacaktır.*

4) *Milli kültürümüzün yabancı ülkelerde layık olduğu şekilde ve en geniş ölçüde tanıtılması için yürütülen faaliyetler geliştirilecektir. Başka ülkelerdeki soydaşlarımızın kendi öz kültürlerini yaşatıp geliştirmek imkânlarından yarar-*

lanabilmeleri, insan haklarına kâmil manada sahip olmaları ve bulundukları ülke kanunlarının bahşettiği bütün haklardan eşit olarak faydalanmaları üzerinde titizlikle durulacaktır.

Tedbirler:

1) *Milletimizin medeni milletler topluluğu içinde şerefli tarihi ile mütenasip yerini alabilmesi için şûmüllü bir manevi kalkınma seferberliği ilgili kuruluşlarca başlatılacaktır. Bu maksatla gerekli planlama ve ilgili kuruluşlar arası koordinasyon Devlet Planlama Teşkilatı tarafından sağlanacaktır.*

2) *Manevi kalkınmada hizmet edecek kadronun yetiştirilmesi için İslami İlimler Fakülteleri, Akademileri, İmamhatip Okulları müfredatını uygulayan kız liseleri bütün yurt sathına yayılacaktır. Bu okulların kurulmasında halkın yardımı teşvik edilecek ve Vakıflar Genel Müdürlüğü'nün katkısı sağlanacaktır.*

3) *Uygulamadaki bir eşitsizliği ortadan kaldırma açısından İmam-hatip lisesi mezunlarına üniversite ve yüksek okullara girişte lise mezunlarına verilen haklar tanınacaktır.*

4) *Yüksek İslam Enstitüleri Akademi haline getirilerek, cemiyetimizin ve çağımızın çeşitli meselelerine çözümler getirecek ve yüksek vasıflı araştırıcı, uzman ve eğitici yetiştirecek dinamik bir yapıya kavuşturulacaktır.*

5) *İslami İlimler alanında ülkemizde ihtiyaç duyulan yüksek seviyede ilim adamlarımızın yurt içinde yetişmesini sağlamak ve tarihi ve kültürel bağlarımız bulunan ülkelere de hitabedebilecek vasıfta bir İslami İlimler Üniversitesi kurulacaktır. Ülkemizin sosyal güçlükleri dikkate alınarak, milli birlik ve beraberliğimize ve manevi kalkınmamıza sağlayacağı değerli katkılar nedeniyle bu tür üniversitelerin uzun vadede çoğaltılması hedef alınacaktır.*

6) *İlahiyat Fakültesi, İslami İlimler Fakültesi ve Yüksek İslam Enstitüleri (İslami İlimler Akademileri) mezunlarına orta dereceli okullarda tercihen din ve ahlak dersleri öğretmenliğine ilaveten sosyal ve kültürel derslerin öğretmenlik hakları da tanınacaktır.*

7) *Çeşitli iş yerleri, fabrikalar, askeri birlikler, hapishaneler gibi hizmetlerin toplu olarak görüldüğü yerlerde ihdas edilecek sosyal hizmetler kadrolarında Yüksek İslam Enstitüsü, İlahiyat Fakültesi ve İslami İlimler Fakültesi mezunları görevlendirilecektir.*

8) *Nesillere dünya görüşü kazandırmakta büyük ehemmiyeti olan ahlak, sosyoloji, felsefe, psikoloji gibi derslerin müfredat ve muhtevaları milli inanç ve manevi değerlere bağlılığı sağlayacak şekilde yeniden yazılacaktır.*

9) *Manevi ilimler sahasında yetkili uzmanlarca hazırlanmış özel terbiyevi programlar radyolar ve televizyon aracılığı ile yayınlanacaktır. Televizyon ve radyolarda yayınlanan çeşitli programların milli kültür, ahlak ve inanç ile bağdaşmasına itina gösterilecektir. Polis ve Meteoroloji radyoları gibi Diyanet İşleri Başkanlığına bağlı olarak kurulacak bir radyo istasyonu vasıtası ile yurt içi ve yurtdışında bulunan vatandaşlarımızın manevi alanda aydınlatılması sağlanacaktır.*

10) *Manevi kalkınma seferberliğinin uygulanmasında karşılaşılacak engelleri giderici mevzuat düzenlemesine gidilecektir.*

11) *Müspet ilimlere ait ders kitaplarında milletimizin bu ilimlere yaptığı hizmetleri tanıtan bölümlerin konulmasına önem verilecektir, yeni nesillere dünya görüşü aşılamakta önemli rol oynayan ahlak, sosyoloji, felsefe ve psikoloji gibi derslerin müfredatı ve kitapları, milli inanç ve manevi değerlere bağlılığı temin edici şekilde yeniden yazılacaktır.*

12) *Ecdat yadigarı vakıflarımızın korunması ve geliştirilmesine dikkat ve itina gösterilecek; yurtdışındaki vakıfları-*

mızla yakından ilgilenilecek ve vakıflar kuruluş gayeleri dışında kullanılmayacaktır.

13) Okullar, fabrikalar, hastaneler ve askeri birlikler için "sosyal görevler" ihdas edilecek, bu görevlere dini eğitim görmüş elemanlar getirilecektir.

* * *

Sevgili okurlarım, gördüğünüz gibi, 2000'li yıllardaki Türkiye'nin siyasal gündemi daha 1970'li yıllarda iyice belirlenmiş.

Bu süreci daha iyi anlayabilmek için, belki de Türkiye'deki kötü bir alışkanlığı kullanıp Dinci Oligarşik yapının oluşumunu siyasal liderler üzerinden vurgulamak daha çarpıcı olabilir:

Menderes dönemi uygulamaları **Demirel**'i yaratmıştır.

Demirel dönemi uygulamaları **Evren**'i ve **Özal**'ı yaratmıştır.

Evren ve Özal dönemi uygulamaları **Recep Tayyip Erdoğan**'ı yaratmıştır.

Şimdi asıl korkutucu soru şu:

Recep Tayyip Erdoğan dönemi uygulamaları kimi, daha doğrusu nasıl bir lideri ortaya çıkaracaktır?

11

Demokrasi ve Milli Egemenlik

Sevgili okurlarım, Milli Egemenlik, bir ülkenin hem dışarıya karşı bağımsızlığını hem de siyasal iktidarın gücünü milletten aldığını vurgulayan bir terimdir.

Mustafa Kemal Atatürk'ün Milli Egemenlik vurgusu, hem Türkiye Cumhuriyeti'nin kuruluşunu borçlu olduğu Kurtuluş Savaşı'nın Antiemperyalist, yani bağımsızlıkçı kimliğini, hem de yeni devletin, saltanata ve hilafete karşı millete, halka dayandığını açıklar.

Demokrasi ise, işte bu iki ilkenin devlet yönetimine yansımasını sağlayan bir siyasal rejimdir.

Tabii her Demokrasi bağımsız olmayabileceği gibi, her bağımsız devlet de Demokratik olmayabilir.

Bağımsız olmayan Demokrasiler İngiliz sömürgelerinde, Demokratik olmayan bağımsız devletler de genellikle Ortadoğu diktatörlüklerinde görülür.

Bu konudaki en çarpıcı ayrımı ve çözümlemeyi ünlü tarih bilimcisi **Bernard Lewis** yapmıştır.

Bir Ortadoğu uzmanı olan ve pek çok kitabı yanında bir de *Modern Türkiye'nin Doğuşu* adlı (*Emergence of Modern Turkey*) güzel bir yapıtı bulunan **Lewis**, son çalışmalarından birinde, *Yanlış Giden Ne Oldu? (What Went Wrong?)* adlı, Batı dünyası ile İslam âlemi arasındaki ilişkileri incelediği eserinde, bağımsız Arap diktatörlüklerinde Demokratik rejimin *gelişmemişliğine* dikkati çekmekte, hatanın burada olduğunu söylemektedir.

Tabii böylece **Mustafa Kemal Atatürk**'ün büyüklüğü ve Türkiye Cumhuriyeti'nin bütün İslam dünyasında tek ve biricik laik ve Demokratik devlet olmasının ayrıcalığı da bütünüyle ortaya çıkmaktadır.

Türkiye'de nasıl Demokrasi ve laiklik kavramları saptırılıyorsa, aynı biçimde ve aynı amaçla Milli Egemenlik kavramı da saptırılmakta, Dinci Oligarşi'nin aracı haline getirilmek istenmektedir.

Bu bölümde çok kısaca bu saptırmayı irdelemeye çalışacağım.

Kavramalar Neden ve Nasıl Saptırılıyor?

Sevgili okurlarım, ülkemizde, AKP iktidarının hemen öncesinde başlayan ama AKP'yi iktidara taşıyan 2002 seçimlerinden sonra hız kazanan ve bugün artarak süren bir kampanya var:

Bu kampanya Türkiye'deki Demokrasi, laiklik ve Milli Egemenlik gibi kavramların içini boşaltmaya çalışıyor.

* * *

Amerikan işgali altındaki Irak'ta katledilen üniversite profesörlerinin sayısı üç yüz dolayında.

Türkiye'de katledilen çağdaş ve demokrat aydınların, yazarların, üniversite hocalarının sayısı da bir düzineyi aşmıştı.

* * *

Bir ülkenin varlığını nasıl ortadan kaldırırsınız?

Tabii önce askeri olarak onu dize getirirsiniz.

Yenerek veya bağımlı kılarak.

Ama bu yetmez.

Ekonomik olarak da onu bağımlı hale getirmeniz gerekir:

Ticaret ve borçlanma yoluyla bunu da gerçekleştirirsiniz.

Bu da yetmez.

Bir ülkenin entelektüel birikimi var olmaya devam ettiği süre-
ce, onu hiçbir zaman tam anlamıyla yok edemezsiniz:

Entelektüel birikim, bu birikime dayalı tarih bilinci, ulus bi-
linci, bağımsızlık istenci, yurtseverlik duygusu, her an yeniden
parlayabilecek bir direniş kıvılcımını hazır tutar.

Son aşama olarak, askeri ve ekonomik bağımlılığa ilaveten, o
ülkenin entelektüel birikimini yok etmeniz gerekir.

Peki entelektüel birikimi nasıl yok edeceksiniz.

Ya aydınları öldürerek.

Ya aydınları bağımlı kılarak.

Ya eğitim sistemini çökerterek.

Ya kavram kargaşası yaratarak.

Ya da bütün bunları hep birlikte yaparak.

* * *

Rejimin laik niteliğine mi saldıracaksınız?

Hemen yeni bir laiklik tanımı yaparsınız; laikliğin içini boşal-
tan, onu anlamsız kılan bir tanım.

Örneğin, *"Laiklik, kamu alanında da inançların özgürce ifade
edilmesidir"* der ve laikliğin içini tümüyle boşaltırsınız.

Çünkü laiklik zaten kamu alanının her türlü inançtan arındı-
rılmış olması ilkesi üzerine dayalıdır.

Siz inançların kamu alanında ifade edilmesini savunduğunuz
anda, artık ortada ne laiklik ne Demokrasi kalır.

Rejimin Demokratik niteliğine mi saldıracaksınız?

Yine hemen yeni bir Demokrasi tanımı yapar, Demokrasinin
içini boşaltır onu anlamsız kılarsınız.

Örneğin, *"Demokrasi sandıktan çıkanların her kararının mu-
kaddes olduğu, sadece çoğunluk iradesine dayalı bir rejimdir"* der-
siniz.

Böylece Demokrasiyi bütün çoğunluk diktatörlüklerinden
ayıran başta muhalefet özgürlüğü olmak kaydıyla, tüm temel hak
ve özgürlükleri yok sayar, rejimi tahrip edersiniz.

* * *

Yeni tanımlamalarla yeterince kavram kargaşası yaratamadıysanız, tahrip etmek istediğiniz kavramın karşıtlarını da o kavramın kapsamı ve tanımı içine alır, böylece akılları iyice karıştırırsınız.

Birlikte var olması olanaksız varlıkları birbirleriyle tanımlarsınız:

"Yaşayan ölü" gibi oksimoron cümleler kurarsınız.

Örneğin, *"İran'da şeriatçı Demokrasi var"* dersiniz.

Böylece birbirinin bütünüyle tersi kavramlar olan şeriatı ve Demokrasiyi birlikte anar, kafaları tümüyle karıştırırsınız.

Ya da *"Stalin'in rejimi de halk Demokrasisiydi"* dersiniz.

Böylece kendi kendisini "Proleterya diktatörlüğü" olarak adlandırmış da olsa bir diktatörlük rejimini Demokrasiyle özdeşleştirirsiniz.

Hızınızı alamazsınız, faşizmi de Demokrasi tanımı içine sokar, *"İtalya'da Mussolini zamanında da korporatif Demokrasi vardı"* dersiniz.

Böylece faşizm ile Demokrasiyi de bir tutarak ortalığı iyice toz dumana boğarsanız.

Sevgili okurlarım, bu örneklerin hiçbiri uydurma ya da kuramsal değildir.

Hepsi kamuoyunun önünde açıkça yazılmış ya da söylenmiş ifadelerdir.

* * *

Türkiye'deki Demokratik ve laik rejimi kendi amaçlarına uygun olarak İslami ilkelere göre yeniden düzenlemek isteyenler ve onlara destek verenler, bir yandan aydınları öldürerek ve baskı altında tutarak, öte yandan eğitim sistemini yozlaştırarak, son olarak da temel kavram ve terimlerin içlerini boşaltarak Türkiye'nin entelektüel birikimini ortadan kaldırıyorlar.

Aslında yapılacak iş, bize Demokrasi diye dayatılmak istenen Liderler Oligarşisi, temsil adaletsizliği ve kurumlaşmış yağmayla sakatlanmış, dışa bağımlı ve hızla Dinci Oligarşi'ye kaydırılan "cici rejimin" içini gerçek Demokratik ve laik uygulamalarla doldurmanın tartışmasını başlatmaktır.

Milli Egemenlik, Milli İrade ve Demokrasi

Milli Egemenlik ve Milli İrade ancak Demokrasiyle anlam kazanır.

Demokrasinin tüm kurum ve kurallarıyla uygulanmadığı yani başta inanç özgürlüğü olmak üzere tüm temel hak ve özgürlüklerin devlet tarafından güvence altına alınmadığı toplumlarda ne Milli Egemenlikten ne de Milli İrade'den söz etmek olanağı vardır.

Milli Egemenlik, yönetenlerin iktidar erkini, Allah'tan ya da gelenekten değil milletten aldığını belirtir ve ayrıca bir dış ülkenin egemenliğini de reddeder.

Egemenliğin, yani yönetim erkinin dış kaynaklı olmaması bağımsızlığı, milletten gelmesi de din-tarım imparatorluklarına karşı Ulus Devlet anlayışını simgeler.

Ama gerek bağımsızlık, gerekse millete dayalı egemenlik, ancak Demokrasiyle bir anlam kazanır.

*　*　*

Milli İrade, Demokrasinin kurum ve kurallarına uygun olarak yapılmış olan serbest seçimlerin sonucunda belirlenen iktidarda somutlaşır.

İktidarın Demokratikliği ve meşruiyeti, sadece Milli İrade'ye dayanmasında, yani Demokrasiye uygun olarak yapılmış seçimlerle yönetime gelmesinde değil, yönetim erkini ele geçirdikten sonra da Demokrasiye uygun davranmasıyla ölçülür.

Yani Demokratik bir biçimde iktidara gelmiş de olsanız, Demokrasiyi tahrip edecek, ondan sapacak, örneğin iktidarınızın devamını Demokratik kurum ve kuralların üstünde ve dışında sürdürecek önlemler alamazsınız.

Seçim sistemini Demokratik kurum ve kuralların dışına taşıyarak, "ömür boyu iktidar için" seçim yaptıramazsınız.

Demokrasinin temeli olan, bireysel temel hak ve özgürlükleri ve bunların siyaset sahnesindeki yansıması olan muhalefet hakkını sınırlayamaz ve kısıtlayamazsınız.

Milli iradeye uygun olarak iktidara gelmiş de olsanız, Demokratik sistemin temeli olan laik ve Demokratik bir eğitimi, dinci temellere göre yeniden düzenleyemezsiniz.

Unutmayalım ki Almanya'da **Hitler** de seçimle iktidara gelmiş ve mevcut sistemi, güya "Milli İrade'ye" dayanarak ırkçı bir totaliter rejime dönüştürmüştü.

* * *

Bugünkü iktidar ve onun yandaşları istedikleri kadar, *"seçilmiş iktidar Milli Egemenliğe uygundur, Milli İrade'yi temsil eder, yaptığı her eylem, Demokrasiye uygundur"* diye bağırsınlar, dini eğitimin yaygınlaştırılmasının, üniversitelerin siyasal iktidara bağımlı kılınmasının, türban dedikleri sıkmabaş gibi dinsel simgelerin kamu alanlarında kullanılmasının Demokrasiyi tahrip ettiği gerçeğini örtemezler.

* * *

İktidar, seçimleri ikinci kez kazanmanın zafer sarhoşluğu içinde, önce cumhurbaşkanını tek başına belirledi, şimdi de Anayasa'yı değiştirmeye hazırlanıyor.

Sadece hükümet katında değil, devlet katında da tam anlamıyla hüküm sürüyor.

Bu hüküm sürme sırasında, hem üniversiteleri karşısına aldı, hem yargıyı hem de askeri bürokrasiyi.

Kendileri hakkında pek çok soruşturma var ama sanki sütten çıkmış ak kaşıkmışlar gibi, temizlik operasyonu yapacaklarını iddia ediyorlar.

Bu arada hazine arazilerini, orman bölgelerini ve sit alanlarını imara açıyorlar.

Tabii büyük bir kadrolaşma eylemi de ihmal edilmiyor.

Yönetimdeki politikacıların sadece kendileri hakkındaki değil, aileleriyle ilgili nüfuz suiistimali iddiaları da ayyuka çıktı.

* * *

Bütün bu toz duman içinde, basında ve televizyonlarda bir başka kavram kargaşası gündeme getiriliyor:

İktidarın bütün bu yaptıklarının ve daha da yapacaklarının "millet adına" olduğu, iktidarın, "Egemenlik kayıtsız şartsız milletindir" sloganına uygun hareket ettiği öne sürülüyor.

Böylece, Demokrasiyi, "çoğunluğun baskısı" yönündeki bir saptırmayla kötüye kullanma eğilimi, örtbas edilmek isteniyor.

Bir ülkede *"egemenlik kayıtsız koşulsuz ulusundur"* denebilir ama, o ülkede Demokrasi değil, çoğunluğun baskısı, yani açık ya da kapalı bir faşizm de uygulanabilir.

İşte **Hitler**, işte **Peron**, işte **Salazar**, işte **Franko**...

Dolayısıyla hiçbir iktidar *"Egemenlik kayıtsız şartsız milletindir"* diyerek, Meclis'ten Demokrasiyi zedeleyecek, insan haklarını ve özgürlüklerini sınırlayacak yasaları geçiremez; hele hele Demokrasinin temeli olan laikliği hiç sınırlayamaz ve kısıtlayamaz.

"Özgürlükçü Anayasa yapıyorum" diye laikliği sulandıran, çoğunluk diktatörlüğüne karşı konan denetimleri ve kurumları yozlaştıran bir Anayasa yapmaya kalkarsa toplumu yeni gerilimlere ve bunalımlara sürüklemekten başka bir başarı sağlayamaz.

* * *

Sevgili okurlarım, bu bölümü bitirirken iktidarı uyarmak istiyorum:

Hem Demokrasinin temel kurumlarını ve kurallarını zedeleyeceksin, hem yağmayı kurumlaştıracaksın, hem Dinci Oligarşi'nin yolunu açacaksın, hem de *"millet ne eylerse güzel eyler"* diye bu yaptıklarını Demokrasi adına yutturmaya kalkışacaksın.

Bu, olanaklı değildir.

Türkiye bu filmi 1950'lerde gördü.

Artık yeniden izlemek istemiyor.

12

Demokrasi ve Atatürkçülük

Değerli okurlarım, son zamanlarda Atatürk'e, Atatürkçülüğe veya Kemalizme saldırmak da moda oldu.

Bu konuda gerek *21. Yüzyılda Türkiye*, gerekse *Tarihimizle Yüzleşmek* adlı çalışmalarımda uzun açıklamalar yaptığım ve *Devrim Tarihi ve Toplumbilim Açısından Atatürk* ile *Atatürk Üzerine* adlı kitaplarımda zaten konuyu yeterince irdelediğim için burada son derece kısa bir özetle yetineceğim.

*   *   *

Atatürkçülük veya Kemalizm iki ögeden oluşur.

Birinci öge, Kurtuluş Savaşı ekseninde, Antiemperyalizm ve bağımsızlıktır.

İkinci öge ise Türkiye Cumhuriyeti'nin kurulması sürecindeki Aydınlanma atılımını amaçlayan devrimler, kısaca Atatürk Devrimleri denilen reformlardır.

Bu her iki öge birlikte, Türkiye Cumhuriyeti'nin Demokratik, laik ve sosyal bir hukuk devleti olmasının temelini oluşturur.

Tabii ki, Türkiye Cumhuriyeti Osmanlı Devleti'ne karşı kurulmuştur.

Tabii ki Türkiye Cumhuriyeti laik ve Demokratik bir yapıyı amaçlarken, Saltanata ve Hilafet'e karşıdır.

Tabii ki Türkiye Cumhuriyeti, din devletine, şeriata, Dinci Oligarşi'ye karşıdır.

Bir din-tarım imparatorluğunun, kulluğa, köleliğe bağlı feodal, toplumsal, kültürel ve ekonomik yapısı üzerine kurulduğundan dolayı tabii ki tepeden inmecidir, devrimcidir.

Tabii ki, içteki ve dıştaki dinciler, yani hâlâ devlet yapısının temeli olarak dini görmek isteyenler, egemenliğin kaynağını dinden ve gelenekten alıp onu halka, millete mal eden bu Ulus Devlete ve onu kuran **Mustafa Kemal Atatürk** ve arkadaşlarına karşıdırlar.

Tabii ki Türkiye'yi istedikleri gibi yönlendirmek ve yönetmek isteyen dış güçler yani Emperyalist emelleri olanlar, kendilerine engel olan Ulus Devlet yapısının ideolojisini oluşturan Atatürkçüğe karşıdırlar.

Atatürkçülük ile Kemalizm Ayrı İdeolojiler midir?

Türkiye Cumhuriyeti'nin laik ve Demokratik yapısına karşı çıkanların bir bölümü bunu açıkça **Atatürk** karşıtlığında dile getirmektedirler.

Bir bölümü ise, aslında birbirinden ayrılması olanaksız olan, Kurtuluş Savaşı aşaması ile, Cumhuriyeti kuran Aydınlanmacı devrimleri birbirinden ayırmakta, Birinci Aşama'ya Kemalizm, İkinci Aşama'ya ise Atatürkçülük diyerek, Kurtuluş Savaşı'nı kabul etmekte, Atatürk Devrimlerini ise reddetmektedir.

Kemalizm ile Atatürkçülük ayrımı yapılmasının *ikinci* bir nedeni de, Atatürkçülüğü, kuruluş döneminin uygulamalarını kapsayan Altı Ok'a indirgeme, sadece bu ilkeleri Kemalizm diye adlandırarak, Atatürkçülüğün Aydınlanmacı, evrensel yapısını yalnızca kuruluş dönemi ilkelerine hapsederek onu küçümseme çabasından kaynaklanmaktadır.

* * *

Burada hemen belirtmeliyim ki, Kemalizm ile Atatürkçülük arasında ayrım yapmak, ne amaçla olursa olsun, yanlıştır, tarihsel gerçekliği reddetme ve kavramları saptırma çabasıdır.

Kemalizm adı altında Atatürkçülük Kurtuluş Savaşı dönemi ile Cumhuriyet'in devrimler aracılığıyla kuruluş dönemi olarak ikiye bölünemez, bu iki büyük zafer birbirinden ayrılamaz ya da sadece Altı Ok kapsamına hapsedilemez.

Gerek Kurtuluş Savaşı, gerekse Aydınlanma Devrimleri ve Altı Ok, **Mustafa Kemal Atatürk**'ün kişiliğinde, eyleminde, yaşamında, ideolojisinde ve en önemlisi Türkiye Cumhuriyeti'nin varlığında bütünleşmiştir.

Kurtuluş Savaşı olmasa bağımsız Türkiye Cumhuriyeti kurulamaz, Aydınlanmacı Atatürk Devrimleri olmasa, toplum, Demokratik, laik, sosyal hukuk devleti idealini Anayasa'sına yazamaz ve bu yolda büyük başarılar gerçekleştiremezdi.

Atatürkçülükte Antiemperyalizm ile Çağdaşlık Çelişir mi?

Kimi **Atatürk** karşıtları, Kurtuluş Savaşı'nın Antiemperyalist niteliği ile, Atatürk Devrimlerinin, Aydınlanma'nın, Batı modeline uygun olmasından dolayı, Atatürkçülükte, Antiemperyalist olmakla, Batılı olmak arasında bir çelişki yaşandığını iddia eder.

Oysa bu iddia doğru değildir.

Tam tersine, Kurtuluş Savaşı'nın Antiemperyalist niteliği ile Türkiye'yi çağdaşlaştıran Batı modeli Aydınlanma devrimleri birbirini tamamlar:

Çünkü **Atatürk** bir gerçeği çok iyi anlamıştır:

Osmanlı'yı çökerten Batı gibi olabilmek için önce Batı'nın boyunduruğundan kurtulmak, bağımsız olmak gerekir.

Bir başka deyişle **Atatürk**, Batı ile eşit ve adil koşullarda yaşayabilmek, Batı gibi olabilmek için, önce Batı Emperyalizmi'nin boyunduruğundan kurtulmak gerektiğinin bilincindedir.

İleride değineceğim gibi Türkiye ile Avrupa Birliği ilişkilerine benziyor bu durum.

Birçok AB'ci kalem, bu satırların yazarı gibi çağdaşlıktan yana olan ama AB ile eşit ve adil koşullarda yaşamak için, Türkiye'ye dayatılan Ermeni soykırımını tanımak, Kıbrıs'taki haklarımızdan vazgeçmek gibi onur kırıcı koşulları ve birçok hakkı sınırlayan ikinci sınıf üyelik statüsünü reddedenlere AB karşıtı damgasını basıveriyor.

Oysa bu satırların yazarı ve onun gibi düşünenler, AB'ye karşı değil, AB'nin ayrımcı, adil ve eşitlikçi olmayan dayatmalarına karşıdır.

Biraz aşağıda bu konuya yine değineceğim.

Altı Ok'un Anlamı ve Önemi

Kemalizmi Altı Ok'a indirgeyip ona "tepeden inmeci", "jakoben", "ceberrut" gibi sıfatlarla saldırmanın ve Atatürkçülüğü küçümsemenin ise ne tarihsel ne de toplumsal bir gerçekliği vardır.

Çünkü Altı Ok, Atatürkçülüğün, 1920'ler, 1930'lar Anadolusu'nda bir Ulus Devlet yaratmak için kullandığı ilkelerdir.

Bir başka deyişle, feodal nitelikli bir din-tarım toplumundan, çağdaş bir Ulus Devlet, laik ve Demokratik bir yapı yaratmak için başvurulan yerel ve o zaman özgü ilkelerdir.

Asıl Atatürkçülüğün ilkesi akılcılık, bilimin yol göstericiliği ve Aydınlanma'dır.

Altı Ok, bu ilkenin 1920'ler, 1930'lar Türkiyesi'nde gerçekleştirilmesi için başvurulan yolları işaret eder ve Atatürkçülüğe yapılacak en büyük haksızlık, onun evrensel akılcılığını ve Aydınlanmacılığını bir dönemin uygulama ilkelerine indirgemek ve üstelik de onları *bağlamdışı* eleştirmektir.

* * *

"Bağlam dışı" eleştirmek dememin nedeni, o ilkelerin uygulandığı zamanı ve toplumsal yapıyı dikkate almadan, sanki bu ilkeler Endüstri Devrimi'ni yaşamış, Demokratik dönüşümünü gerçekleştirmiş bir toplumda uygulanıyormuşçasına yapılan eleştirilerdir.

Dönemin koşullarını kısaca anımsayalım:

Toprak ağalığının tümüyle egemenliğini sürdürdüğü, nüfusun sadece 11 milyonu bulduğu, bunun da hepsinin savaş yorgunu olduğu, yarısının ise verem, trahom ve sıtma gibi hastalıklarla boğuştuğu, okuma yazma oranının sadece yüzde 10'da kaldığı, yani okur yazar sayısının bir milyona ancak ulaştığı, onların da yarısının ancak isimlerini yazabildiği, bireylerin, vatandaş değil, kul niteliği taşıdığı, ekonomik gücü, fabrikası olmayan bir toplumdan söz ediyoruz.

Böyle bir yapıdan, bugünkü Türkiye Cumhuriyeti'ni üretebilmek, ancak Kurtuluş Savaşı zaferi benzeri bir mucizenin daha gerçekleştirilebilmesiyle olanaklı olmuştur.

Bu mucizenin temelinde de o yıllarda uygulanan Altı Ok programının başarısı yatmaktadır.

Tabii yıllar geçmiş, koşullar değişmiş, Türkiye gelişmiştir.

Bugün için Altı Ok bazı alanlarda hâlâ geçerliliğini koruyan, bazı alanlarda ise tarihsel ve manevi değeri olan bir ilkeler bütünüdür.

Ama nereden bakarsanız bakın Atatürkçülük, Altı Ok'a indirgenemez, çünkü onların ardında, yukarıda da belirttiğim gibi, akılcılık, bilimsellik, Aydınlanmacılık gibi çok daha evrensel ve genel çağdaşlaşma ilkeleri yatmaktadır.

Ulus Devlete ve Antiemperyalizme de Karşı Olanlar Atatürkçülüğe Saldırıyor

Sevgili okurlarım, **Atatürk**'e ve Atatürkçülüğe ne ad altında olursa olsun saldıranlar sadece dinciler ve onlara destek veren enteller değil.

Türkiye'nin Ulus Devlet yapısından rahatsızlık duyanlar da sırf antimilliyetçi veya ulusalcı karşıtı (ki bu ikisi de aynı anlamda kullanıyorum) ya da Antiemperyalizme karşı olan görüşlerle **Atatürk**'e ve Atatürkçülüğe saldırıyorlar.

Bunlar da içerde ve dışarıda olarak iki grup oluşturuyor.

İçerdekilerin başında tabii milliyetçilikten, ulusalcılıktan, Antiemperyalizmden hoşlanmayan, kimi zaman da nefret eden dinci ideoloji sahipleri var. (Burada bazı dincilerin Antiemperyalist olduklarını unutmayalım. Yani bazı dincilerin Atatürkçülüğe karşı çıkmalarının altında bu ideolojinin Antiemperyalist niteliklerinden başka nedenler yatıyor.)

Bunların yanında, AB'ci veya ABD'ci olan enteller, yazar çizerler de Atatürk milliyetçiliği kavramına ve Antiemperyalizme karşı olduklarından, bu kavram, AB ve ABD karşıtı söylemlere temel oluşturabileceğinden, **Atatürk**'e ve Atatürkçülüğe karşı çıkıyorlar.

Kemalizm'i, dar ulusalcı, sert, içeri ve içine kapanık yanlış bir ideolojik yapı gibi yorumlayıp hem AB'ye hem de ABD'ye karşı olarak takdim ediyorlar.

Oysa ülkesine "çağdaş uygarlığı" hedef göstermiş olan, yüzü Batı'ya dönük ama onlarla eşit ve adil koşullarla ilişki kurmak isteyen **Mustafa Kemal Atatürk**'e yapılan en büyük haksızlıktır bu.

Bu giriş niteliğindeki açıklamalardan sonra bir ideoloji olarak Atatürkçülüğü ve ulusalcılığı irdeleyebiliriz.

Atatürkçülük ve Ulusalcılık Kötü İdeolojiler midir?

Atatürkçülük.
Kendi başına bir "izm":
Kemalizm.

* * *

"İzm" ne demek?
"İdeoloji" demek.
Peki "ideoloji" ne demek:
Dünyayı ve topumu anlamaya yönelik tutarlı bir inanç ve düşünce sistemi demek.
Sor zamanlarda moda oldu.
Pek çok köşede okuyoruz:
"İzm'lere bağlı olmayın."
"İzm'ler kötüdür."

* * *

1960'lı ve 1970'li yıllarda "izm" denince akla gelen ideolojiler, Marksizm, Leninizm, Maoizm, Komünizm, Sosyalizm idi.

Sonunda 1980 darbesini gerçekleştiren egemen güçler, "ideoloji" sözcüğünü neredeyse yasadışı ilan etmişlerdi.

"Sen ideolojik konuşuyorsun" denildiğinde, aslında "Sen Komünistsin, vatan hainisin" demek isteniyordu.

* * *

Oysa ideolojisiz insan olmaz.

Hatta her insanın (genellikle birbiriyle tutarlı ama bazen de birbiriyle çelişebilen) birden çok ideolojisi olabilir.

Demokrasi de bir ideolojidir, din de, laiklik de, hümanizm de.

Örneğin bir insan, birbiriyle tutarlı olarak hem demokrat, hem dindar, hem laik, hem de hümanist olabilir.

* * *

Son zamanlarda dinci ve liberallik adı altında dincilik yapan yazarlar, 1960'ların, 1970'lerin geleneğini geri getirdiler ve "ideoloji" sözcüğüne yeniden olumsuz bir anlam yüklediler.

Bunlar, bu kez, "ideoloji" sözcüğünün eşitliğine Kemalizm, Nasyonalizm ve Laisizm kavramlarını yerleştirerek, bu kavramları karalamak için "ideoloji" terimine de saldırmaya başladılar:

"Atatürk iyidir, Kemalizm kötüdür!..."

"Milliyetçilik, ulusalcılık, nasyonalizm, faşizmle eşittir, kötüdür!..."

"Laiklik iyidir, laisizm kötüdür!..." gibi ipe sapa gelmez, kendi içinde çelişen, oksimoron vecizeler yumurtlamaya başladılar.

* * *

Herkes için bu "izm"lerin çağdaş anlamlarını bir kez daha yineleyelim:

Günümüzde Kemalizm, ne tepeden inmeciliktir, ne jakobenlik ne de Tek Parti Yönetimini istemektir.

Günümüzde Kemalizm, çağdaş uluslararası toplumun saygın

ve eşit haklı bir üyesi olmayı istemek, din-tarım toplumlarının inanca dayalı otoriter yapısını değil, endüstri-bilgi toplumlarının insan haklarına dayalı Demokratik yapısını benimsemek ve bunları gerçekleştirmek için de bilimin yol göstericiliğine inanmaktır.

Günümüzde milliyetçilik ya da ulusalcılık, ne ırka dayalı bir devlet ve toplum yapısını arzulamaktır, ne farklı din, ırk, dil sahiplerinin bir arada yaşamasına karşı çıkmak, ne de onlardan birini dışlamak veya öne çıkarmaktır.

Günümüzde ulusalcılık, ulusal çıkarları, öteki ulusların (özellikle de komşularımızın ve ABD'nin) kendi çıkarlarını savunduğu ölçüde, eşit ve adil olarak savunmaktır.

Ortalarda bir sürü kafa karıştıracak yanlış tanım ve yanlış yorum dolaşıyor.

Siz siz olun, kafakarıştırologlara kulak asmayın sevgili okurlarım.

Bu açıklamalardan sonra, Türkiye-Avrupa Birliği ilişkilerine Atatürkçülük, milliyetçilik ve yurtseverlik kavramları açısından bakabilir ve sonra da Demokrasimizle yüzleşebiliriz.

Avrupa Birliği, Yurtseverlik ve Milliyetçilik

İktidardaki politikacılarımızın, medyamızın ve onlarla aynı yöntemi kullanan bazı marjinal grupların değerli(!) katkılarıyla, Türkiye'de artık hemen hemen her türlü tartışma gibi, Avrupa Birliği ile Türkiye ilişkilerinin tartışılması da olanaksız hale geldi.

Birisi AB-Türkiye ilişkilerinde 3 Ekim 2005'te imzalanan Müzakere Çerçeve Belgesi'ni eleştirmeyegörsün, derhal saldırı hazır:

"Kemalist, üçüncü Dünyacı, statükocu, izolasyoncu, faşist milliyetçi!"

Ya da birileri **Müzakere Çerçeve Belgesi**'ndeki tuzakları da işaret ederek, bunlara karşın, Avrupa Birliği'yle birleşmenin çağdaş ve uygar Türkiye'nin uluslararası arenadaki nihai hedeflerinden biri olduğunu söylesin, derhal suçlama geliyor:

"Emperyalist uşağı, AB'ci, Türkiye düşmanı."

* * *

Türkiye Cumhuriyeti'nin, hızlı bir dönüşüm yaşadığı bir gerçek.

Ama bu dönüşümün ekonomik, siyasal, toplumsal boyutlarını tartışan yok.

Bu dönüşüm karşısında Türkiye'nin ne yapması gerektiğini soğukkanlı bir biçimde irdeleyen yok.

Varsa yoksa "ihanet" ana temalı bir mahalle kavgası:

"Sen hainsin!"

"Hayır, sen hainsin!"

Yaratılan kavga ortamında ve üretilen kavram kargaşası bağlamında Atatürkçülük veya Kemalizm de saptırılıyor, her iki grup da, Kemalizm'i ya da Atatürkçülüğü kendi anladığı gibi yorumlayıp, kendi görüşlerinin temeli yapmaya çalışıyor.

Ya da işine gelmediği zaman açıkça Atatürkçülüğe karşı çıkıyor.

Şimdi saplarla samanı birbirinden ayırıp, soğukkanlı bir biçimde kavramları ve tartışmayı yerli yerine oturtmaya çalışalım:

Atatürkçülük Türkiye için çağdaşlık, bilim ve uygarlık yoludur; bunun günümüzdeki ifadesi Anayasa'da yer alan "Demokratik, laik ve sosyal bir hukuk devleti"dir.

Avrupa Birliği, gerek kendi içinde gerekse Türkiye'de bu hedefi gerçekleştirmeye yönelik bir Birlik olarak kaldığı sürece, Türkiye'nin Birliğe katılması tabii ki Atatürkçülüğe uygundur.

Sorun esas olarak AB'nin yaptığı *altı* yanlıştan kaynaklanmaktadır:

Birinci olarak, AB, kendi içindeki dinci, ırkçı ve milliyetçi ögelerden dolayı zaman zaman, örneğin AB Anayasası'na Hıristiyan değerlerinin eklenmesi çabaları sırasında olduğu gibi, bu somut çağdaş Demokrasi hedefinden kayma eğilimleri göstermektedir.

İkinci olarak, AB, içine almaya hazırlandığı Türkiye'yle imzaladığı "Müzakere Çerçeve Belgesi" bağlamında olduğu gibi, Türkiye'ye, öteki üyelerle eşit muamele yapmamaktadır.

Üçüncü olarak, Ermeniler gibi, Rumlar gibi, Kürt kardeşlerimiz gibi grupların Türkiye dışındaki aşırı ögeleri, tarihsel sorunlardan kaynaklanan ve Türkiye aleyhine olan taleplerini AB çerçevesinde dayatmaya kalkışmakta ve kimi zaman Avrupa Parlamentosu'nun aldığı "Ermeni Soykırımını Tanı" kararı gibi, bu çabalarında başarıya da ulaşmaktadır.

Dördüncü olarak, kimi AB yöneticileri, doğrudan doğruya Türkiye'nin çağdaş ve laik Demokrasisinin temeli olan Atatürk Devrimlerini hedef alarak, *"Türkiye Kemalizm'i reddetmelidir"* gibi yanlış ve haksız bir öneriyi gündeme getirmektedir.

Beşinci olarak, Türkiye içinde yeni azınlıklar yaratmaya teşebbüs etmekte, Kürtler ve Aleviler gibi bu ülkenin eşit koşullu asli vatandaşlarını azınlık diye nitelemeye, onları, bölücü ve ayrımcı bir çizgiye çekmeye çalışmaktadır.

Oysa Kürtler bu ülkenin kurtuluşunda Türk kardeşleriyle omuz omuza Kurtuluş Savaşı'na katılmışlar ve Türkiye Cumhuriyeti'nin kuruluşuna katkıda bulunmuşlardır.

Bugün de sadece Güneydoğu'da değil, İstanbul gibi büyük kentlerde de yaşamakta, siyasette, iş yaşamında başarılı olmakta ve Türkiye Cumhuriyeti'nin en etkili, en zengin insanları olarak varlıklarını sürdürmektedir.

Alevilerimiz ise, bırakın yüzyıllarca zulme uğramış olmayı, bırakın Kurtuluş Savaşı'ndaki rollerini, hayat felsefeleri, yaşama biçimleri ve Atatürk Devrimlerini benimsemiş dünya görüşleri itibarıyla Türkiye'de Demokrasinin güvenceleridir.

Altıncı olarak AB, Türkiye'nin üyeliğiyle doğrudan ilişkili olmayan, olmadığı ve olmayacağı güvencesi verilen Kıbrıs gibi konularda veya Ermeni Soykırımı iddialarında ülkenin çıkarlarına aykırı dayatmalar yapmaktadır.

Özetlersek, AB'yle bütünleşme, ideal bir hedef olarak hiç kuşkusuz Atatürkçülükle, yurtseverlikle çatışmaz, tam tersine onlara uygundur ama...

İşte burada koskocaman bir "Ama" var:

"Demokratik, laik ve sosyal bir hukuk devleti" idealini, çağdaş bir uygarlık projesi olan AB içinde gerçekleştirmek isteyen Türkiye Cumhuriyeti, kendisini bu hedeften saptıracak olan şu *beş* alanda Atatürkçülükle de, yurtseverlikle de ters düşme durumuyla karşı karşıyadır:

1) AB içindeki dinci, ırkçı, milliyetçi (yani ayrımcı) ögelerin baskılarına boyun eğemez.
2) Kendisine eşitliğe aykırı davranılmasını, ikinci sınıf üyeliğe ilişkin koşullar dayatılmasını kabul edemez.
3) AB'yle ilgisi olmayan, tarihten gelen ulusal sorunları bağlamında karşı gruplara haksız ödünler verilmesini kabul edemez.
4) Demokrasisinin temelini oluşturan Atatürk ilkelerini reddedemez.
5) Türkiye'de yeni azınlık gruplarının yaratılmasını kabul edemez.

Yani Atatürkçülük ve yurtseverlik adına, hedef tamam ama uygulama önerisi Türkiye için kabul edilemeyecek dayatmalar içeriyor.

Atatürkçülük Tabii ki Demokratiktir

Sevgili okurlarım, buraya kadar Atatürkçülüğün gerek ideolojik, gerekse tarihisel ve felsefi anlamını irdelemeye, bugünkü Türkiye'nin AB'yle olan ilişkilerindeki konumunu açıklamaya çalıştım.

Şimdi yine çok kısa olarak doğrudan doğruya Atatürkçülük ile Demokrasinin ilişkilerini özetleyelim:

Gerek **Atatürk**'ün döneminde, gerekse bugün Atatürkçülüğün veya Kemalizmin ana ilkesinin Demokratik ve laik, çağdaş bir rejim yaratmak olduğunda en ufak bir kuşku yoktur.

Atatürk'e ve Atatürkçülüğe karşı çıkanların, Osmanlı toplumsal yapısından çağdaş bir Ulus Devlet yapısına doğru gerçekleştirilen dönüşüm sırasında, devrimlerin halka zorla kabul ettirildiği, Demokratik olmadığı biçimindeki savların hiçbir geçerliliği yoktur:

Endüstrileşmeyi yaşamamış hiçbir feodal din-tarım toplumu kendiliğinden Demokratik bir yapıya geçmemiştir.

Bırakın Endüstrileşmeyi yaşamamış feodal toplumları, Endüstrileşme sürecini yaşayarak Demokrasiye geçen toplumlarda bile bu dönüşüm, çok uzun zaman almış ve çok kanlı olmuştur.

Atatürk, bu uzun ve acılı süreci son derece kısa bir sürede ve Batı'daki örneklerinden çok daha sarsıntısız ve kansız bir biçimde gerçekleştirme başarısını göstermiştir.

* * *

Altı Ok arasında Demokrasi yerine Cumhuriyetçiliğin yer alması, Demokrasi hedeflenmediği için değil, tam tersine, yeni devlet saltanata ve hilafete karşı kurulduğundan, devlet biçiminin vurgulanarak Demokrasi yolunun açılması içindir.

Nitekim Halkçılık ilkesi bu niyetin toplumsal yapı açısından açıkça ifade edilmesi anlamını taşır.

Üstelik Atatürk pek çok konuşmasında Cumhuriyet ile Demokrasiyi aynı gördüğünü, hedefin Demokratik bir toplum olduğunu açıkça vurgulamıştır.

Nitekim, kendisinin bizzat bir muhalefet partisi kurdurması ve çok partili denemeye girişmesi bu niyetinin ifadesidir.

* * *

Günümüzde Kemalizm'in veya Atatürkçülüğün Demokrasi karşıtı olması da söz konusu edilemez.

Bu tartışma hem Atatürk karşıtlarının saptırmalarından hem de Soğuk Savaş darbesi olan baskıcı 12 Eylül 1980 askeri harekatının Atatürkçülük adına yapılmış olmasından kaynaklanmaktadır.

Bu darbeyi yapanlar Atatürkçülüğü kendi anlayışlarına göre çarpıtmışlar, pek çok haksızlığı ve pek çok Atatürkçülük karşıtı uygulamayı Atatürkçülük maskesi altında gerçekleştirmişlerdir.

Gerçek Atatürkçülere ve sosyal demokratlara büyük baskı uygulayan 12 Eylül Yönetimi, **Atatürk**'ün mirasını bile zedelemiş, kurduğu Türk Tarih ve Türk Dil kurumlarına el koyarak, bunları devletleştirmiştir.

Radikal siyasal İslamcılar tarafından bombayla öldürülen gerçek Atatürkçü rahmetli **Ahmet Taner Kışlalı**'nın "Evren Atatürkçülüğü" diye çok ağır eleştirdiği bu uygulamalar, hem Atatürkçü ideolojiyi lekelemiş hem de özellikle eğitimde yaptığı değişikliklerle Dinci Oligarşi'ye iktidar yolunu açmıştır.

Düşünün sevgili okurlarım, kendisine Atatürkçü diyen bu darbeciler, din derslerini zorunlu hale getirmiş, İmam Hatip liselerinden üniversitelere her bölüme doğrudan giriş olanağı tanımış, üniversitelerdeki demokrat bilim insanlarını tasfiye etmiş onların yerine dincilikleri ağır basan öğretmenler ve yöneticiler atamış, her türlü sol etkinliği, sendikaları yasaklamıştır

Tabii bütün bu yapılanların sonunda **Kenan Evren**, **Fethullah Gülen** tarafından "cennetlik" diye övülmüştür.

Böylece 12 Eylülcüler Cumhuriyet kurulalı beri, Demokratik ve laik rejimin yediği en büyük darbeyi gerçekleştirmişlerdir.

* * *

Gerçek Atatürkçülerin hedefi, inancı, doğal olarak Demokratik ve laik rejimin sarsıntısız devamıdır.

Onları darbecilikle, tepeden inmecilikle suçlayanlar, Demokratik rejimi Dinci Oligarşi'ye dönüştürmek isteyenler ve onlara destek verenlerdir.

Atatürk'ün, Tarih, İnsanlık ve Bilim Açısından Evrensel Önemi

Sevgili okurlarım bu bölümü bitirirken, **Atatürk**'ün önemi hakkında gözden kaçtığını düşündüğüm bir noktaya daha değinmek istiyorum.

Atatürk, sadece, güçsüzleşmiş, yenilmiş ve işgal edilmiş bir imparatorluk koşullarında, Birinci Dünya Savaşı'nın galip devletleri olan İngiltere'ye, Fransa'ya, İtalya'ya, ayrıca Yunanlılara,

Ermenilere ve Halifeci iç isyanlara karşı bir Kurtuluş Savaşı'nı kazandığı için önemli değildir.

Atatürk, sadece, feodal bir din-tarım imparatorluğunun toplumsal, siyasal ve ekonomik yapısı üzerine, Demokratik ve laik çağdaş bir devlet yapısı kurabildiği için de önemli değildir.

Tabii bunlar mucize niteliğinde birer başarı.

Ama Atatürk'ün tarih, insanlık ve bilim açısından üç önemi daha var ki, bunlar, yukarıdaki başarıların bir sonucudur.

Tarih, insanlık ve din açısından Atatürk'ün taşıdığı *evrensel önemin birincisi*, belki de büyük alim Gazali'nin içtihat kapısını kapatıcı etkisiyle kendi içinde evrimleşemeyen, reform sürecini yaşayamayan ve bu nedenle de çağdaşlaşamayan, laikleşemeyen İslam dinini, Türkiye Cumhuriyeti'nin laik yapısı içindeki Müslüman vatandaşlarının yaşam biçimleri olarak, evrimleştirdiği, laikleştirdiği ve çağdaşlaştırdığı gerçeğidir.

59 devlete ve 1,5 milyarlık nüfusa sahip olan İslam Âlemi'nin, bu Âlemin tek ve biricik laik ve Demokratik devletini kabul edememesinin veya kabul etmekte zorlanmasının, sonuç olarak Atatürk düşmanlığını ve laiklik karşıtlığını körüklemesinin ana nedenlerinden biri de budur.

Atatürk'ün tarih, insanlık, siyaset bilimi ve sosyoloji açısından sahip olduğu *ikinci evrensel önem*, feodal bir din-tarım imparatorluğundan çağdaş bir topluma geçisin, doğal ve normal evrim koşulları dışında, devrimlerle de gerçekleşebileceğini kanıtlamış olmasıdır.

Üçüncü olarak, Atatürk, Marksist, Komünist ya da Sosyalist nitelikli Antiemperyalist direniş ve kurtuluş hareketlerinin dışında, Batı dünyasının ürettiği çağdaş ve uygar değerlere uygun olarak, onlara ulaşmak ve onları benimsemek uğrunda, yine Batı dünyasına karşı Antiemperyalist bir Kurtuluş Savaşı yapan ve bunu kazanan tek liderdir.

Bu da onu, tarih, insanlık ve siyaset bilimi açısından çok önemli yapan nedenlerden biridir.

13

Demokrasi ve Askerler

Demokrasiyle yüzleşirken, Cumhuriyeti kurmuş olan, laik ve Demokratik düzenin yerleşmesi için gerekli olan devrimlerin gerçekleşmesinde kesin desteğini Tek Parti Dönemi'ndeki siyasetin arkasına koyan, Çok Partili Dönemi'nde ise üç tam darbe, bir yarım müdahale gerçekleştirmiş olan askerlerin Demokrasiyle ilişkilerine değinmemek olanaklı değil.

Zaten Türkiye'deki siyaseti bu denli etkileyen askerlerin rolleri ve etkileri konusunda bir toplumbilim öğrencisi olarak çok uzun zamandan beri araştırmalar ve gözlemler yapıyorum.

Bunların sonuçlarını *21. Yüzyılda Türkiye* adlı çalışmamda ve bundan önceki son kitabım olan *Tarihimizle Yüzleşmek*'te uzun uzun anlattım.

Askerlerin siyasetle ilişkilerini incelediğim *28 Şubat ve Demokrasi* adlı bir kitabım da var.

Sözün kısası, bu konudaki araştırmalarım, gözlemlerimi, düşüncelerimi pek çok yerde yazdım.

Meraklısı bu kaynaklara bakabilir.

Bu nedenle, bu bölümde bazı temel belirleyici bulgulara ve çözümleme yöntemlerine işaret etmekle yetinecek ve derhal sonuçlara geçeceğim.

* * *

Siyasal Eylemleri Değerlendirmede Ölçüt Sivil-Asker Ayrımı Değil, Demokrasidir

Son zamanlarda Atatürk'e saldırmak kadar, askerlere vurmak da bir moda haline geldi.

Hiç kuşku yok ki değişme dönemlerinde hem toplumsal farklılıklar daha fazla vurgulanır, hem de bireysel sapmalar daha bir sivrilir.

Türkiye, büyük bir değişim geçiriyor.

Demokratik ve laik rejim, artık ABD'nin de büyük desteği sonucunda yavaş yavaş Dinci Oligarşi'nin denetimine giriyor.

Dolayısıyla, bugüne kadar yaşadığımız bütün toplumsal kırılma çizgileri ve tartışma konuları yeniden, üstelik daha da sert bir biçimde gündemde.

Ayrıca, bütün bireysel kompleksler, hırslar, kinler, intikam duyguları ve hesaplaşmalar, insanların kişilik özelliklerini yansıtan bir biçimde, bu kırılma çizgileri etrafında ortaya dökülüyor.

Kavramların içleri boşaltılıyor, terimlere yeni anlamlar yükleniyor.

Örneğin, Türkiye'de genellikle "dinci totalitarizm" yani şeriatçılar için kullanılan "gerici" sözcüğü, yukarıda anlattığım süreçler sonunda, bilime dönük ve geleceğe açık bir ideoloji olan "Atatürkçülük" için de yaygın bir biçimde kullanılarak saptırılmaya çalışılıyor.

Ya da "Demokrasi":

Temel hak ve özgürlüklerin çoğunluğa karşı da korunarak geliştirilmesine dayalı bu terim, *"millet ne eylerse güzel eyler"* anlayışı içinde, özünden saptırılıp, "çoğunluğun diktatörlüğüne" dönük bir biçimde kullanılmaya başlandığını söylemiştik.

Bütün bu süreç içinde klasik; Türk-Kürt, Alevi-Sünni, asker-sivil, dinci-laik (dikkat edelim, "dindar" değil, "dinci") ayrımları da, Türkiye'yi, gerçek hedefi olan ya da en azından olması gereken, "Demokrasi" idealinden saptırmak amacıyla kullanılıyor.

* * *

Toplum için yapılanlar, atılan adımlar, yapılan işin Demokrasiyi geliştireceği mi yoksa sınırlayıp kısıtlayacağı mı düşünülmeden, sadece o işi yapanın kimliğine göre, bir takım tutma havası içinde değerlendiriliyor.

Askerlerin, bırakın rejimin temel niteliği hakkında, güvenlik ve savunma konularında konuşması bile eleştiriliyor.

Eskiden askeri yönetimlere en büyük dalkavuklukları yapanlar, şimdi askerlere karşı tam cephe almış durumdalar.

Bu arada askeri darbeleri eleştiren, açıkça Demokrasiden yana tavır koymuş olan, bu uğurda tutuklanmış ve hatta işkence görmüş pek çok kişiyi de, tarihe ve gerçeklere ters düşen bir biçimde, asker yandaşı, daha doğrusu Demokrasi karşıtı olmakla suçluyor ve eleştiriyorlar.

*　*　*

Ben bu konudaki toplumsal ve siyasal değerlendirme ölçütünün, asker-sivil ayrımı değil, Demokrasi olması gerektiğini düşünüyorum.

Yani önemli olan, bir işi askerlerin mi sivillerin mi yaptığı değil, yapılan işin Demokrasiyi geliştirip geliştirmediğidir.

Bu çerçevede bakıldığında, genç Cumhuriyetimiz'in tarihinde askerlerin pek de tutarlı olmadıklarını görürüz.

Bırakınız farklı askeri yönetimleri, aynı eylem içinde bile, örneğin 27 Mayıs 1960'ta, bir yandan 1961 Anayasası'nın kabulü gibi Demokrasiyi geliştiren işler yapılırken, öte yandan siyasetçileri asmak gibi Demokrasiyi lekeleyecek uygulamalar da olmuştur.

Tarihin, sivil-asker kavgası yerine Demokrasi çizgisinde tartışılması hem Türkiye'deki Demokrasi kültürünü geliştirecek, hem de lüzumsuz bir yeni kamplaşmanın, şu anda hiç işimize yaramayacak olan yeni bir zıtlaşmanın filizlenmesini önleyecektir.

*　*　*

Ayrıca, tarihi bir sivil-asker zıtlaşması çerçevesinde, *"sivillerin yaptıkları iyidir, askerlerin yaptıkları kötüdür"* anlayışıyla çözümlemek ve yorumlamak isteyenlere bir sorum var:

Hitler bir sivil politikacıydı, üstelik de seçim kazanarak iktidara gelmişti.

Mustafa Kemal Atatürk bir askerdi ve Kurtuluş Savaşı'nı kazanarak iktidara gelmişti.

Şimdi Hitler, sivildi ve seçimle iktidara geldi diye faşizmi iyi, Mustafa Kemal Atatürk askerdi ve Kurtuluş Savaşı'nı kazanmıştı diye, işgal edilmiş bir din imparatorluğunun yerine kurulan bağımsız, laik ve Demokratik Türkiye Cumhuriyeti'ni kötü mü kabul edeceğiz?

Askeri Darbeler Zıt Siyasal Eğilimleri Belirlediği Gibi, Birbirlerine de Karşı Yapılmıştır

Sevgili okurlarım, 27 Mayıs 1960 askeri darbesi, Demokrat Parti'nin Demokrasiyi yozlaştırmasını ve bir "çoğunluk diktatörlüğüne" dönüştürmesini engellemek için yapılmıştı.

1961 Anayasası'yla de gerçekten de Türkiye'ye Demokrasi açısından çağ atlatmış, Cumhuriyet'in klasik Demokrasisini bir Sosyal Refah Devleti rejimine dönüştürmüştü.

Ne yazık ki, yukarıda da belirttiğim gibi, Menderes'in Zorlu'nun ve Polatkan'ın idam edilmeleri bu darbenin Demokratik kimliğine gölge düşürmüştür.

Bu nedenle, Sosyal Refah Devleti'ni kuran 27 darbesi bir anlamda da, sağcı politikacılarda bir intikam duygusu yaratmış ve Türkiye bugüne kadar bu duygudan kurtulamamıştır.

27 Mayıs 1960 Darbesi

27 Mayıs darbesi Soğuk Savaş Dönemi'nde yapılmış olmakla birlikte, Antikomünist çizgide klasik bir Soğuk Savaş eylemi değildi.

Tam tersine, Türkiye'ye çağdaş Demokrasi bağlamında çağ atlatacak gelişme ve değişmelerin önünü açmıştı.

Sendikacılığın geliştirilmesi, toplu sözleşme ve grev hakkı, üniversite özerkliği, özerk Radyo ve Televizyon Kurumu, basın özgürlüğü, ekonomik kalkınma için Devlet Planlama Teşkilatı, Anayasa Mahkemesi, Senato, yargı bağımsızlığı ve güvencesi, devletin vatandaşlarına karşı ekonomik sorumluluklarının da vurgulanması hep 1961 Anayasası'nın getirdiği yeniliklerdi.

Cumhuriyet'in ilanıyla kurulan Ulus Devlet, kabul edilen yeni Anayasa'yla çağdaş bir nitelik kazanıyor, "Sosyal Refah Devleti" kimliğine kavuşuyordu.

Ne yazık ki, Türkiye'nin o sıradaki toplumsal, siyasal ve ekonomik yapısı, yine yukarıdan yapılan reformlarla gerçekleştirilen bu sıçramayı hazmedecek kapasitede değildi.

12 Mart 1971 Darbesi

Nitekim, 12 Mart 1971 askeri darbesi, doğrudan doğruya 27 Mayıs darbesine ve 1961 Anayasası'na karşı bir hareket niteliğiyle gerçekleştirildi.

Bu niteliğiyle toplumsal ve siyasal anlamda tam bir karşıdarbe özelliği taşıyordu.

Ne yazık ki yine Atatürkçülüğün ardına sığınan 12 Mart darbecilerinin lideri, dönemin Genel Kurmay Başkanı Orgeneral **Memduh Tağmaç**, darbenin gerekçesi olarak *"Sosyal uyanış, ekonomik kalkınmayı aştı"* diyor, böylece hareketin sağcı ve tutucu yani faşizan kimliğini açıkça belirtmekten çekinmiyordu.

* * *

12 Mart 1971 darbesi, 1961 Anayasası'nı tam anlamıyla değiştirememiş, sadece bazı düzeltmeler(!) yapmıştı.

Oysa hedef, Türkiye'deki Demokratik gelişmenin ve bir anlamda sola açılmanın önünü bütünüyle kesmekti.

Dönemin Soğuk Savaş Dönemi olduğu ve bütün Türkiye'nin bir ileri karakol işlevi gördüğü Batı dünyasına Antikomünist bir yaklaşımın egemen olduğu unutulmasın.

Solcu yazarlara en insanlık dışı muameleler yapan işkencecilerin söylediği gibi *"hesaplaşma bitmemişti"* karşı devrim devam edecekti.

12 Eylül 1980 Darbesi

12 Eylül 1980 yılında askerler bir kez daha darbe yaptılar ve tüm rejimi, Anayasa'yı da değiştirerek kendi istedikleri biçimde, Soğuk Savaş ilkelerine uygun bir Antikomünist yapıda düzenlediler.

1980 darbesi, askeri müdahaleler arasında en kapsamlı, en etkili olanıdır.

Tümüyle 27 darbesinin ve 1961 Anayasası'nın getirdiği düzene karşı yapılmıştır.

Yani asker, askere karşı darbe yapmıştır.

Hem Demokratik açıdan Türkiye'nin önünü kesmiş, hem de Dinci Oligarşi'nin önünü açarak ve ona açıkça destek vererek, bugünkü bunalımların ve rejim sorunlarının hızlanmasına ve keskinleşmesine yol açmıştır.

* * *

12 Eylül darbesi, tam anlamıyla 27 Mayıs darbesinin ve 1961 Anayasası'nın getirdiği Sosyal Refah Devleti ilkelerinden, özgürlükçü Demokratik ve laik rejimden geriye dönüşü vurguluyordu.

Tabii bu kez de ABD, tüm gücüyle darbenin arkasında yer almıştı.

12 Eylül darbesi, ülkedeki tüm Demokratik birikimleri bastırmış, sol siyaseti ve örgütleri ortadan kaldırmış, halkı depolitize etmiştir.

Bütün siyasal partilerin kapatılmasına ve bazı politikacıların tutuklanmasına ek olarak, işçi hakları ve sendikalar sınırlanmış ve kısıtlanmış, üniversitelere el konmuş, bilim özgürlüğü yok edilmiş, tüm üniversiteler YÖK çerçevesinde ilkokullar gibi tek bir yapı içine alınarak, yapılan öğretim üyesi tasfiyesinden sonra, öğretim üyesi ve yönetici kadroları dinci kişilerle doldurulmuş, Senato kaldırılmış, din dersleri hem de Anayasa hükmü olarak zorunlu hale getirilmiş, İmam Hatip okullarının mezunları doğrudan üniversitelere alınarak savcı, yargıç, avukat, kaymakam, vali ve emniyet müdürlerinin din eğitimi almış kişilerden oluşması sağlanmış, sonuç olarak gelecekteki Dinci Oligarşi yönetiminin temelleri iyice güçlendirilmişti.

Üstelik, darbe döneminden, sınırlı ve kısıtlı Demokrasiye geçiş döneminde, partilerin yasaklanması, milletvekili adaylarının veto edilmesi gibi her türlü Antidemokratik önlem kullanılarak, iktidarın, ABD'nin adamı olan **Turgut Özal**'a devri sağlanmıştı.

Tek bir örnek vermek gerekirse, Demokratik duruşu hakkında en ufak bir tereddüt bulunmayan, eski dönemde de politikaya bulaşmamış olan **Erdal İnönü** bile yasaklanmıştı.

Tabii bütün eski politikacılara da siyaset yasaklanmıştı.

Referanduma sunulan 1982 Anayasası'nın güya "Demokratik" oylaması tam bir maskaralıktı:

Darbenin lideri **Evren**'in de Cumhurbaşkanlığının kabul edileceği oylamada hem oy zarfları, atılan oyun rengini gösterecek kadar şeffaf yapılmıştı, hem de bu Anayasa lehine propaganda yapmak serbest, onu eleştirmek yasaktı.

Örneğin ünlü edebiyatçımız **Oktay Akbal**, *Cumhuriyet* gazetesinde, işçi haklarına yer vermediği için bu Anayasa'yı desteklemediğini belirtince, yargılanarak hapse mahkûm edilmişti.

Tabii burada "yargılanarak" sözcüğü çok önemli:

Darbecilerin devlete ve yargı sistemine nasıl el koyduğunu, düzeni nasıl Antidemokratik bir hale getirdiğini vurguluyor.

12 Eylül darbesi konusunu noktalarken, haksızlık etmemek için, darbe öncesinde Türkiye'de can ve mal güvenliğinin kalmadığını, günde yaklaşık 10 kişinin öldürüldüğünü, Meclis'in cumhurbaşkanlığı seçiminde kilitlendiğini ve iki siyasal liderin, **Süleyman Demirel** ve **Bülent Ecevit**'in bu durum karşısında birbirleriyle rekabet etmekten başka bir çözüm üretmediklerini de belirtmeliyim.

28 Şubat 1997 Yarım Müdahalesi

Sonuç olarak, 1980 12 Eylül darbesinin karşıdevrimci, dinci etkileri üç yılı askeri dönem, sekiz yılı da **Özal** (ANAP) yönetimi dönemi olarak 11 yıl sürdü ve Türkiye'yi çağdaş, laik, Demokratik yolundan, Dinci Oligarşi yönüne savurdu.

Bu savrulma o denli güçlü oldu ki, Türkiye'deki dengeler bozuldu, güvenlik faşizan yöneticilerin, eğitim dincilerin denetimine girdi ve sonunda 1995 seçimlerinden sonra, DYP-Refah Partisi hükümeti kuruldu.

Seçim kampanyası sırasında **Erbakan**'ı ve Refah Partisi'ni *"PKK'dan daha tehlikeli"* ilan eden **Çiller**, bu hükümette **Erbakan**'ın liderliğindeki Refah Partisi'yle ortaklık kurmuştu.

Bu arada Sovyetler Birliği'nin yıkılmış olduğunu, Soğuk Savaş'ın bittiğini, yani komünizm tehlikesinin ortadan kalktığını ve Küreselleşme döneminin başladığını da not edelim.

İşte bu değişmeler sonunda Dinci Oligarşi'nin Demokratik ve laik rejimin yerine geçmekte olduğunu fark eden askerler, 28 Şubat 1997 tarihli Milli Güvenlik Kurulu toplantısında tavırlarını belli ederek, Türkiye'nin milli düşmanının artık komünizm değil, irtica olduğunu vurguladılar ve özellikle eğitimin yeniden laik ve Demokratik ilkelere göre düzenlenmesi için bazı önlemler alınmasını istediler.

Bu sırada **Erbakan**'la koalisyon yapan **Çiller**'e parti içinde de büyük bir muhalefet başlamış, ayrıca, Susurluk skandalı için başlatılan "sürekli aydınlık için bir dakika karanlık" eylemi de nitelik değiştirmiş ve insanlar geceleri saat 9'da pencerelere çıkarak tencere tava sesleri arasında *"Türkiye laiktir, laik kalacak"* diye bağırmaya başlamışlardı.

*   *   *

28 Şubat toplantısının iki doğrudan, üç de dolaylı sonucu oldu:

Birinci doğrudan sonuç, "milli güvenlik tehdidi" kavramının değişmesiydi.

Sovyetler Birliği'nin 1991'de dağılmasıyla Soğuk Savaş bitmiş, komünizm tehlikesi tüm dünyada ve Türkiye'de ortadan kalkmıştı.

Ama tüm siyasal, toplumsal, kültürel ve eğitimsel yapısını

Antikomünizm üzerine kurmuş olan Türkiye'deki egemen çevreler, bu değişimi algılasalar bile, yeni duruma göre düzenlemeler yapmak işlerine gelmiyordu.

Kendilerine karşı her muhalefet hareketi "Komünist" diye suçlayan bu çevreler, Antikomünizm'e çok alışmışlar, komünizm tehdidiyle, dinci ve milliyetçi akımları da arkalarına aldıklarından, her türlü muhalefete karşı âdeta bir zırha kavuşmuşlardı.

Soğuk Savaş Dönemi'nde Antikomünist Batı'nın ileri karakolu niteliğindeki Türkiye'de "komünizm tehdidi" bir Milli Güvenlik ilkesi haline gelmişti.

Komünizmle mücadele edeceğiz diye, özellikle 12 Eylül'den sonra eğitim dinciliğe, güvenlik faşizan yöneticilere emanet edilmişti.

Bu arada komşumuz İran, kendi rejimini ihraç etmek projesi kapsamında Türkiye'deki radikal siyasal dinci örgütlerle işbirliğine girmiş, pek çok Atatürkçü aydın bu örgütler tarafından katledilmişti.

28 Şubat tarihli toplantıda komünizm bir milli güvenlik tehdidi olmaktan çıkarılıyor, bunun yerine şeriatçılık konuyordu.

Tabii dinciler (dindarlar değil) bu nedenle 28 Şubat'ın yeminli düşmanı kesildiler.

Bu karar tüm ülkenin siyasetini etkileyecek sonuçlar doğurabilirdi.

"Doğurabilirdi" diyorum, çünkü uzun dönemde bu değişmenin etkisi de törpülendi, tam ters sonuçlarla Dinci Oligarşi'nin egemenliği yine üstün geldi.

28 Şubat toplantısının *ikinci* doğrudan sonucu, temel eğitimin beş yıldan sekiz yıla çıkması biçiminde ortaya çıktı.

Bu değişme hem Türkiye'nin eğitim standardını yükseltiyor, hem de İmam Hatip liselerinin orta kısımlarının kapatılmasını gerektiriyordu.

İslamcıların ve onlara destek verenlerin 28 Şubat'ın yeminli düşmanları haline gelmesinin bir nedeni de budur.

*　*　*

Şimdi gelelim dolaylı sonuçlara:

Birinci sonuç, **Çiller-Erbakan** hükümetinin sona ermesi oldu. Bu değişiklik Meclis içinde, **Çiller**'in partisinden ayrılanlar tarafından desteklendi ve Cumhurbaşkanı **Demirel**'in işbirliğiyle gerçekleştirildi.

Çiller-Erbakan hükümetinin yerine **Mesut Yılmaz**'ın başbakanlığında **Cindoruk** ve **Ecevit**'in desteğiyle bir koalisyon hükümeti kuruldu.

Ülkeyi 1999 seçimlerine bu hükümet götürdü ve yapılan seçimler sonunda **Ecevit** başbakan oldu.

* * *

İkinci dolaylı sonuç, Genelkurmay'ın gazete patronlarına yaptığı baskılar sonucunda bazı köşe yazarlarının işlerine son verilmesi oldu.

Bu eylem basın özgürlüğüne müdahale niteliği taşıdığı için, doğrudan Demokrasi karşıtı idi.

Daha sonra medyaya geri dönen bu yazarlar da 28 Şubat'ı hiç affetmediler.

* * *

Üçüncü dolaylı sonuç, bugünkü iktidarın oluşuma yardımcı olduğu için, belki de bütün öteki doğrudan ve dolaylı sonuçlardan daha önemliydi:

Amerikan karşıtı İslamcı bir liderle Türkiye'de siyaset yapmanın çok zor olduğunu fark eden Amerika'nın etkisindeki genç İslamcılar, **Erbakan**'dan ayrılıp Amerikancı ılımlı bir İslam partisini, **AKP**'yi kurdular ve kurar kurmaz da iktidara geldiler.

Bu konuyu "Demokrasi ve İslam" bölümünde işlediğim için burada sadece işaret edip, geçmekle yetiniyorum.

Yalnız eklemek istediğim çok önemli bir ayrıntı var:

Yıllar sonra 28 Şubat bildirisini yazan grup içinde yer almış olan bir asker bana doğrudan *"Biz, Seçim Yasası'nın, Siyasal Partiler Yasası'nın tümüyle yeniden yazılmasını, Anayasa'nın ise bazı maddelerinin değiştirilmesini istiyorduk. Fakat müdahale-*

yi bunalıma dönüşmeden Meclis içi operasyonla çözmek isteyen Cumhurbaşkanı, Genelkurmay Başkanını ikna ederek, kapsamın genişlemesini önledi ve bu isteklerimizi engelledi" demiştir.

Bu bilgiyi de tarihe emanet ediyorum.

İleride anılar yazıldığında bu gibi ayrıntılar daha net bir biçimde kamuoyuna yansıyacaktır.

* * *

28 Şubat 1997 yarım müdahalesi (ki pek çok yazar buna "postmodern müdahale" der) Demokratik ve laik rejimin hızla bir Dinci Oligarşi'ye doğru kaymasına kısa bir süre de olsa engel oldu.

Bu nedenle en azından bir süre için Demokrasinin önünü açmıştı.

Ama yukarıda da anlattığım gibi, Küreselleşme bağlamındaki dış konjonktür ve iç konjonktür o denli güçlüydü ki, uzun dönemde Antiamerikan dincileri tasfiye edip Amerikancı dincilerin iktidarını kolaylaştırdığı için rejimin Dinci Oligarşi'ye doğru kayışını hızlandırdı bile denilebilir.

Askerler Rejimin Koruyucusu Rolünü Sürdürüyor Ama Nasıl Bir Koruyuculuk?

Sevgili okurlarım, Türk Silahlı Kuvvetleri, Cumhuriyet'in kurucusu niteliğiyle gerek yasalarla verilen görevler açısından, gerekse geleneksel olarak, "rejimin koruyuculuğu" görevini yüklendiklerini düşünürler ve buna inanırlar.

Bu nitelikleri, onları "meşruiyetçi" yapmıştır. Darbe olduğunda bile yönetimi çok kısa bir süre sonra sivillere devretmişlerdir.

Meşruiyetçi tutumları, onları Faşist nitelikli Güney Amerika ordularından ayıran en önemli özelliktir.

Fakat ne yazık ki bu "koruyuculuk" görevi, 12 Mart 1971 ile 12 Eylül 1980 darbelerinde tam tersine bir sonuç vermiş, Demokratik ve laik rejimi koruyacaklarına, tahrip etmişlerdir.

Genel olarak Demokrasinin gelişmesini ve korunmasını sağlayan 27 Mayıs 1960 darbesi ile 28 Şubat 1997 yarım müdahalesi de, biri politikacıları astığı, öteki de basın özgürlüğüne müdahale ettiği ve AKP'nin kuruluşuna yol açtığı için, Demokrasiye ters uygulamalara konu olmuştur.

*   *   *

Bir zamanlar siyaseti siyasal partiler üzerinden değil, askerler üzerinden yapan politikacılar vardı.

Bunlar 27 Mayıs'tan sonra türemişlerdi.

Askerlere yakın duran, Antikomünist sağcı politikacılardı bunlar.

Darbe dönemlerinde göreve gelirler, bakan olurlardı.

Şimdi tam tersine bir durum gözleniyor.

Özelikle Milli Görüş çizgisinden gelen, dinci politikacılar yine askerler üzerinden politika yapıyor ama bu kez yandaş olarak değil, karşıt olarak.

Ne yazık ki bugünkü iktidarın da uyguladığı bu politika, en az askercilik kadar tehlikeli ve yanlıştır.

Askerlerin her konuşmasını, rejim konusundaki her uyarısını kendilerine karşı olarak algılayıp kamuoyunda "sivilleşme adına" istismar edenler, toplumdaki kutuplaşmaların yumuşatılmasına değil, sertleşmesine ve derinleşmesine yol açıyorlar.

2007 seçimlerinin hemen öncesinde başlayan ve cumhurbaşkanlığı seçiminde de devam eden askerlerin laikliğe ve Demokratikliğe Atatürkçülük bağlamında yaptıkları vurgular, çok abartılarak hem seçim malzemesi olarak hem de Dinci Oligarşi'nin güçlenmesi için taban kazanmak amacıyla kullanılmıştır.

Sonuç olarak sivil-asker karşıtlığının Demokratik, laik ve sosyal bir hukuk devleti rejiminin korunması açısından bir anlam taşımadığını, özellikle asker düşmanlığının ülkenin hem iç hem de dış güvenliği açısından ciddi sorunlar yarattığını, oysa asıl değerlendirme ölçütünün, sivil-asker ayrımı değil, Demokrasinin korunması ve geliştirilmesi olduğunu vurgulamak isterim.

14

Demokrasi ve Medya

Sevgili okurlarım, bir ülkedeki yasama, yürütme ve yargı erklerinden sonra medyanın dördüncü kuvvet sayıldığını hepimiz biliriz.

Gerçek bir Demokrasi için bağımsız, özgür ve özerk bir medyanın varlığı zorunludur.

Tabii medyanın sadece iktidarlardan bağımsız olması yetmez.

Aynı zamanda özgür olacak, yani ülkede gerçek bir ifade özgürlüğü ortamı bulunacak ve ayrıca özerk olacak, yani kendi kendini yönetecektir.

Bütün bu koşulların varlığı bile Demokratik bir rejimdeki medyanın özgürlüğü için yeterli değildir.

Bir medyanın gerçekten özgürlükçü bir ortamda işlev yapabilmesi için, tam rekabet koşulları içinde yaşaması gerekir.

Yani medyayı kontrol eden sermaye tekel olmamalı, birden çok medya sahibi, serbest rekabet koşulları içinde üretim yapabilmelidir.

Farklı sermaye sahiplerinin varlığı çok seslilik için gerekli ama yeterli koşul da değildir.

Bütün medya sahiplerinin aynı görüşü paylaştığı, örneğin iktidara destek verdiği bir ortamda, değişik gazete veya televizyon kanallarının bulunması hiçbir anlam ifade etmez.

Farklı düşünceler, değişik görüşler, rakip siyasal tercihler tam bir serbestlik içinde okurla veya izleyiciyle engelsiz buluşabilmelidir.

Bir ülkede ifade özgürlüğü yoksa veya medyada serbest rekabet koşulları geçerli değilse ve çokseslilik yoksa o ülkede özgür ve Demokratik bir medyadan söz etme olanağı da yoktur.

Bu açıdan özgürlükçü, laik bir Demokrasi ile özgür medya ve serbest, tam rekabet ortamının varlığı birbirini bütünleyen koşullardır.

Çok Kısa Bir Tarihçe

Türkiye'nin Demokrasi tarihi ile basın tarihi birbirine koşut özellikler taşır.

(Osmanlı döneminde basının traji-komik durumunu görmek için **Fatmagül Demirel**'in *II. Abdülhamid Döneminde SANSÜR* adlı güzel çalışmasına ve **Hıfzı Topuz**'un *Basın Tarihi* adlı kitabına bakılabilir.)

Demokrasinin geliştiği ve serpildiği dönemlerde medya özgürleşmiş, Demokrasinin sınırlandığı ve kısıtlandığı zaman hapishaneler gazetecilerle dolmuştur.

Bu noktada yine Çok Partili Düzene geçildikten sonra, Demokrasi sayesinde, serbest seçimler sonucunda iktidara gelen Demokrat Parti'nin Demokrasiyi yozlaştıran uygulamaları arasında basına uyguladığı baskı akla gelmektedir.

27 Mayıs 1960 darbesi hapishaneleri gazetecilerle dolu bulmuş ve yazı yazmaktan, iktidarı eleştirmekten başka suçu olmayan gazeteciler, yazarlar, ancak askeri darbe sonucunda özgürlüklerine kavuşabilmişlerdir.

Demokrat Partili politikacılar gazetecileri hapse attıkları için kendilerini demokrat olmamakla suçlayanlara, *"Ama onlar da gazetecileri hapse atmışlardı"* diyerek, Tek Parti Dönemi CHP'sine gönderme yapmışlar, böylece Çok Partili Rejimden ve Demokrasiden hiç nasiplerini almadıklarını açıkça göstermişlerdi.

*   *   *

Yine Demokrat Parti döneminin akıllarda kalan traji-komik olaylarından biri, iktidardaki politikacıların özgürlük isteklerini alaya almak için yaptıkları "İspat hakkı-İsmail Hakkı" benzetmesidir.

Demokrasiyi sınırlamak ve kısıtlamak konusunda pervasız davranan DP döneminde, hırsıza hırsız demek yasaktı.

Bir politikacının yolsuzluk yaptığını öne sürenler kendilerini hapiste bulurlardı.

Basın mensupları ve muhalefetteki politikacılar, verdikleri Demokrasi mücadelesi sırasında basına "ispat hakkı" tanınmasını da istiyorlardı.

Bütün istedikleri yolsuzluk, hırsızlık iddialarını ispatlayacak olanakların tanınması, gerekli belgelerin yayınlanmasına izin verilmesiydi.

Demokrat Partili politikacıların bu isteklere verdikleri yanıt ise tarihe geçmiştir:

"İsmail Hakkı mı, o da kim?"

* * *

27 Mayıs 1960 darbesinden sonra yapılan 1961 Anayasası, pek çok Demokratik hak ve özgürlükle birlikte, basın özgürlüğünü de güvence altına aldı.

Artık **Atatürk**'ün *"Basın özgürlüğünden doğan sakıncaların giderilme aracı yine basın özgürlüğüdür"* sözüne uygun bir ortam yaratılmıştı.

Bu ortam ne yazık ki, 12 Mart 1971 darbesiyle büyük bir yara aldı:

Gazeteler kapatıldı, pek çok aydınla birlikte gazeteciler hapse atıldı ve işkence gördü.

* * *

1980'lere kadar Türkiye'de gazete patronları, genellikle gazeteci ailelerden gelenlerdi.

Radyo ve televizyon ise Türkiye Radyo Televizyon Kurumu'nun tekelinde idi.

Özel televizyonlar ve özel radyolar yoktu.

TRT tekeli Anayasa hükmü olduğu için özel radyo ve televizyonlara izin verilmiyordu.

TRT, görüntü nakleden "link kanallarını" da denetlediği için bu hukuki tekel, fiilen de onun elindeydi.

Turgut Özal, başbakanlığı sırasında bir hükümet kararıyla TRT'nin bu "link kanallarını" elinden aldı ve Ulaştırma Bakanlığı'na devretti.

Böylece TRT'nin Anayasa hükmünü fiilen denetleme olanağı ortadan kalktı.

Çok kısa bir süre sonra da oğlunun da ortak olduğu **Uzan ailesinin** televizyon kanalı **Star televizyonu** adıyla yurtdışından Türkiye'ye yayın yapmaya başladı.

Tabii bu yayın, artık Ulaştırma Bakanlığı'nın yani hükümetin elinde olan "link kanalları" vasıtasıyla Türkiye'ye aktarılıyordu.

Özal ünlü *"Bir defa delinmekle Anayasa'ya bir şey olmaz"* sözünü bu olay dolayısıyla söylemişti.

* * *

Bu arada gazeteci aileden gelen basın patronları gazetelerini satmaya başlamışlardı.

Artık, holding sermayesi basına egemen oluyordu.

Önce basının büyük ve köklü gazetesi *Milliyet* satıldı.

Daha sonra uzun bir süre en çok satılan gazete unvanını kimseye bırakmayan *Hürriyet* el değiştirdi.

Simavi ve **Karacan** aileleri basından çıkmışlardı.

Her iki gazeteyi de **Doğan Grubu** satın almıştı.

Medya dışında ciddi yatırımları ve etkinlikleri olan holding sermayesinin medyaya girişi, aileden basın patronu olanları da başka işlere girmeye yöneltti.

Böylece gazeteciler holding patronu, holding patronları da gazeteci oldu.

Tabii Türkiye'de holdingler ekonomik olarak iktidara çok bağımlı olduklarından bu dönem, medya patronları ile politikacılar arasında çok özel ve kimi zaman da kirli ilişkilerin ortaya çıkmasına yol açtı.

Banka sahibi olan medya patronları, bankalarının içlerini boşaltmaya ve ellerindeki medyayı kimi zaman rakiplerine kimi zaman da politikacılara karşı bir silah olarak kullanmaya başladılar.

O dönemde medyaya **Doğan Grubu, Uzan Grubu, Bilgin Grubu** ve **Karamehmet Grubu** egemendi.

Bu grupların hepsi hem gazete hem televizyon kanalı sahibiydiler.

Hepsinin bankası vardı ve hepsi medya patronlarına yasaklanmış olmasına karşın devlet ihalelerinden pay kapıyorlardı.

Ortam artık tümüyle yozlaşmış, toz duman içinde kalmıştı.

* * *

Bu dönem, banka skandallarının patlamasıyla sona erdi.

Uzan Grubu ve **Bilgin Grubu** tasfiye edildi.

Doğan Grubu güçlendi, medyaya **Bilgin Grubunun** yerine **Ciner Grubu** girdi.

Bu arada **Karamehmet Grubu** da bankalarını yitirdi ama medyada kaldı.

Doğan Grubu ise bankasını sattı.

Doğan ve **Ciner** gruplarının özel bir gücü daha vardı:

Bu gruplar dağıtım örgütleri sahibiydi.

Yani bütün gazete ve dergi satışlarını bu iki grup denetliyordu.

Bu oluşumlar sırasında, hem radyo ve televizyon hem de gazete ve dergi alanında dinci sermaye ve dinci gruplar da güçlenmeye başlamıştı.

Böylece Dinci Oligarşi'nin medya ayağı da tamamlanıyordu.

* * *

Medyanın bugünkü durumuna baktığımızda şöyle bir manzara ile karşılaşıyoruz:

Birinci ve en büyük grup **Doğan Grubu.**

Medyadaki payı yüzde 40 dolayında ve yükseliyor.

Kanal D, Star TV ve **CNN-Türk** başta olmak kaydıyla on bir televizyon kanalı ve **D Smart** adında bir dijital platformu var.

Hürriyet, Milliyet, Vatan, Posta, Radikal ve *Fanatik* başta olmak üzere dokuz gazete sahibi.

Tempo'yla birlikte 42 dergisi ve radyoları var.

Türkiye'deki iki dağıtım şirketinden biri onun.

Doğan Kitap yayınevi ve *D&R* mağazaları da onun.

Almanya'nın en büyük medya kuruluşlarından olan, **Axel Springer**'in şirketiyle ortak.

İkinci büyük grup, **Ciner Grubu** idi.

"İdi" diyorum çünkü iktidar, bu grubun medyasına, hayli tartışmalı ve mahkemelik olan bir hukuki kararla el koydu.

Dolayısıyla geçici olarak **Sabah Grubu** diye adlandırılıyor.

TMSF tarafından satışa çıkarıldı.

Medyadaki payı yüzde 25 dolayında ve geriliyor.

ATV ve **Kanal 1** olarak iki televizyon kanalı var.

Sabah, Takvim, Yeni Asır ve *Foto Maç* gazetelerinin sahibi.

Aktüel başta olmak üzere 30'dan fazla dergisi var.

Türkiye'nin ikinci gazete ve dergi dağıtım şirketi de onun.

Üçüncü büyük grup, **Karamehmet Grubu.**

Medyadaki payı yüzde 15 dolayında.

Show TV ve **Sky Türk** olarak iki televizyon kanalı var.

Akşam, Tercüman ve *Güneş* gazetelerinin sahibi.

Ayrıca dergileri, radyoları ve **Digitürk** adında abonesi bir milyonu aşmış olan bir de dijital platformu var.

* * *

Bu üç holding grubunun dışında kalan medya, esas olarak Dinci Oligarşi'ye destek veren sermayenin sahip olduğu gazete, dergi radyo ve televizyonlardan oluşmaktadır.

Dinci grubun bazı büyük satışlı görünen gazeteleri, bayilerde satılmak yerine, elden bedava dağıtılmakta ve böylece tirajları şişirilmektedir.

Tabii bu gazetelerin böyle bir mali gücü nereden buldukları da ayrı bir konudur ve bu konudaki denetimsizlik Demokratik rejimin yüz karalarından biridir.

Bir de *Cumhuriyet* gazetesi var.

Mustafa Kemal Atatürk tarafından **Yunus Nadi**'ye, Cumhuriyet fikrini savunmak ve yaymak için İstanbul'un mütareke basınına karşı kurdurulan gazete, kurucusunun oğlu **Nadir Nadi** öldükten sonra, çalışanlarının oluşturduğu bir vakıf yapısı içinde **İlhan Selçuk**'un imtiyaz sahipliğinde bağımsız, özgür ve özerk olarak varlığını sürdürmektedir.

Bugünkü İktidar-Medya İlişkileri Demokrasiye Ne Kadar Uygundur?

Özetlemek gerekirse, bugün Türkiye'deki medya, esas olarak holding medyası ve dinci medya olarak iki büyük kesimin denetimi altında görünmektedir.

Dinci medya (Saadet Partisi'ni tutan *Milli Gazete* hariç) zaten iktidar yanlısıdır.

Holding medyası ise genelde, ekonomik ve mali ilişkilerinden dolayı zorunlu olarak iktidar yanlısı ise de içinde hem iktidar yanlısı hem de iktidar karşıtı yazarları ve televizyon programcılarını barındırmaktadır.

Ama Türkiye'nin sığ ekonomik ve mali yapısında bütün holdinglerin gırtlağının iktidarın elinde olduğu açıktır.

Bu nedenle holding medyasının da iktidardan tümüyle bağımsız olduğunu öne sürme olanağı yoktur.

* * *

Tabii medya etkinliklerine de ticaret mantığıyla bakan holding medyası, varlığını sürdürmek, kâr etmek, satışlarını ve izlenilirlik oranlarını yükseltmek için farklı görüşlere yer vermek zorundadır.

Bu açıdan dinci medyadan çok daha özgür bir ortam oluşturmak mecburiyetindedir.

Ama yine de zaman zaman, iktidarla çatışan yazarlara çeşitli telkinlerin yapıldığı, kimi zaman ise işlerine son verildiği kamuoyunun tanık olduğu olaylar arasındadır.

28 Şubat'ta kimi gazetecilerin yazılarına son verildiği henüz unutulmamıştır.

İktidar karşıtı yazıları, belgeli muhalefetiyle Başbakan **Recep Tayyip Erdoğan**'a, şimdi cumhurbaşkanlığı koltuğunda oturan **Abdullah Gül**'e kök söktüren **Emin Çölaşan**'ın işine, 2007 seçimlerinden az sonra ama Cumhurbaşkanlığı seçimi başlamadan hemen önce son verilmesi son derece dikkat çekicidir.

Tabii medyanın iktidara bağımlılığı sorunu kadar, bir de iktidarın medyaya nasıl baktığı önemlidir.

Bu açıdan bugünkü AKP iktidarının çok başarılı bir Demokrasi sınavı verdiği söylenemez.

Politikacılar, bakanlar ve başbakan zaman zaman ortaya çıkan skandallar, yolsuzluklar, ihmaller gibi konularda, kamuoyuna hesap vereceklerine medyayı suçlamaktadır.

Sorunu medyanın abarttığı, iktidarın en klasik ve tabii kendi fanatik yandaşlarından başka kimsenin inanmadığı bir savunma yöntemi olmuştur.

Bütün bu olumsuz, Demokrasiyi hazmetmemiş tutum ve davranışlar bazen Başbakanın sözlerine doğrudan yansımaktadır.

Örneğin, **Abdullah Gül** için *"Benim Cumhurbaşkanım olmayacak"* diye yazan **Bekir Coşkun**'dan esinlenerek Başbakan **Recep Tayyip Erdoğan** canlı bir televizyon yayınında *"O zaman çık bu ülkenin vatandaşlığından"* diye yanıt verebilmektedir.

Medyayla iktidar ilişkileri açısından önümüzdeki günlerde büyük bir dönüşüm yaşanacağı, Dinci Oligarşi'nin medya ayağını oluşturmak için önemli yapısal değişikliklere gidileceği açıktır.

Bu konuda **Reha Muhtar**'ın *Vatan* gazetesinde 7 Ağustos 2007 tarihinde yazdığı "Medya Savaşları ve İktidardakiler..." başlıklı yazının bazı satırlarına bakmak yeterli ipuçlarını verecektir:

Herkes seçim sonuçları 22 Temmuz'da belli oldu, kim iktidar kim muhalefet ortaya çıktı ve hayat Cumhurbaşkanı'nın durumu dışında normale döndü zannediyor, oysa öyle değil...

Esasen iktidar savaşı 22 Temmuz'da son bulmadı, 22 Temmuz'da başladı ve çok kanlı geçmeye aday...

Çünkü bu kez AKP artık herhangi bir hükümet olmaktan çok muktedir bir iktidar olmaya dönüşmek istiyor...

Herhangi bir hükümetten muktedir bir iktidara dönüşmenin ise tek muteber yani geçerli yolu var...

Medyaya sahip olmak...

Medyadaki köşebaşlarını tamamen tutabilmek...

Olaylar karşısında medya reflekslerini kontrol edebilmek...

AKP'nin, hükümetten iktidara dönüşmesinin sancıları yaşanıyor şu anda ve yakında Türkiye'de iktidara yakın medya grupları ve sermayeleri bütün takım ve taklavatlarıyla örgütlenmiş olacak...

Amaç medyanın "Cumhuriyetçi ve zaman zaman askerle kolkola giden laik refleksini" törpülemektir...

...Özellikle Yeni Şafak gazetesinde iktidara çok yakın Fehmi Koru, Ali Bayramoğlu gibi etkili kalemler, "Yeni duruma ve döneme uygun bir medya ve gazete yöneticileri arzuladıklarını" saklamıyorlar... Hiç kuşkunuz olmasın, daha yukarılardaki havayı seslendiriyor onlar...

...AKP hükümeti Fazilet ve Refah Partisi geçmişinden kendince dersler çıkartmış görünüyor... Bu derslerden birincisi "Medyanın sert Cumhuriyetçi, keskin Atatürkçü laik reflekslerden" uzaklaştırılmasıdır...

Onun için gazete ve televizyonların, yönetim ve sermaye olarak yanlarında olmasını istiyorlar...

...AKP hükümeti, Cumhuriyetçi kadroların meydanlara kadar uzanan mitinglerinin vanasının, medyadaki keskin Cumhuriyetçi refleks ve kadrolar olduğu kanısındadır...

Bu refleks törpülenmeli, kadrolar etkisizleştirilmelidir... Aksi halde medyadaki bu yapılanmanın icraatlarının önüne engel çıkartacağını, hatta askeri ve halkı tahrik edeceğini düşünmekteler...

Fazilet, Refah ve hatta Milli Selamet vakalarını 'Yanlarında

güçlü bir medya olmamasına' bağlıyor şu andaki iktidarın kurmay-
ları...

...Amaçları seçim sonuçlarına göre yeni bir medya oluştur-
mak...

...Bir bütün medya sermayesidir söz konusu olan ve yeni bir
medyadır dönüştürülmesi arzulanan...

Reha Muhtar açıkça, iktidarın, medyayı Dinci Oligarşi olu-
şumlarının denetimine vereceğini söylüyor.

Dünya Medyası Türkiye'deki Oluşumları Nasıl Saptırıyor?

Sevgili okurlarım, Türkiye'deki dinci oluşumlara destek veren
medya ve siyasal çevreler ile dünya medyası arasında çok yakın ve
sıkı bir işbirliği göze çarpıyor.

Batılı gazeteciler, Türkiye'de olup bitenleri, dünyaya tek yanlı,
tarafgir ve saptırarak yansıtıyorlar.

Bunun temel nedeni, hiç kuşkusuz, bu kitabın "Demokrasi ve
Küreselleşme" bölümünde irdelemeye çalıştığım etkiler:

Başta ABD olmak üzere Türkiye'ye "Ilımlı İslam Devleti" mo-
delini biçen Emperyalist güçler, kendi medyalarını da bu yönde
etkileyip kamuoylarını böyle biçimlendirmeye çalışıyorlar.

Kadri Gürsel'in aşağıdaki çok önemli ve güzel yazısı
16.9.2007'de *Milliyet*'te yayınlandı.

Konuyu o denli ayrıntılı ve doğru bir içimde ele almış ve irde-
lemiş ki, sizlerle paylaşmak istedim.

Batı basınının Türkiye'yi nasıl yansıttığı, 22 Temmuz seçimle-
rinin ardından başlayan yeni dönemde artık her zamankinden da-
ha önemli.

Çünkü dünyadaki Türkiye algısının şekillenmesinde bir numa-
ralı rolü Batı medyası oynuyor.

New York Times, Washington Post, Financial Times, The
Times *ve* The Guardian *gibi etkili gazetelerin, her iki seçim sürecin-*

de AKP'ye verdikleri desteğin, habercilikte taraftarlık, yorumculuk-ta da propagandacılığa kadar varabildiğini gördük.

Bu gazetelerin haber ve yorumlarından çıkan mesajı şöyle özet-leyebiliriz:

"Gerçekte Ortadoğu'ya ait bir ülke olan Türkiye'de laiklik, as-ker ve sivil otokrat elitler tarafından empoze edilmiştir. AKP ise hem İslam'ın Demokrasiyle uyumlu olabileceğini göstermesi, hem de Batı yanlısı ve demokrat olması bakımından laiklere tercih edil-melidir..."

Tanımını anlamsızlaştırmaktan başlayıp, laikliği adım adım aşındırmak isteyenlerin Batı alemi tarafından hoşgörüleceği izleni-mini verdiği için, Batı medyasının bu tavrı Türk Demokrasisinin bekası adına sakıncalıdır.

Yukarıda adını zikrettiğimiz gazetelerin bu çarpık bakış açısı sa-dece temsil ettikleri çevrelerin çıkar algılamasıyla açıklanamaz.

Burada Batılı gazetecilerin AKP'ye duydukları sempati de rol oynuyor. Kişisel gözlemlerimiz bize bu sempatinin bir dizi yanılsa-madan kaynaklandığını söylüyor.

İşte bunlardan bazıları...

ILIMLI İSLAMCI HAYRANLIĞI: Dünyada genel İslamcı pro-fili o kadar kötü ki, kafa kesen, masum insanları kendisiyle birlik-te havaya uçuran, yaşama hakkını hiçe sayan, kadınlara zulmeden, dış görünüşüyle de hayli korkutucu bir tipi İslamcı diye kanıksamış Batılı gazeteci, bizdeki modern görünümlü AKP'lileri görünce ade-ta şok geçiriyor. Bu şokun sonucu ortaya çıkan, AKP'ye yönelik hay-ranlığa yakın bir duygudur.

DEMOKRAT İSLAMCILAR, OTOKRAT ELİTLERE KARŞI: AKP sempatisi, Batı'da oldum olası bir imaj sorunu bulunan Türkiye Cumhuriyeti'ne karşı hissettikleri antipatiyle reaksiyona girdiğinde, bu gazetecilerin kafasında net bir kontrast algısı peydah-lanıyor...

O da şudur: Bir tarafta halka laikliği tepeden empoze eden Batı karşıtı otokrat elitler, diğer tarafta halkın içinden gelen, bu otokrat-ların hiç olmadığı kadar reformist, AB ve Batı yanlısı, demokrat, Ilımlı İslamcılar.

Ve de, laikliği pek de umursamadığını, AKP'ye yağdırdığı oylarla göstermiş bir halk.

Bütün laiklerin otokrat, bütün Ilımlı İslamcıların da demokrat oldukları gibi indirgemeci bir denklem oluşturuluyor. TSK'nın siyasete son müdahalelerinin bu kaba tasnifi yapanların işini kolaylaştırdığını kabul etmeliyiz.

SANKİ ŞAH'IN İRAN'I: Bu gazeteciler, "laik elit" tarafından kurulan ve bugüne gelen cumhuriyeti, Ortadoğu'nun görünürde aydınlanmış otokratlarının, örneğin İran Şahı'nın rejimi ile neredeyse aynı kefeye koyuyorlar.

Laikliği savunanlar, Atatürk'ün "mezarlık bekçiliği"ni yapmakla suçlanıyor.

Bu gazetecilerin yazdıklarını okuyanlar Türkiye'de laikliği savunan birinin aynı zamanda liberal, demokrat ve evrenselci olamayacağı gibi çok yanlış bir izlenim edinebilir.

Söz konusu gazeteciler AKP'yi övmek için bu partiye atfettikleri özellikler arasında laikliği saymıyorlar.

AKP'nin laik olmadığı bunlar tarafından zımnen kabul edilmiş oluyor.

TÜRKİYE UZMANLARI NEREDE?: Yıllardır Batı basınını takip ederiz, bu haber ve yorumları yazanlar arasında Türkiye'yi yakından izlediğini bildiğimiz gazetecileri nedense göremedik.

Taraftar yazılarını Türkiye amatörleri yazdı. Zaten Türkiye gibi müstesna bir ülkeyi kavramsal şablonlara oturtarak incelemek ancak amatörlerin işi olabilir.

İzlenimimiz o ki, bu gazeteciler belki de daha Türkiye'ye gelmeden, bu günlerde AKP sempatizanı haline gelmiş bulunan bir grup yazar ve "think tank"çının "network"üne yönlendiriliyor ve bu "network"teki kapalı devre dolaşımlarında tek yanlı bir koşullanmaya maruz kalıyorlar.

Bu gazeteciler, İslamcıların, bugün "ılımlı" iseler bunu Türkiye'deki Demokrasiye ve laikliğe borçlu olduklarını görmüyorlar veya görmek istemiyorlar.

*　　*　　*

Sevgili okurlarım, Batılı gazetecileri daha Türkiye'ye gelme-
den yönlendiren, etkileyen ve belli görüşleri savunan "yazarlara",
politikacılara yönelten ilişkilere, **Kadri Gürsel** "network" diyor,
nezaketinden.

Ben daha açık söyleyeyim:

Türkiye'ye "Ilımlı İslam Devleti" modelini biçen dış çevreler
ile, içerde bu modeli kendi siyasal çıkarları için kabullenerek, be-
nimseyen iç çevreler, Batılı medya mensuplarını "manipüle" et-
mek, yönlendirmek için işbirliği yapıyor.

İçerdeki "medya şebekesi" ile dışarıdaki "medya şebekesi" bir-
likte, politikacılarla işbirliği halinde Türkiye'yi "Dinci Oligarşi'ye"
doğru kaydırmaya çalışıyor.

Tabii sözüm sadece bu saptırmaya alet olan medyaya.

Yoksa her şeye karşın bizim medyada da dürüst yöneticiler,
dürüst yazarlar, dürüst gazeteciler var, üstelik sayıları hiç de az
değil.

*   *   *

Bu bölümü bitirirken, sonuç olarak Türkiye'deki iktidarların
henüz medya özgürlüğünü içine sindiremediğini, medyanın bu-
günkü yapısının ise bu özgürlüğü sağlamak için yeterli olmadığı-
nı söyleyebilirim.

Bu konuda iki koşulun mutlaka gerçekleşmesi gerektiğini ve
bunlar için mücadele edilmesinin zorunlu olduğunu unutmaya-
lım:

1) Medya özgürlüğünün temeli olan tam bir ifade özgürlüğü.

2) Medyada tam ve serbest bir rekabet ortamı.

Sanıyorum, ifade özgürlüğünün yasal ve ahlaki koşullarının
gerekliliği hakkında hiç kimsenin herhangi bir kuşkusu olamaz.

Ama tam ve serbest bir rekabet ortamı üzerinde bir küçük
noktayı daha belirtmek istiyorum:

Bu ortam, sadece farklı medya patronlarının varlığı, değişik
düşüncelerin çeşitli gazete, dergi, radyo ve televizyonlarda dile
getirilmesi bakımından önemli değildir.

Burada çok daha önemli olan bir nokta, gazetecilerin, yazarların, çizerlerin ancak, tam ve serbest bir rekabet ortamı içinde güvencede olacaklarıdır.

Çünkü görüşlerinden dolayı işten çıkarılma tehdidi altında olan bir gazetecinin ya da yazarın veya bir televizyoncunun en büyük güvencesi, rakip yayın organlarında iş bulabilme olanaklarında yatar.

15

Kafakarıştırolojik Vecizeler

Demokrasimizle yüzleşmeye çalıştığım bu kitabın sonlarında okurlarımın yüzüne bir tebessüm kondurmak istiyorum.

Biliyorum, bu noktaya kadar yaptığım irdelemeler Türkiye'deki rejimin geleceği için pek umut vermiyor.

Bu nedenle belki de canınız sıkıldı, *tehlikenin farkına vardınız*, büyüklüğü ve yakınlığı karşısında moraliniz bozuldu.

Ama hiç üzülmeyin, toplumsal olaylar bir sonraki bölümde yazmaya çalışacağım gibi zıtların etkileşimiyle diyalektik, zigzaglı bir çizgi izler.

Her karanlığın bir aydınlığı vardır.

Şu anda cumhurbaşkanlığı koltuğunda oturan **Abdullah Gül**'ün adaylığı açıklandığında, Ankara'da, İstanbul'da, İzmir'de meydanları dolduran milyonlarca insan buharlaşıp havaya uçmamıştır.

Seçimlerde kullanılan oyların yarıdan fazlasını atanlar rejimimizin tehlikede olduğunun farkındadır.

Aslında rejime sahip çıkanlar, azınlıkta da kalabilirlerdi.

Hatta çok küçük bir azınlık düzeyine de düşmüş olabilirlerdi.

Ama bu, onların tarih önündeki haklılığını azaltmayacağı gibi, geleceğin oluşturulmasındaki rollerini de yok etmezdi.

Sevgili okurlarım, hiç üzülmeyin:

En azından bu satırları okuyan sizler varsınız.

* * *

Cumhuriyet gazetesindeki yazılarımı okuyanlar, ortalığı bulandıran, kavramların içlerini boşaltanlara, terimlere verilen anlamları ters yüz edenlere "Kafakarıştırologlar" adını taktığımı bilirler.

Şimdi size bu Kafakarıştırologların vecizelerinden bir demet sunuyorum.

Böylece okurlarıma hem düşünme hem de gülümseme fırsatı verebileceğime inanıyorum. (Size önerim, bu vecizelerin doğrularını bulmak için bir de tersinden okuyun.)

* * *

Savaş cennettir, barış cehennem.

* * *

Savaş yaşamdır, mutluluktur; barış ise ölüm ve ıstırap.

* * *

Aşk, kindir, nefrettir, kavgadır, didişmektir; aşksız yaşanmaz.

* * *

Sevdiğine kavuşmanın en sağlam yolu onu öldürmektir.

* * *

En Demokratik yöntem terördür; terörsüz Demokrasi olmaz.

* * *

Demokrasi millet iradesidir, millet faşizmi isterse, Demokratik bir faşizm kurulur.

* * *

Şeriat rejimi asıl Demokrasidir: İnsanların hepsinin aynı biçimde düşündüğü, inandığı, davrandığı ve böylece tam bir uyumun sağlandığı ideal Demokrasi.

* * *

Akıl tutsaklıktır, akılsızlık özgürlük.

* * *

Düşünmek insanı mutsuz eder, mutluluğun yolu düşünmeksizin inanmaktan geçer.

* * *

Cumhuriyet, Demokrasinin düşmanıdır, her gördüğü yerde ezilmelidir.

* * *

Kadının başını örttürmek, giyimine kuşamına kısıtlama ve sınırlama getirmek onu erkekle eşit kılar.

* * *

Türban, sıkmabaş, özgürlüktür, başı açık gezmek ise tutsaklık.

* * *

Hilafet laiktir, laik kalacaktır.

* * *

Laiklik dinsizliktir.

* * *

Atatürkçülük, Kemalizm, gericiliktir, İslamcılık ilericilik.

* * *

Dinci ile dindar, mürteci ile mümin arasında bir fark yoktur.

* * *

Halk isterse, tabii laiklik elden gidecektir.

* * *

İnsan hakları ve tabii kadın-erkek eşitliği, Emperyalist aldatmacısıdır; inanmayın.

* * *

Türkiye'nin ulusal çıkarları yoktur, dostları ve düşmanları vardır; dostların her dediğini yapmak, düşmanların hiçbir dediğini yapmamak gerekir.

* * *

Sevr, Lozan'dan daha Demokratiktir.

* * *

Demokrasi bir tramvaydır, biz istersek şeriat durağında inebiliriz.

* * *

Birey devlet ilişkilerinden çıkan anlaşmazlıklara yargıçlar değil, ulema bakmalıdır.

* * *

Demokrasilerde, muhalefete oy vermiş vatandaşlar, seçimlerden sonra ülkeden atılır.

* * *

Gerçek medya özgürlüğü, bütün medyaya sahip olan tek bir patronla ve iktidarı överek yaşanır.

* * *

Ancak devlet laik olabilir, birey laik olamaz.

* * *

Cumhuriyet döneminin sonu gelmiştir, kesinlikle laik sistem değişecektir.

* * *

Türkiye'de iktidar olmak için Meclisi, Hükümeti ve Cumhurbaşkanlığını denetlemek yetmez, muhalefete de sahip olmak gerekir.

* * *

Laiklik Türkiye'nin bütünlüğünü tehdit eder.

* * *

Tarikatlar sivil toplum örgütleridir.

* * *

Sevgili okurlarım, bu "incilerin" bir bölümü gerçekten söylenmiştir.

Bir bölümü o sözcüklerle söylenmemiş ama o anlama gelen tutum ve davranışlarla ifade edilmiştir.

Bir bölümünü de ben uydurdum.

Sanıyorum Türkiye'nin içinde bulunduğu kültür, eğitim ve siyaset düzeyini pek güzel yansıtıyorlar.

16

Demokrasi Denilen Yağmacı Liderler Oligarşisi'nden Dinci Oligarşi'ye Doğru

Sevgili okurlarım, kitaba özürlü Demokrasimizin traji-komik çelişkilerini vurgulayarak başlamış, Çok Partili Rejimin nasıl dışa bağımlı bir "yağmacı ve Liderler Oligarşisi" düzenine dönüştüğünü göstermeye çalışmıştım.

Buraya kadar anlatmaya çalıştığım süreçler içinde, bu özürlerin giderildiği ideal bir rejim yerine, Demokrasimiz bir Dinci Oligarşi'ye kaydırılıyor.

Şimdi biraz bu kaydırma operasyonu üzerinde durmak istiyorum.

* * *

Önce hemen belirtmeliyim ki, bu bölümdeki irdelemelerim İslam dinine veya Müslümanlara ya da dindarlara, müminlere yönelik değildir.

Tam tersine, gerçek müminleri de rahatsız eden, mukaddes dini değerlerimizin siyasete alet edilmesini anlatmaya çalıştığım bir bölüm olacak bu.

* * *

Buraya dek pek çok kez yinelediğim gibi, Türkiye Cumhuriyeti Bağımsızlık Savaşı'yla kuruldu.

Muzaffer Başkomutan **Mustafa Kemal Atatürk** (ve birkaç arkadaşı, ki bunların arasında komutanlar –İsmet İnönü hariç–– yer almıyordu) Cumhuriyet'i, Saltanat'a ve Hilafet'e karşı kurmuştu.

Bu nedenle Türkiye Cumhuriyeti'nde, Cumhuriyet ile Demokrasi birbirinden ayrılamaz iki hedef, birbirinin, "olmazsa olmaz" önkoşuludur.

* * *

Saltanat ve Hilafet, bir din-tarım devleti olan Osmanlı İmparatorluğu'nun Oligarşik yapısını belirliyordu.

Osman Bey'in kurduğu devlet, toprak ağaları (asiller) sınıfı içinde tek bir ailenin egemenliğine dayanıyordu.

Ailenin bu egemenliği İslam ideolojisiyle bütünleşmiş, Osmanlı Oligarşisi'nin harcı olmuştu..

Devşirme sistemi (sadrazamlar, vezirler ve tabii yeniçeriler) Devlet Oligarşisi'nin, Osmanlı Ailesi'ne tehdit oluşturmadan devamı için kullanılmış dahiyane bir düzendi.

Osmanlı'nın dehası tımar sisteminde de kendini göstermiş, öteki toprak ağalarının gelişmesini ve Osmanlı Ailesine tehdit oluşturmasını önlemek için, toprak mülkiyetini devlete (Osmanlı ailesine) mal etmişti.

Osmanlı İmparatorluğu'nun bu İdeal Oligarşisi, (tarihsel açıdan) eleştirilecek değil, övülecek, hatta hayran olunacak bir nitelik taşır.

* * *

İstanbul'un fethinden sonra zorlanan Batı'nın, Amerika'yı keşfiyle başlayan Endüstri Devrimi, bu devrimin tetiklediği teknolojik ve siyasal gelişmeler ve özellikle milliyetçilik akımları, Osmanlı'nın bu İdeal Oligarşik yapısını yavaş yavaş bozdu, yozlaştırdı, güçsüzleştirdi ve sonunda, İmparatorluğu çökertti.

Mustafa Kemal Atatürk'ün dehası yalnız kazandığı Bağımsızlık Savaşı'nda değil, belki de daha belirgin bir biçimde, "aşağıdan yukarı" oluşamayan çağdaşlaşmayı, "yukarıdan aşağı", "Cumhuriyet" ekseninde, "Demokrasiyi" amaçlayan bir yapıda planlamış ve gerçekleştirmiş olmasında ortaya çıkar.

* * *

Mustafa Kemal Atatürk ve **İsmet İnönü**'nün "Cumhuriyeti" kurarken hedefleri, hiç kuşkusuz "Demokrasi" idi.

Ama ne yazık ki "Demokrasi" gökten zembille inmiyor, Cumhuriyetçi bir Anayasa yapmakla ve çağdaş yasalar kabul etmekle de hemen uygulamaya konamıyor.

Toplumun "Çağdaş Demokrasiyi" özümlemesi uzun bir süreç:

Önce, Atatürk Devrimlerinin, Aydınlanma'nın gerçekleştirildiği Tek Parti Dönemi.

Sonra, Demokrat Parti'nin, (ne yazık ki) "çoğunluk diktatörlüğü"yle yozlaştırdığı, Bir Çok Partili Dönem.

En sonunda da bir askeri darbe ve bunun sonucunda "çağdaş, Demokratik, laik ve sosyal bir hukuk devlet yapısını" öngören 1961 Anayasası.

* * *

Burada toplumun gelişmişlik düzeyi ve Çok Partili Düzen'e geçtikten sonra iktidara gelen politikacıların niteliksizliğiyle ilgili çok acı bir gerçeğe tekrar dikkati çekmek istiyorum:

Evet 1923'te kurulan Cumhuriyet, gerekse Sosyal Refah Devleti'ni öngören 1961 Anayasası, toplumsal baskılar sonucu, aşağıdan yukarı değil, yukarıdan aşağı gerçekleşmiştir.

Tabii **Mustafa Kemal Atatürk** ve arkadaşlarının başka seçeneği yoktu.

Fakat **İsmet İnönü** için aynı şeyi söylemek olanaklı değil.

O isteseydi Tek Parti Yönetimini ölene kadar sürdürebilirdi.

Atatürk Devrimleri'ni Çok Partili Demokrasiyle tamamlamak isteyen İnönü, bu düzene kendi isteğiyle geçti.

Üstelik de bu kararında yanız bir liderdi.

Partisinin pek çok kurmayı, yeni rejimin temellerinin yeterince sağlamlaştırılamadığı ve bu geçişin erken olduğu görüşündeydi.

Ama hem Sovyet tehditlerinden korkan, hem de İkinci Dünya Savaşı sonrası oluşan yeni dünya düzeninde, bu tehditlerden dolayı Batı'ya katılmaya karar veren İnönü, Atatürk'ün çağdaş ülke olma idealini, Çok Partili Demokratik düzenle tamamlamak istedi.

Türkiye'deki Çok Partili Demokrasiye geçişte Amerikan'ın etkisi genellikle abartılır.

Amerika için Türkiye'nin Demokratik olması değil, kendi müttefiki olması önemliydi.

O dönemde ABD, örneğin **Franko** gibi **Salazar** gibi diktatörlerle çok rahat bir ittifak ilişkisi kurabilmişti.

Üstelik Portekiz, NATO'nun kurucu üyesi de oldu.

Bilindiği gibi ABD, hem genellikle hem de özellikle o dönemde, Demokrasiye değil, Antikomünist yaklaşıma ve kendisine verilen desteğe daha çok önem veren bir dış politika sahibiydi.

Sonuç olarak **İsmet İnönü**, tek parti yapısıyla ve "Milli Şef" kimliğiyle hem Batı ittifakına katılabilir hem de ömür boyu hüküm sürebilirdi.

Ama **Atatürk**'ün "çağdaşlaşma idealine" yürekten bağlı olduğu ve tarihe "Demokrasiyi kuran lider" olarak geçmek istediği, bu atılımı kendisinin tarihsel bir görevi olarak algıladığı için Çok Partili Düzen'e geçti.

Bu projenin başarısızlığı, seçimle iktidara gelen Demokrat Parti'nin ülkeyi Demokratikleştirmek yolunda değil, iktidarını sağlamlaştırmak için diktatörleştirme çizgisinde uygulamalar yapmasından doğdu.

Tabii Demokrasi sayesinde iktidara gelen bir partinin, Demokrasiyi sınırlayan ve kısıtlayan hukukdışı uygulamaları büyük bir bunalım doğurdu ve sonunda asker müdahale etti.

Sevgili okurlarım, burada, bu konuda daha derinliğine çözümlemeler yapmak, Demokrat Parti'nin bu hatasının nedenleri üzerinde uzun uzun durmak istemiyorum.

Çünkü hem *21. Yüzyılda Türkiye* hem de *Tarihimizle Yüzleşmek* adlı çalışmalarımda bu konuyu yeterince derinliğine irdeledim.

Ama en azından Demokrat Parti'nin kendisini iktidara taşıyan Çok Partili Rejim'i niçin geliştirmediğinin, tam tersine onu çoğunluğun diktatörlüğüne kaydırdığının nedenlerini bir özet olarak anımsatmak istiyorum.

1) Bütün DP kurucuları ve yöneticileri, Tek Parti Dönemi siyasetinden ve uygulamalarından geliyordu.
   Bu uygulamalar içinde yetişmişlerdi, Demokratik ilkeleri yeterince benimsememişlerdi.
2) Toplumsal sınıflar, özellikle de işçi sınıf yeterince gelişmemişti.
   İktidara, Demokrasi adına baskı yapacak bir sınıfsal güç yoktu.
3) Halk din-tarım toplumunun kurallarından, alışkanlıklarından kurtulamamış, Demokrasi açısından, temel hak ve özgürlükler anlamında yeterince bilinçlenememişti.
4) Soğuk Savaş'ın Antikomünist ideolojisi ve Amerika'nın etkisi, Türkiye'deki rejimi, gerçek Demokrasi'ye doğru değil, çoğunluğun baskısına yol açan dinci ve milliyetçi ideolojilere doğru yönlendiriyordu.
5) Parti içi Demokrasi sınırlıydı, Liderler Oligarşisi, dışa vurulan parti içi muhalefeti bastıracak kadar etkili ve güçlüydü.

* * *

Bu uzun ve acılı süreçlerden sonra ancak 1961 Anayasa'sıyla kurulabilen, gerçek ve çağdaş "Cumhuriyetçi Demokrasi Dönemi" Türkiye'de zar zor 10 yıl kadar, o da 1965'ten sonra yine yozlaşarak sürebildi:

1961 Anayasası'yla nihayet uygulamaya sokulabilen bu dönem, yine toplumun Demokrasiyi yeterince özümleyememiş olmasından dolayı, dış dinamiğin de etkisiyle 12 Mart 1971 askeri darbesiyle son buldu.

Askerlerin getirdiği çağdaş ve özgür düzeni yine askerler sonlandırmıştı.

Soğuk Savaş, kendisine uyum sağlamayan 1961 rejiminden intikamını alıyordu.

* * *

Anayasa'ya yapılan bu müdahale de yeterli olmayacak, 12 Eylül 1980 darbesiyle, ülke iyice dinci-milliyetçi çizgiye çekilerek, bugünkü Dinci Oligarşi'ye kayışın taşları döşenecekti.

* * *

Osmanlı Oligarşisi'ne karşı kurulan Cumhuriyet'in temelleri, ancak 1923-1945 arasındaki 22 yıllık çok kısa bir dönemde atılabilmişti.

Çünkü 1945'ten sonra başlayan Soğuk Savaş bağlamındaki Antikomünizm, "Cumhuriyetçi Demokrasi"nin gelişmek için attığı her adımı ve tabii bu arada Çok Partili Düzeni, kendi Oligarşik yapısını oluşturmak için (din, sermaye ve nihayet dinci sermaye bağlamında) yozlaştırmaya başlamıştı.

* * *

Dinci Oligarşi'nin tohumları, "Cumhuriyetçi Demokrasi"nin Çok Partili Rejimle gelişmeye çalıştığı 1945 yılından itibaren atılmaya başlandı.

Birbirinin devamı olan **Menderes, Demirel, Evren ve Özal**'ın oluşturduğu çizgide, Dinci Oligarşi oluşumlarının hem siyaseti, hem eğitimi, hem sermayesi, hem ideolojisi, hem entelektüel desteği sadece iç dinamikle değil, Soğuk Savaş ve sonradan onun yerini alan Küreselleşme bağlamındaki dış dinamikle de gelişti.

2002 seçimlerinde iyice hızlandı.

* * *

AKP'nin, 2007 seçimlerinde yeniden ve daha büyük bir oy oranıyla iktidara gelmesini, Milli Görüş'ten gelen bir AKP'li politikacının, Amerikan karşıtı İslamcılıktan Ilımlı İslamcılığa geçmiş olan **Abdullah Gül**'ün cumhurbaşkanı seçilmesi izledi.

Böylece 2007, "Dinci Oligarşi'nin" (hem de Demokrasi adına) kurumlaşma aşamasına geçişi hızlandırdığı yıl oldu.

2007 Yılında Türkiye fotoğrafı

Biraz aşağıda daha ayrıntılı bir biçimde açıklamaya çalışacağım diyalektik süreçler sonunda nasıl bir Türkiye ortaya çıkmıştı?

Dinci Oligarşi'yi neredeyse kurumlaşma aşamasına getiren yapı neydi?

Hem bu yapıyı, hem de bu yapının taşıdığı tehlike ve tehditleri, bugünlerde yayınlanan iki haberle saptamak olanağı var.

Türkiye'nin 18 Ağustos 2007'deki durumu, bu tarihteki iki gazetenin manşetinde bütün çıplaklığıyla görünüyor.

Aynı tarihli *Milliyet* ve *Cumhuriyet* gazetelerinin manşetlerini art arda okuduğunuz zaman ülkemizdeki durumun ne derece vahim ve ciddi olduğunu hemen anlıyorsunuz.

*   *   *

Milliyet'in manşeti "Yeni 'merkez'de MAYO GÜNAH".

Türkiye'nin en birikimli ve en dürüst bilim insanlarından biri olan Prof. **Yılmaz Esmer**'in yaptığı bir araştırmanın sonuçları.

Manşette, Merkez sözcüğü tırnak içine alınmış.

Böylece AKP'nin "merkez" tanımının ve siyasal "merkezi" temsil ettiği görüşünün tartışmalı niteliğine dikkat çekilmiş.

56 ilde 1398 seçmen üzerinde yapılmış bir araştırma.

Çarpıcı sonuçlar şöyle:

Seçimde AKP'ye oy verenlerin yüzde 83'ü *"Bir kadının plajda, havuzda mayoyla dolaşması günah"* diyor.

Bu oran MHP seçmeninde yüzde 63.

AKP'li seçmenlerin yüzde 59'u, MHP'li seçmenlerin yüzde

46'sı CHP'lilerin yüzde 15'i, *"yaşadığımız dünyayı ve evreni anlamak için din kitaplarının bilim kitaplarından daha önemli olduğunu"* düşünüyor.

AKP'lilerin yüzde 47'si MHP'lilerin yüzde 28'i, CHP'lilerin yüzde 10'u *"Din işleri ile dünya işleri birbirinden kesinlikle ayrılamaz"* diyor.

AKP'lilerin yüzde 53'ü, MHP'lilerin yüzde 30'u CHP'lilerin yüzde 12'si *"Ramazanda lokantalar kapalı kalmalı"* diyor.

Araştırmada, halkın, gittikçe nitelik değiştirdiğine ilişkin daha pek çok çarpıcı sonuç var.

Bütün sonuçlar toplumun, eğitim ve siyaset yoluyla dinci çizgide yeniden üretildiğini, Çok Partili Rejim adı verilen yağmacı Liderler Oligarşisi'nin Dinci Oligarşi'ye dönüşme sürecinin hangi aşamaya geldiğini açıkça belirtiyor.

* * *

Cumhuriyet gazetesinin aynı günkü manşeti "Yavaş Yavaş Gelirler".

Üst manşet ise "Ülkesinden kaçmak zorunda kalan **Khazai**: İran'da mollalar da ılımlı olarak gösteriliyordu" biçiminde.

Brüksel muhabirimiz yetenekli gazeteci **Elçin Poyrazlar**'ın yaptığı bir röportaj.

Dr. **Khosro Khazai**, Brüksel'de Zerdüştlük Çalışmaları Avrupa Merkezi Direktörü.

İran'daki İslami devrim sonrası ülkesinden ayrılmak zorunda kalmış.

Ülkesindeki Dinci Oligarşi'yle mücadele eden bir bilim insanı.

"Devrim"den sonra İran'dan kaçıp rejimle mücadeleye girişmiş ve annesi ile babası bu mücadele sırasında vahşice katledilmiş.

Türkiye'ye İslami rejimin bir "devrimle" değil, yavaş yavaş geleceğini belirtiyor.

İran'daki yönetimin İslami rejimi ihraç etmek kararında olduğunu anımsatan **Khazai** şunları söylüyor:

"Dini bir rejime sosyalizmle, kapitalizmle ya da libera-lizmle karşı koyamazsınız. Çünkü İslami rejim, içindeki un-surlara karşı, Demokratik bir tartışmaya açık olmamasından ötürü siyasi araçlarla savaşmanız mümkün değildir."

Önümüzdeki dönemde sadece Türkiye'de değil, Avrupa'da da siyasal İslam'ın güçleneceğini öngören **Khazai,** şöyle devam edi-yor:

"Türklerin, ülkelerinin gerçekleriyle yüzleşmesi ve Demokrasi yönünde harekete geçmesi gerekli. Türkiye'deki akıllı insanlar, dayatmaları reddedip Türk toplumunun ne olması gerektiğini görerek tehlikeye karşı birleşme yoluna gi-debilirler."

* * *

Son zamanlarda **Şerif Mardin**'in dikkati çekmesi üzerine bir-çok yazarın yeni keşfettiği, sosyal psikolojinin en eski kavram-larından biri olan "Grup Baskısı"nı anlatan "Mahalle Baskısı", "Mahalle İslam'ı" terimleri işte böyle bir şey:

Yasa çıkarıp kimsenin başını zorla örttürmeye gerek yok.

Dinci Oligarşi oluşumlarının güçlendirdiği Mahalle Baskısı zaten bu işi görecek.

Haremlik-selamlık uygulamaları için de yasaya, yönetmeliğe gerek yok, Mahalle Baskısı bunu da çözecek.

* * *

Dinci Oligarşi oluşumları, daha 1980'lerde ilan ettiği gibi, ya-salar çıkararak değil, din baskısıyla Demokratik bir devleti totali-ter bir yapıya dönüştürüyor.

Khazai, bunun mekanizmasını İran deneyimine dayalı olarak son derece açık seçik bir biçimde ifade ediyor.

Yılmaz Esmer'in araştırması ise bu Mahalle Baskısı'nın hangi değerler üzerinde yükseldiğini anlatıyor.

İkinci Cumhuriyet'in Birinci Cumhurbaşkanı mı?

Amerikancı ve İslamcı ünlü şair **Necip Fazıl Kısakürek**'in hayranı olan **Abdullah Gül**'ün cumhurbaşkanı seçildiği haberini veren *Hürriyet*'te, **Ertuğrul Özkök**, yazdığı yazıda, Gül için yarı şaka yarı ciddi bir ifadeyle, *"İkinci Cumhuriyet'in Birinci Cumhurbaşkanı"* diyordu.

Biliyorsunuz, "İkinci Cumhuriyet" terimi, Atatürk Devrimlerinden temizlenmiş, siyasal İslam'a ve bir ölçüde etnik ayrımcılığa dayalı Türkiye Cumhuriyeti anlamına geliyor Dinci Oligarşi'nin ve ona destek verenlerin sözlüğünde.

Özkök'ün bu benzetmesi, gerçekten de Türkiye Cumhuriyeti'nde yeni bir rejimin mi başladığını, artık "Demokratik, laik ve sosyal bir hukuk devleti"nin yerine Dinci Oligarşi'nin mi geçtiğini sorguluyordu.

Cumhurbaşkanı seçimiyle Dinci Oligarşi oluşumları, hükümetin denetimindeki merkezi yönetim ve yerel yönetimlerle birlikte, Çankaya'nın yetki alanındaki öteki devlet kurumlarını da yönlendirme olanağını yakalamış görünüyor.

The New York Times gazetesi ise, **Abdullah Gül**'ün cumhurbaşkanı seçilmesini *"84 yıllık laik sistemin kırılışı"* olarak yorumluyordu.

Tabii işin bir de simgesel tarafı var:

Siyasal İslam'ın simgesi olan, bu nedenle kamu alanından yasaklanmış ve bu yasaklama kararı Anayasa Mahkemesi ve Avrupa İnsan Hakları Mahkemesi tarafından da onaylanmış olan türban, kamunun en yüksek makamına çıkıyordu.

Böylece, *"Halk isterse tabii laiklik elden gidecek"*, *"Devlet laik olur, birey laik olamaz"* diyen bir başbakana ilave olarak, İngiliz basınına verdiği demeç Türk gazetelerine de manşet olan, *"Cumhuriyet'in sonu gelmiştir. Laik düzen başarısız olmuştur, onu kesinlikle değiştirmek istiyoruz"* diyen bir de cumhurbaşkanımız oldu.

Nitekim, **Gül** cumhurbaşkanı seçilir seçilmez verdiği demeçte, laikliği, kamu alanının inançlardan arındırılması ilkesinden saptırarak, *"farklı hayat tarzları için özgürleştirici bir model"* olarak tarif etmiş ve hiç vakit kaybetmeden, Demokratik ve laik sistemle hesaplaşmaya niyetli olduğunu bir kez daha ifade etmiştir. (Laikliğin tanımı, özellikleri gibi konuları merak edenler, *Demokrasi ve Laiklik* adlı kitabıma bakabilirler.)

Abdullah Gül'ün Cumhurbaşkanlığı, Tarihsel ve Siyasal Bakımdan, Tarikatlar Bağlamında Ne İfade Ediyor?

Abdullah Gül'ün cumhurbaşkanı oluşunun Dinci Oligarşi oluşumları açısından taşıdığı önemi, değerli tarihçi **Murat Bardakçı** 31 Ağustos günü *Cumhuriyet* gazetesinde açıkladı:

Bugünkü siyasal manzara, Nakşi doktrinin 600 yıl sonra gelen zaferidir"

*22 Temmuz seçimlerinin ve seçimlerden sonra **Abdullah Gül'ün** Cumhurbaşkanlığına gelmesinin, üzerinde pek fazla durulmamış olan en önemli sonuçlarından biri, altı asırdır var olan ve Türkiye'de imparatorluk döneminden başlayarak son iki yüzyıldan bu yana iktidar mücadelesi sürdüren bir hareketin, Nakşibendiliğin bu mücadeleyi kazanarak devlete -ordu dışında- resmen hâkim olmasıdır.*

*1389'da Buhara'nın köylerinden Kasr-ı Arifan'da doğan bir Türk olan **Muhammed Bahaüddin Şah-ı Nakşibend'in** Orta Asya'da kurduğu Nakşibendilik, aslında tam bir Türk tarikatı idi ve Araplıkla, Arap gelenekleriyle bir ilişkisi yoktu. Orta Asya'da başlayıp filizlenen bu düşünce sistemi zamanla Ortadoğu ile Anadolu'yu da etkiledi ama yaklaşık 500 yıl boyunca bir tasavvuf sistemi olarak kaldı ve siyasal alanda faaliyet göstermedi. Varlığını halk arasında ve kendine mahsus ritüellerle devam ettirdi.*

*Nakşibendiliğin siyasal zemine kayması, 1770'lerin sonuna doğru Süleymaniye'de doğup Bağdat'ta ve Hindistan'da okuyan **Mevlana Halid'in** kurduğu ve Nakşibendiliğin bir branşı olan "Halidiyye" kolunun çabalarıyla başladı. Halidilik, Şam'a yerleşen ve ahirete yönelik ibadetlerin yanı sıra dünyevi hayatın ve iktidarın da kontrol altında tutulmasını öngören **Mevlana Halid'in** dört bir yana gönderdiği halifelerinin faaliyetleri sayesinde hemen her kesimden müride sahip oldu. Müridler arasında, önde gelen bazı devlet adamları da vardı.*

Halidiliğin dünyevi iktidarı da elde etme amacı güttüğünü, ilk önce zamanın hükümdarı İkinci Mahmud fark etti. Başkent İstanbul'da tarikatı yaymaya çalışan Halidiler sıkı bir kontrol altına alındılar ve daha sonra Mevlana Halid'in gönderdiği halifelerle birlikte başkentten sınırdışı edilerek Şam'a geri yollandılar.

Nakşi-Halidi hareketin güç kazanma mücadelesi, İkinci Mahmud'un aldığı bu tedbirlere rağmen Cumhuriyet dönemine kadar durmadan devam etti.

Türkiye Büyük Millet Meclisi'nin 30 Kasım 1925'te kabul ettiği 677 sayılı kanunla tekke ve zaviyelerin kapatılmasından sonra tarikatlar, şeyhlerin veya önde gelen müridlerin evlerine yahut temin edilen başka mekânlara taşındılar, bir anlamda yeraltına indiler ve faaliyetlerinde hiçbir değişiklik olmadı.

Devlet ise, tarikatlara karşı iki farklı uygulamada bulundu: Hemen bütün tarikatlar gözetim altında tutuldu, bu arada birçoğunun faaliyetine göz bile yumuldu, hatta bazılarına kültürel kimliklerinden dolayı destek bile verildi ama.. sadece tek bir tarikat, Nakşibendilik ve özellikle de Halidiyye kolu sıkı bir takibe uğradı. Zira diğer tarikatların aksine dünyevi iktidara, yani devlete iktidar rakibi olan tek tarikat Nakşi-Halidi doktrindi.

Osmanlı'nın yanı sıra Cumhuriyet döneminde de devletle çatışmaya giren dini grupların hemen tamamı, Nakşi doktrinden kaynaklanan görüşlere mensuptu. Devrim yıllarında şapkaya karşı başlayan hareketin, 1930'daki Menemen olayının, Doğu ve Güneydoğu'daki birçok ayaklanmanın ve Türkçe ezana karşı başkaldırıların liderleri hep Nakşi-Halidi idiler.

Günümüzde modern versiyonlarının giderek güç kazandığı Said-i Nursi'nin Nurculuk hareketi de temelinde Nakşi doktirine dayanıyordu.

AKP kadrolarının yetiştiği yer olan MNP-MSP ve RP oluşumlarının temeli de Nakşi düşünce sistemidir.

Dolayısıyla AKP'nin 22 Temmuz seçimleri sonucunda elde ettiği başarı, Nakşibendiliğin Türkiye'de 200 yıldan fazla bir zamandan bu yana devam eden mücadelesini iktidarı elde ederek sonuçlandırması, diğer bir anlamla da Nakşi-Halidi doktrinin zaferidir.

*Bugün, Cumhurbaşkanı **Abdullah Gül'ün** Nakşibendilik ile, hatta herhangi bir tarikatla bağlantısı bulunmuyor yahut bilinmiyor. Ancak yetiştiği çevrede Nakşi etkisi her zaman vardı. Ve, unutmayalım: **Gül'ün** düşünce yapısının oluşmasında önemli etkisi olan **Büyük Doğu Hareketi'nin** lideri **Necip Fazıl Kısakürek**, Nakşi-Halidi hareketin önemli şeyhlerinden birinin, "Arvas Seyyidleri" olarak bilinen aileye mensup olan **Abdülhakim Arvasi'nin** önde gelen müritlerindendi.*

Sözünü ettiğim zafer, Nakşi cemaatlere mensup isimlerden oluşan bir iktidarın, o çevrelere muhalif olmayan bir ismi Cumhurbaşkanlığına seçmesi ile daha da güçlenmiştir.

*Bu, Nakşibendiliğin kurucusu **Bahaüddin Şah-ı Nakşibend'in** rüyasının 600, Halidiyye kolunu kuran **Mevlana Halid'in** vasiyetinin da tam 180 yıl sonra gerçek olması demektir.*

* * *

Sevgili okurlarım, değerli tarihçi **Murat Bardakçı'**nın makalesinden şunu anlıyoruz:

Osmanlı'nın bile kendini koruduğu Nakşibendiliğin siyasal egemenlik sevdasından, laik ve Demokratik Cumhuriyet kendini koruyamamıştır.

Tarihte Nakşiler, siyasal olarak önce İngiltere'ye yakın durmuşlar, sonra da Amerika'nın etkisine girmişlerdir.

Nakşibendi şeyhlerinin yakın tarihte oynadığı rolleri ve isimlerini **İlhan Selçuk**, *İskele-Sancak* adlı kitabının 148'inci sayfasında şu satırlarla vurguluyor:

"Nakşî **Derviş Vahdeti** *(31 Mart Vakası'nın kahramanı...)*

Nakşî **Şeyh Sait** *(1925'te ünlü isyanın lideri...)*

Nakşî **Said-i Nursi** *(Pek meşhur Fethullah Gülen'in ve Zaman gazetesinin şeyhi...)*

Nakşî **Fethullah Gülen** *(Amerika'da yaşayan **Gülen**, 2 Temmuz seçiminden sonra tam sayfa reklamla AKP'nin zaferini kutladı...)*"

İşte önemli Nakşibendiler ve liderlik ettikleri hareketler bunlar.

2007 Türkiye'sinde iktidar sahipleri bu gelenekten geliyor.

Bu ne biçim laikliktir?

Bu ne biçim Demokrasidir?

Bu ne biçim Cumhuriyettir?

Günümüz Açısından İki Değerlendirme

Yukarıdaki soruların yanıtlarını 31 Ağustos tarihinde ünlü şairimiz Özdemir İnce'nin *Hürriyet*'te yazdığı makaleden bir bölüme bakarak vermeye çalışalım:

İnce, *"İkinci Cumhuriyet=Ilımlı İslam Devleti"* başlıklı yazısının "Demokrasisiz Cumhuriyet" arabaşlıklı son bölümünde çarpıcı gözlemlerle okurlarının dikkatini çekmeye, Türkiye'nin önündeki tehlikeye işaret etmeye çalışıyor.

Abdullah Gül'ün Cumhurbaşkanı seçilebilmesiyle 29 Ekim 1923'te kurulan Cumhuriyet fiilen sona ermiştir. 28 Ağustos 2007'de ABD tescilli, sıfatı Ilımlı İslam Devleti olan 2. Cumhuriyet dönemi başlamıştır.

Adı da "Karşı Devrim Cumhuriyeti"dir!

Diyeceksiniz ki, neden?

Abdullah Gül'ün iki nedenden dolayı 1923 Cumhuriyeti'nin Cumhurbaşkanı olamaması gerekiyordu. Olamazdı. Madem ki oldu, onun için:

1. Geçmişi, dokunulmazlığın kapattığı dosyası ve politik hayatı boyunca dile getirdiği Cumhuriyet karşıtı düşünceler.

2. Eşinin Cumhuriyet'e meydan okuyan İslami militan eylemleri.

Bunlara karşın Cumhurbaşkanı olabildiğine göre 1923 Cumhuriyeti içerde ve dışarıda tasarlanmış bir cinayete kurban edilmiştir.

Ve karşı devrimin ikinci dönemi resmen başlamıştır.

*İkinci Cumhuriyet'in bir Ilımlı İslam Devleti'ne dönüş-
mesini hep birlikte göreceğiz.*
*İşte o zaman 'Demokrasisiz' bir cumhuriyetin nasıl bir
cehennem olduğuna yaşayarak tanık olacağız.*

İnce, Gül'ün seçilmesinin 1923 Cumhuriyeti'nin sona ermesi
anlamına geldiğini belirtiyor.

Bundan sonraki süreçte, 2. Cumhuriyet'in de Demokrasi dışı
bir Ilımlı İslam Devleti'ne dönüşmesi aşamasının başladığını söy-
lüyor. Acaba çok mu haksız? Bu sorunun yanıtını yine Prof. Şerif
Mardin'e dönerek vermeye çalışalım:

Prof. Şerif Mardin'in "Mahalle Baskısı" diyerek ifade ettiği
kavramı daha önce açıklamıştım.

Bu kavramın üzerinde özellikle durmamın iki önemli nede-
ni var.

Birincisi, **Mardin**, bugüne kadar yaptığı araştırmalarda, yazdı-
ğı kitaplarda, **Saidi Nursi** ve Nurculuk olayını "İslam'ın modern-
leştirilmesi" bağlamında ele almış ve tarikatları, devletle halk ara-
sındaki ilişki boşluğunu dolduran, sivil toplum kuruluşu benzeri
işlev gören cemaatler olarak tanımlamıştı.

Üniversitelerdeki türban yasağına karşıdır.

Tabii bu yaklaşımıyla **Mardin**, her türlü "din karşıtlığı",
"İslam'a karşı önyargılı olma" suçlamalarının dışında kalıyor;
nesnelliğinden, objektifliğinden kuşku duyulmuyor.

İkinci neden, AKP iktidarının seçimleri kazanır kazanmaz, san-
ki Türkiye'nin başka ivedi sorunu yokmuş gibi, yeni bir Anayasa
taslağını devreye sokması ve üstelik de bu taslakla Demokratik ve
laik düzenin altını iyice oyarak, sistemi Dinci Oligarşi'ye dönüş-
türmek istediği kuşkularını güçlendirecek önerilerde bulunması.

Yani **Mardin**'in söyledikleri, hem bugüne kadarki yaklaşımı
ve kimliğinden hem de gündemi tam yakalamış olmasından do-
layı önem kazandı.

Çok satışlı gazetelerin haklı olarak önem verdiği **Mardin**'in bu
yaklaşımında gözden kaçırılan bir nokta var:

Mardin, "Mahalle Baskısı" ile "Mahalle İslamı"nı eş anlamlı kullanıyor ve bunları **Ebulula Mardin**'in "Ham sofu" ve Batı'nın "Fondamantalist" kavramlarıyla açıklıyor.

Yani söz konusu olan baskı, normal bir Grup Baskısı, normal bir etkileşim değil.

Din ile toplum ve birey arasındaki olağan bir ilişkiden söz etmiyor **Mardin.**

Mardin'in "Ham sofu" ve "Fondamantalist" kavramlarıyla eşdeğer tuttuğu bu baskı; "radikal", "köktendinci", "bağnaz", "cahil", "ilkel", "şeriatçı", "acımasız", "siyasetle bütünleşmiş", "gerçek İslam'dan uzak", çağdaşlığa, insan haklarına, Demokrasiye aykırı özel bir baskı. Zaten tehlikesi de burada.

Cumhurbaşkanı **Abdullah Gül**'ün *"Türkiye Malezya olmaz"*, Başbakan **Recep Tayyip Erdoğan**'ın *"Kadınlar korkmasın"* diyerek, topluma güvence vermeye ve korkuları, kaygıları yatıştırmaya çalışmaları, bu tehlikenin büyüklüğünü ve yakınlığını belirtiyor.

Mardin, bir şeyi daha vurguluyordu:

"...Mahalle Havası dediğimiz şeyin bu İslami alt-çevrelerle yeni bir şekil almış olduğuna inanıyorum. Bu yeni şekil AKP'yi döver. Demek istiyorum ki eğer böyle bir hava gelişirse AKP ona biat etmek zorunda kalabilir..."

Bu uyarısı tehlikenin yakınlığı, büyüklüğü ve açıklığı karşısında, iktidarın da güçsüz ve çaresiz kalabileceğini belirtiyor.

Tarihin ve siyasal olayların bize öğrettiği bir genel ilkeyi sevgili okurlarıma anımsatmak istiyorum:

"Terör ya da din gibi araçları siyasette kullanan iktidarlar, sonunda bu her iki aracın da denetimini ellerinden kaçırıp onlara teslim olur."

Tarih, bunun sayısız örnekleri ve bu nedenle yaşanmış pek çok kanlı felaketle doludur.

Türkiye İran'a Dönüşür mü?

Türkiye'deki Dinci Oligarşi veya moda adıyla Şeriat Devleti tehlikesine işaret etmek isteyenler, genellikle İran'da olup bitenleri örnek gösterir.

Bildiğiniz gibi İran'da da bizdeki gibi bazı solcular, Şah'a karşı dincilerle ittifak yapmışlar, ihtilali birlikte gerçekleştirmişlerdi.

Yaklaşık bir yıl kadar, İran'ın Komünist partisi TUDEH de yönetime katılmış, fakat bu dönemin sonunda solcular kanlı bir biçimde İslamcılar tarafından tasfiye edilmişlerdi.

Dinci Oligarşi'den kaçan İranlılar tarafından Türklere yapılan bir uyarıda, "Bir gülün gözünüzün önünde her gün büyüdüğünü, açtığını zor fark edersiniz. Bir gün bakarsınız ki, kocaman olmuş. İran'da da İslamcı hareket böyle gelişti," denmiştir.

Türkiye'deki Dinci Oligarşi oluşumları ile İran deneyimi arasında benzerlikler var mı?

Türkiye bir gün İran'a dönüşebilir mi?

Bu soruların yanıtlarını **Soner Yalçın** da arıyor:

23 Eylül 2007 tarihli *Hürriyet* gazetesinde *"İRAN'A ŞERİAT 'DEMOKRASİ' VE 'ÖZGÜRLÜK' VAATLERİYLE GELDİ"* başlığıyla şöyle yazıyordu:

AKP'nin Anayasa tasarısı hazırlıkları, Türkiye'nin bir saklı gündeminin doğmasına neden oldu:

"Darbe mi? Şeriat mı?"

İşte Türkiye'nin gizli gündemi bu soru. Herkes bunu tartışıyor.

Ne rastlantı; yıllar önce, İslam devriminden önce benzer soru İran'ın da gündemindeydi. İranlı solcular, demokratlar, liberaller ve milliyetçiler bu soruyu tartışıyordu, darbeye karşı çıkıyorlardı.

Gelin İran'ın İslam devrimi öncesi ve sonrası günlerine gidelim. Bir de, 'Mahalle Baskısı' var mıymış görelim:

*MERHABA. Benim adım **Bahman Nirumand**.*

İranlı bir gazeteci-yazarım.

Şah'ın devrilmesinde aktif rol oynayanlardanım.

Ve aynı zamanda mollaların, Demokrasi ve özgürlük getireceğine inanan milyonlarca solcu, demokrat, liberal ve milliyetçi insandan biriyim.

Evet, **Humeyni** *yeryüzünde cenneti vaat etti bize. Demokrasi gelecek, kimse fikirleri ve siyasal görüşleri yüzünden tutuklanmayacak, işkence yapılmayacak, kadınlara eşit haklar verilecek, giyim serbest olacaktı.*

Şah'ı devirdikten sonra mollaların camiye geri döneceklerinden emindik. Devleti yönetecek durumda olduklarına inanmıyorduk.

Yanıldık. Kitaplardan ezberlediğimiz cümleleri, içi boş kavramları birbirimize söyleyip duruyorduk.

Üzerinde Durmadık

Her şey 14 Ocak 1979 tarihinde değişti. Şah, İran'ı terk etti. Ardından İran tarihinin en büyük yürüyüşü Tahran'da yapıldı. Sansür, yasak yoktu, istediğimiz gibi bağırıyorduk.

Fakat mitingde ilk dikkatimi çeken, kim liberal **Musaddık** *ya da solcu şehitlerin resimlerini taşıyor ise mollalarca dövülüyordu.*

Pek üzerinde durmadık bu olayın, "Hele bir kurtlarını döksünler, sonra sakinleşirler" diye düşündük.

Ertesi gün gazetede, bir hırsızın genç mollalar tarafından yakalanıp, adına "İslam Mahkemesi" denilen bir mahalli heyet tarafından 35 kamçı cezasına çaptırıldığı haberini okuduk.

Haberi ciddiye almadık; "Üç beş sapsızın işi" dedik.

Bu arada bira-şarap fabrikalarının yakılması, sinemaların tahrip edilip filmlerin sokaklara atılması gibi olayların üzerinde hiç durmadık. "Ufak tefek şeylerin" toplumun Demokrasi ve ulusal bağımsızlık yolundaki çabaları etkilemesini istemiyorduk.

Biz bunları söylerken, mollalar tarafından, kadın ve erkeklerin yan yana yüzemeyecekleri; okullarda aynı sınıflarda olamayacakları; birlikte spor yapamayacakları gibi gerici kararlar ardı ardına alınmaya başlandı.

"Müslüman kadınların yanında orospuların yeri yoktur" denilerek kadınlara örtünme zorunluluğu getirildi. Özellikle üniversitelerde bu yüzden çatışmalar çıktı.

Bu çatışmalardan rahatsız olduk; kadın sorununun güncelleşip ön plana geçmesini istemiyorduk! "Asıl mücadele, Emperyalizme ve

*kapitalizme karşı verilmelidir" diyorduk. Kadın sorunu bir yan çeliş-
kiydi, ana çelişki sömürüydü. Kadının giyim sorunu, Emperyalizme
karşı verilen mücadeleyi baltalamamalıydı!*

*Peçesiz, başörtüsüz sokağa çıkan kadınlar artık açıkça, gözümü-
zün önünde dövülüyordu. Bazı kadınların yüzüne kezzap atılıyor-
du.*

*Biz ise hâlâ büyük laflar ediyorduk; bu tür olayları devrimin ka-
çınılmaz sancıları olarak görüp umursamıyorduk! "İttifak" "Eylem
Birliği" gibi terimlerin peşinden koşup duruyorduk.*

Geçiş Sancıları Sandık

*Humeyni, "Bütün sorunlarımızın sebebi, cemiyetimizdeki ah-
laksızlıklardır. Bunların kökünü kazımalıyız" diyor; genç mollalar
terör estiriyordu. Kitabevleri yağmalanıyor; gazete bayileri ateşe ve-
riliyordu.*

*Şiraz'da 'İslam Mahkemesi' eşcinsel ve fahişe olduğu gerekçesiyle
dört kişiyi idam ediyordu. Benzer olay Tahran'da da gerçekleşiyor,
üç fahişe ve üç eşcinsel kurşuna diziliyordu.*

*Sesleri ve görüntüleriyle erkekleri tahrik ettikleri için kadın spi-
kerler televizyondan kovuluyor; uyuşturucu olarak görülen müzik
yasaklanıyordu. Alkol içen, kırbaç cezasına çaptırılıyordu.*

*Şimdi düşünüyorum da, insan zamanla her türlü aşağılanmaya
alışıyor galiba. Hiçbirini görmüyorduk; basmakalıp analizlerimizin
doğru olduğuna o kadar inanıyorduk ki!..*

*Oysa toplum hızla dincileştiriliyordu. Alınan her kararda
"Tamam bu sonuncusu" diyorduk. Ama arkası hep geliyordu.*

*Kızların evlenme yaşı 18'den 13'e düşürüldü. Parfüm, ruj, saç
boyası, mücevher gibi kadın malzemelerinin yurda girişi yasaklan-
dı. Kadın çamaşırı satan mağazaların vitrinlerine sutyen, kombine-
zon vs. koymasına bile izin yoktu.*

*Kamu dairelerinde kadın memurlara tesettüre girme emri çıka-
rıldı.*

*Aslında birçok aydın kadının üye olduğu kadın dernekleri var-
dı. Onlar kendi küçük çevrelerinde "hamilelik tatilinin uzatılması",
"eşit işe eşit ücret" gibi talepleri tartışıyorlardı.*

Biz aydınlar hep aynı düşüncedeydik: Demokrasi ve özgürlüğe geçiş sancılarıydı bu tür vakalar! Abartmaya gerek yoktu.

Hepimiz "ana çelişki" üzerinde duruyorduk; öncelikle dışa bağımlılık ve ekonomik krizden kurtulmalıydık.

Referandum Oyunu

Üç ay önce Humeyni, Paris'te komünistler de dahil olmak üzere her görüşün rahatça örgütleneceği bir Demokrasiden, özgürlükten bahsederken, şimdi tüm solcu, milliyetçi ve liberalleri İslam düşmanı ilan etmişti.

Bu sözler üzerine ilk protestomuzu yaptık. Mitingimize bir milyonu aşkın insan geldi.

Mollaların en iyi siyasi stratejileriydi; işlerine gelmediği zaman hemen gündemi değiştiriyorlardı.

Referandum meselesini gündeme getirdiler. Halka soracaklardı: "İslam Cumhuriyeti'ni istiyor musunuz, istemiyor musunuz?"

Kuşkusuz bu bir oyundu; halkın yüzde 65'inin okuryazar olmadığı bir ülkede kim ne anlardı cumhuriyetten?

Yapılan propaganda belliydi; dediler ki: "İslam'a evet mi, hayır mı diyorsunuz?"

Biz bu oyunu biliyorduk ama şöyle düşünüyorduk: "Önemli olan cumhuriyettir; serbest seçimlerdir; Demokratik haklardır; özgürlüklerdir. İslam Cumhuriyeti bunu sağlayacaksa neden karşı çıkalım?"

Ancak bazı küçük kesimler bu oyuna gelmemek için referandumu boykot ettiler.

Sonuçta, "evet" diyen 20 milyon, "hayır" diyen ise sadece 140 bindi.

Mollalar bu referandum sonucunu çok iyi kullandılar. Güya tüm ülke yaptıklarını onaylıyordu. Artık televizyondan sonra basın da ellerine geçmişti. Sanki tüm muhaliflerin sayısı 140 bin kişi gibi gösterdiler. Halbuki 20 milyon içinde bizim oyumuz da vardı. Ama artık bizim sesimizin çıkmasına izin verilmiyordu.

Halkı Anlayamadık

Mollalar güçlendikçe saldırganlaştılar.

Örneğin, tirajı bir milyon olan liberal Ayendegan *gazetesini kapattırdılar. Sıra sonra* Keyhan *gazetesi'ne geldi; muhalif yazarların işten çıkarılmasını sağladılar.*

Tüm bu olanları protesto etmek için mitingler düzenlemeye başladık. Ama iş işten geçmişti artık; insanlar yılmıştı, korkuyordu.

Özgürlük, Demokrasi ve bağımsızlık için ayaklanan halkın, bu kadar kısa sürede değişeceğini düşünememiştik.

Sanmıştık ki, mollaların gerici yasalarına/kurallarına halk karşı çıkacak. Halbuki tersi oldu; mollalar yasak, sansür getirdikçe arkalarından gidenlerin sayısı arttı.

Örtünmek moda oldu!

Tüm bunlara "gelip geçici bir fırtına" diye bakmak ne büyük yanılgıydı.

Komünistlerden, solculardan, demokratlardan, milliyetçilerden sonra liberal İslamcılar da zamanla mollaların hedefi oldu.

Şah döneminden daha çok insan cezaevlerine konuldu; idam edildi.

Milyonlarca insan canını kurtarmak için yurtdışına kaçtı.

Kaçanlardan biri de bendim.

Umarım bizim hatalarımızdan birileri ders çıkarır.

(Not: Bu metin, **Bahman Nirumand**'ın İran *kitabından derlenmiştir.)*

Türkiye'nin İran Benzerliği Çok Şaşırtıcı

ÖNCE bir tespit yapalım:

Diyorlar ki, 'Türkiye, İran'a benzemez!'

Yanılıyorlar.

Bu nedenle gelin önce kısa bir tarih yolculuğu yapalım:

19. yüzyılda İngiltere'nin Osmanlı Devleti gibi, İran üzerinde de nüfuzu vardı.

İki ülke de tarım ülkesiydi.

20. yüzyıl başında, -İran 1906; Osmanlı 1908- askerlerin bastırmasıyla iki ülkede de meşrutiyet ilan edildi.

Her iki ülke 1920'lerde yeni liderleriyle yönetildi:

*İran'da subay **Rıza Han (Pehlevi)**, "ormancılar ayaklanmasını" bastırıp yönetimi devirerek kendini "Şah" ilan etti.*

Türkiye'nin lideri ise iç ve dış düşmanları yenen Mustafa Kemal Atatürk'tü.

Her iki lider de ülkelerinin tarihlerinde görülmedik boyutlarda, modernleşme ve reform politikalarını uygulamaya koydu. Ülkelerini eğitim sisteminden hukuk sistemine kadar laikleştirmeye çalıştılar. Kılıf kıyafet devrimi yaptılar.

Bu reformlara her iki ülkede de karşı çıkan pek olmadı; sayıları az olmakla birlikte muhalif olanlar da çok ağır cezalara çaptırıldı.

İran 1940'ta, Türkiye 1946 yılında parlamenter Demokrasiye geçti.

İran'da 1951'de, Türkiye'de 1960'ta "milliyetçi/ulusalcı solcu" askerler darbe yaptı.

İran'da başta petrol olmak üzere millileştirmeler yaşanırken, Türkiye de dışa açıldı, yabancı sermayeyi kabul etti.

*CIA, İran'daki darbeci **Musaddık**'ı yıktı. Yerine tekrar Şah Rıza Pehlevi'yi getirdi. Şah bütün partileri kapattı, liderlerini hapsetti.*

Türkiye, 1961'de Demokrasiye döndü, seçimler yapıldı.

1960'lı yıllar, her iki ülkede de sol, milliyetçi ve İslamcı hareketin ivme kazandığı dönem oldu.

Aynı dönemde her iki ülkenin siyasi ve iktisadi olarak dışa bağımlılığı arttı. ABD "abi" rolündeydi. Düşman ise komünizmdi.

Her iki ülke de solcularını ezmek, yok etmek için her yola başvurdu. Devlet güçleri, sola karşı diğer güçlerle ittifak yaptı.

Sol muhalefetin ezildiği dönemde İslamcı hareketler güçlendi.

Yeşil Kuşak Projesi

Burada meseleye daha geniş açıdan bakıp, 1970'li yılların son dönemini bir hatırlayalım.

Sovyetler Birliği, Afganistan'a girmişti.

ABD'nin kontrolündeki Şah, İran'ı terk etmişti. Türkiye'de büyük bir sol dalga vardı.

Soğuk Savaş Dönemi'nde siz ABD'nin yerinde olsanız ne yaparsınız?

İran'da Sovyetler Birliği yanlısı solculara karşı mollaları desteklediler.

Türkiye'de 12 Eylül 1980 askeri darbesini yaptırıp, İslamcıları kuvvetlendirerek solu ezdirdiler.

ABD, Şah'tan umudunu kesince mollaları destekledi. İran'da mollaları yok etmek isteyen askerlerin elini kolunu bağladı.

Şah Rıza Pehlevi, ölmeden birkaç hafta önce, "Amerika ve İngiltere yerine muhalefeti yok etmek isteyen askerleri dinleseydim, ülkeyi terk etmek zorunda kalmazdım" diye açıklama yaptı.

ABD, Sovyetler Birliği'ni İslam ülkeleriyle kuşatıp içindeki İslamcı halkları ayaklandırarak yıkacağını hesaplıyordu.

Bu nedenle İranlı subaylara hep engel oldu.

Örneğin: Şah gittikten sonra, ülkenin başında kalan sosyal demokrat Başbakan Bahtiyar "İslam Cumhuriyeti'ne izin vermeyeceğim" diyordu.

Genelkurmay Başkanı Karabagi, Bahtiyar'ı destekliyordu.

Bahtiyar, ABD ve İngiltere'ye danıştı. Tabii ki destek alamadı.

Mollalar şanslıydı; dünya siyasal konjonktürü onların lehineydi.

Sonunda Humeyni, Tahran'a geldi. Yerleştiği "Refah Okulu"nda, liberal-İslamcı Mehdi Bazargan'ı başbakan ilan ettiğini açıkladı. ABD ve Avrupa bu "Ilımlı İslamcı" atamadan mutlu oldu.

Ancak mollalar güçlendikçe iktidara yerleşti.

Son hedefleri, halkın oylarıyla Cumhurbaşkanı olan liberal Müslüman Beni Sadr idi.

Askerler bu kez Beni Sadr'ın imdadına yetiştiler; darbe yapabileceklerini söylediler. Sadr darbe istemedi ve yurtdışına kaçmak zorunda kaldı.

Mollalar iktidara yerleşti. "Ilımlı İslam" istemiyorlardı!

Destek Esnaftan

İran tarihine bakıldığında, mollaların devlete karşı ayaklandığı görülmemişti. Sadece 1963'te Şah, mali kaynaklarını yok ettiği için ilk protesto eylemini gerçekleştirmişlerdi. Bu nedenle Humeyni, Türkiye'ye sürgüne gönderilmişti.

Durum aslında bizim Nakşibendiler'e benziyor, onlar da hep devletin yanında olmuşlardı. Neyse…

Türkiye'deki İslami hareketler ile İran'daki mollaları destekleyen güçler arasında benzerlikler var mıydı?

Yapısal farklılıklar olsa da taban aynıydı:

Mollaların ülke içinde en büyük destekçisi, iç ticaretin üçte ikisini, ihracatın üçte birini elinde tutan ve geleneksel değerlerin savunucusu Bazar esnafıydı.

Mollalar ayrıca liberal-burjuva çevrelerinden de destek gördü. Bunun sebebi, özerklik için harekete geçen Azeri, Kürt, Beluciler gibi etnik unsurların başlarının hemen ezilmesi talebiydi.

Ve tabii, din adamlarının siyasal örgütlenme gücünün en büyük dayanağı ise, cami komiteleriyle girdikleri yoksul mahallelerdi. Camiler cihat birliklerinin hücre evleriydi. Kısa bir süre öncesinin solcu varoş mahallelerinin yoksulları akın akın mollaların arkasından yürüyordu artık.

Şimdi tekrar başa dönüp soralım:

Türkiye, İran'a benziyor mu?"

Sevgili okurlarım, **Soner Yalçın**'ın yazısı burada bitiyor. Bilmiyorum başka bir şey eklemeye gerek var mı!

Türkiye Malezya Gibi Olur mu?

Türkiye'deki Dinci Oligarşi oluşumlarının güçlenmesi İran modeli bağlamında tartışılırken, gündeme birdenbire Malezya örneği giriverdi.

Bunun nedeni ABD'nin eski Dışişleri Bakan Yardımcısı **Richard Holbrooke**'un yaptığı bir konuşmaydı.

Bu konuşmasında **Holbrooke**, ABD'nin bütün dünyada radikal siyasal İslam'a karşı "Ilımlı İslam Devleti" modelini desteklediğini ama dünyada bunlardan ancak iki tane bulunduğunu belirtiyordu.

Verdiği örnekler de Malezya ve Türkiye idi.

Böylece, Türkiye'deki oluşumlar, birdenbire Malezya örneği açısından da tartışılmaya başlandı.

Kimileri Malezya'nın meşruti bir krallık olduğunu ve federatif bir yapısı bulunduğunu belirterek, Türkiye ile Malezya'nın karşılaştırılamayacağını söylüyordu.

Oysa sorun Malezya'da yaşayan "Müslüman olmayan halk" değil, ülkenin "Müslüman vatandaşlarının" içinde bulundukları rejimin niteliğiydi.

Zaten laikliğin de püf noktası bu değil miydi?

Asıl laiklik sorunu, Müslüman olmayanların değil, Müslüman olduğunu söyleyenlerin nasıl bir yaşam biçimine, bir hukuk ve devlet düzenine bağlı olduklarıydı.

Türkiye ile Malezya karşılaştırmasında ben yine bir yargı belirtmek yerine, Malezya'dan izlenimlerini aktaran bir muhabirin tanıklığına başvurmak istiyorum.

Muhabir **Ezgi Başaran** ile fotoğrafçı **Sebati Karakurt**'un Malezya izlenimleri, 25 ve 26 Eylül 2007 tarihlerinde *Hürriyet* gazetesinde şöyle aktarılıyordu:

*İki Müslüman avukat **Malik İmtiaz** (37) ve **Haris Bin Muhammed** (47), 2006'da "11. Madde Hareketi" adlı bir sivil hareket başlattı. Hareketin adı, Malezya Anayasası'ndaki "Herkes istediği dini seçmekte ve yaşamakta özgürdür" maddesinden esinlenilmiş. Bu maddenin artık uygulanmadığını savunuyor ve Malezya'daki İslamlaşmaya, "şeriat"ın, Anayasa'nın üstünde tutulmaya başlanmasına karşı, 11 sivil toplum kuruluşunu aynı çatı altında buluşturuyorlar. Bütün bunlar yüzünden, aynı zamanda Ulusal İnsan Hakları Derneği'nin başkanı da olan **Malik İmtiaz** hakkında Ağustos 2006'da "İslam'ı aşağılıyor, katli vaciptir" yazan posterler Malezya'nın her köşesine dağıtıldı. Fakat o ve arkadaşı **Haris Bin Muhammed** yılmadı, 11. Madde Hareketi olarak mitingler ve forumlar düzenlemeye çalıştı. Son iki miting polis tarafından engellendi, artık forum düzenlemeleri de yasak. "Şimdilik davamızı internet üzerinden yürütüyoruz, çünkü başbakan bu sivil* *hareketten hiç hoşlanmıyor" diyor. **Malik** ve **Haris**'le Malezya'daki İslamlaşma sürecinde kimlerin rol oynadığını, geçmişini ve geleceğini konuştuk. İşte anlattıkları:*

İkili Hukuk: *Malezya'da ikili hukuk sistemi var. Müslümanların evlilik, boşanma, miras gibi medeni konuları Şeriat Mahkemesi'nde görüşülür. Gerçi sivil mahkemelerde de 1970'lerin sonundan beri İslam'ı baz alan kurallar ve yasalar hep vardı. Örneğin '3 kez üst üste cuma namazına gitmeyen ya da oruç tutmayan bir Müslüman para cezasına çarptırılır' diyordu. Ama bu tamamiyle kâğıt üstündeydi, hiç uygulanmıyordu. Çünkü 1980'lerde İngiliz eğitimi görmüş akıllı avukatlar ve hâkimler vardı.*

İslamcı Retorik: *1988'de, eski Başbakan **Mahathir bin Muhammed**, İslam partisi PAS'ı çok ciddi bir tehdit olarak görmeye başladı. Oylarını onlara kaptıracağını düşündü. Partisinin başına **Enver İbrahim**'i getirdi ve İslamlaşma trendini başlattı. Biz de iyi Müslümanlarız demek istiyordu. 2001'e geldiğimizde ise "Malezya İslam Devleti'dir" deyiverdi.*

Metamorfoz Oldu: *Son 10 yıl içinde, İslam baz alınarak yazılan ve aslında hukukçuların umursamadığı yasalar, metamorfoz geçirip küçük böcekler halinde toplum hayatımıza sızdı. Gerçekten uygulanmaya başlandı. 10 yıl önce farklı dinden kişilerin evlenmesinde sorun yoktu. İsteyen din değiştirebiliyordu. Şimdi ise bir Müslüman'ın bir Budist'le evlenmesine, din değiştirmesine imkan yok.*

Müslümanlar Hariç: *Malezya Anayasası'nın 11. maddesi şöyle der: "Herkes istediği dine inanmakta ve ibadet etmekte özgürdür." Fakat 1999'da Yüksek Mahkeme bu maddedeki "herkes" kelimesinin anlamını değiştirdi: "Herkes ama Müslümanlar hariç." Müslümanlar din değiştirmek istiyorlarsa şeriat mahkemesine gidecek bundan böyle dediler. O yıl din değiştirip bir Hıristiyanla evlenmek isteyen **Lina Joy**'un hüsranla biten hukuk savaşı bunun ilk örneğidir.*

Hâkimler Yapıyor: *Nüfus kâğıdına, "Dini İslam'dır" ibaresi eklendi. Müslümanların yaşam biçimini etkileyen konularda sivil mahkemeler bir anda ortadan kayboldu, yetkiyi Şeriat mahkemelerine devretti. Anayasa resmen çarpıtılmaya başlandı. Bazı* *hâkimlerin şöyle dediğini duyuyoruz: "Önce Müslüman'ım sonra hâkim."*

Yavaş Ve Derinden: *İslamlaşma programı, hem devlet hem de başsavcı ve hukuk adamları tarafından yürütülüyor. Yavaş ve derinden, yeraltından ilerliyorlar. Anayasa değişmedi, ama onu yorumlayanların ve uygulayanların kafa yapısı değişti. Şimdi de toplum hayatına sızdı.*

Araplaşma Yaşanıyor: *İslamlaşmanın ötesinde Araplaşma yaşıyoruz. Ahlak polisi daha görünür hale geldi, hayata müdahale etmeye başladı. Artık türban takmayan Müslüman kadınlar garipseniyor. Geçen sene dini ne olursa olsun kadın polislerin türban takması zorunlu hale geldi.*

Aslında Azınlık Ama: *Aslına bakarsanız radikal İslamcıların azınlık olduğunu düşünüyorum. Ama sesleri çok gür çıkıyor. Sessiz çoğunluk ise dışlanmamak için onlara uyuyor. Şehirdeki aydınlar, "İslamcılık asla Malezya'ya hâkim olamaz" deyip gülüp geçiyorlar. Ama böyle şeyler hız kazandıktan sonra durdurulamıyor.*

Türban 10 yılda yüzde 80'e ulaştı:

Ülkenin yüzde 50'si Malay, yüzde 30'u Çinli, yüzde 8'i Hintli. Yüzde 61'i Müslüman, yüzde 19.2'si Budist, yüzde 9.1'i Hıristiyan, yüzde 6.3'ü Hindu. Başkent Kuala Lumpur'da, Malezya'nın farklı etnik yapılarının hepsi, kendi kimliğini, kültürünü ve dinini yaşıyor. Malezya'da türbanlı kadınların sayısı, son 10 yıl içinde yüzde 10'dan 80'e ulaşmış. Metroda karşılaştığımız genç kız Surinia, türban takma gerekçesini şöyle açıklıyor:

"Çünkü normal olan bu. Biz Malayların yaptığı böyle, ailem, arkadaşlarım, komşularım hepsi türbanlı."

Fakültede bacılar ve erkekler:

Üniversite "Brothers-Sisters" yani "erkek kardeşler" ve "kız kardeşler" diye ikiye ayrılmış. Kütüphanedeki, kantindeki, bilgisayar odasındaki masaların üstünde kimin nereye oturacağı yazıyor, yani bir kız 'Brothers' yazısı yapıştırılmış masaya oturamaz. Üniversitenin girişinde kıyafet kurallarını anlatan büyük bir afiş var. Erkekler gömleği pantolonun içine sokacak, kadınlar türban takıp bol kıyafetler giyecek, ağır makyaj yapmayacak, açık ayakkabı giymeyecek.

Oruç Polisi: Malezya'da kadın polislerin türban takması zorunlu. "Oruç Polisi" adıyla tüm dünyada haber olan ekip ise, polisin dinden sorumlu bir birimi. Oruç tutmayanları ve iftar vaktinden önce Müslümanlara servis veren lokantaları tespit etmekle görevliler.

Malezya'daki Dini Lider AKP'yi Örnek Alıyormuş

Ezgi Başaran'la **Sebati Karakurt**'un röportajı 26 Eylül günü tüyler ürpertici bir konuşmayla devam ediyor:

Malezya'nın dini lideri **Nik Abdülaziz**, uyguladığı politikalarda Türkiye'deki AKP iktidarını örnek aldığını belirtmiş.

Konuşmanın tümü şöyle:

*PAS'ın yönettiği Kelantan Eyaleti'nin Kota Bharu Kenti'ne gittik. Eyaletin Başbakanı ve Malezya'nın dini lideri **Nik Abdülaziz**'le görüştük. Bizimle çok açık konuştu.*

Ilımlılık Olmaz: Malaylar, laiklik taraftarı değildir. "Ilımlı İslam" kavramını Malezya'da iktidar partisi UMNO çıkardı. Bu İslam'ın özünden kaçmaktır. Ama biz Kelantan Eyaleti'nde İslam'ın bir devlet ideolojisi olabileceğini kanıtladık. Ilımlı olmasına gerek yok.

İslam Bankaları: Kelantan'da yıllardır uyguladığımız İslami program, insanların kendine güvenini ve refah seviyesini artırdı. İslam bankaları açtık ve Kelantan'daki bütün Müslümanların paralarını buraya yatırmasını zorunlu kıldık. Bu bankada faiz uygulanmaz çünkü faiz haramdır.

Üç Odalı Evler: Yeni bir konut sistemi getirdik. Buna göre mimarlar her eve en az 3 oda yapmak zorunda. Biri ebeveyn için, biri erkek, biri kız çocuk için çünkü onların aynı odada kalması İslam'a aykırı.

Rehine Dükkânları: Üçüncü önemli sistemimiz rehine dükkânları. Örneğin buraya altın bileziğinizi bırakıp karşılığında bir miktar para alıyorsunuz. Paranız olduğunda gelip tekrar bileziğinizi alıyorsunuz.

Sigara Günahtır: Dördüncü hareketimiz Kelantan'daki sigara fabrikasını kapatmak oldu. Çünkü sigara içmek İslam'a aykırıdır.

Türban Zorunlu: Beşinci kural da devlet dairesinde çalışan bütün kadınların türban takması zorunlu. Vatandaşlar için bunu zorunlu kılmadık ama telkinlerde bulunuyoruz.

Müslüman Olsunlar: Şu anda direkt olarak gayrimüslim olan Çinli ve Hinduların üstünde çalışmıyoruz. Ama ben her hafta vaaz veriyorum, gayrimüslimlerin cenazelerine katılıyorum. Her yerde İslam'ın güzelliklerini anlatıyorum ki onlar da isteyerek Müslüman olsunlar.

İran Gibi Olmayız: İran'daki İslam yönetimini destekliyorum fakat onlar Şii, biz Sunni'yiz. İran gibi olamayız. Bizim finans desteğimiz kişisel bağışlar ve özel şirketlerden gelen bağışlar...

*Laiklik Dine Aykırı: Erbakan'ın davetlisi olarak gelip Atatürk Stadyumu'nda konferans vermiştim yıllar önce. Siz ilk Müslüman laik devletsiniz ve bunu **Mustafa Kemal Atatürk** yaptı. Bana göre Atatürk'ün yaptığı İslam dinine aykırı. İslam devleti laik olamaz. İslam ve politika iç içe olmalıdır. Çünkü Hz. **Muhammed** aynı zamanda devlet başkanıydı.*

AKP'Yİ Örnek Alıyorum: Ben burada, AKP'nin uyguladığı birçok stratejiyi örnek alıyorum. Yavaş ve derinden ilerliyorlar. Orduyla ve AB'yle dengeyi kuruyorlar, kimseyi fazla sinirlendirmiyorlar. Çok iyi düşünülmüş, diplomatik bir stratejileri var. Ben onlarınkini Hz. Muhammed'in diplomasisine benzetiyorum.

Tarihi Biliyorlar: Müslümanlar ve gayrimüslimler Hudeybiye Antlaşması'nı imzalarken, Hz Muhammed ilk önce "Bismillahirrahmanirrahim" kelimesini kullanmak istemiş. Fakat gayrimüslimler itiraz edince, antlaşma "Tanrı'ın adıyla" diye başlamış. İmzasını da "Muhammed Resulallah" diye değil, "Muhammed" olarak atmış. AKP bu tarihi biliyor, çok iyi özümsemiş ve aynı diplomatik yöntemi izliyor. Umarım Türkiye'de AKP sayesinde alevlenen İslam bilinci, laikliği yok eder.

Evet, bu satırlardan sonra soruyu yineleyelim:
Türkiye Malezya olur mu? Karar sizin!

* * *

Bu bölümü bitirirken mutlaka çok Partili Demokrasi'nin niçin kendini koruyamadığına, neden önce Liderler Oligarşisi'ne dönüştüğüne ve şimdi de neden Dinci Oligarşi'ye doğru yol aldığına bakmak gerekir.

İran ve Malezya'daki oluşumları değerlendirirken, kitabın başında açıkladığım İkinci Milliyetçi Cephe hükümetinin hazırladığı Devlet Planlama Belgesini de anımsamak gerekir. Türkiye'deki "Dinci Mühendislik" 1970'lerde resmi belgelere geçmiştir.

Yalnız hemen dikkatinizi çekmek istediğim bir nokta var:

Şu anda işleyen rejim, gerçek kurum ve kurallarıyla çalışan, Demokratik değerleri içselleştirmiş bir topluma ve bu nitelikli bireylere dayalı olarak geliştirilebilseydi, sistemi Dinci Oligarşi'ye kaydırmak çok da kolay olmazdı.

Ama Çok Partili sistem, önce yağma düzeni haline dönüştürüldü, sonra da Liderler Oligarşisi rejimi halini aldı.

Dolayısıyla bugünkü geçiş, gerçek bir Demokrasiden Dinci Oligarşi'ye doğru bir geçiş değil, zaten yağmacılıkla yozlaşmış bir düzenden, Liderler Oligarşisi rejiminden, Dinci düzene doğru bir geçiştir.

Yani toplum ve rejim, gerçek bir Demokrasi'den bir oligarşiye değil, bir oligarşiden öteki oligarşiye kayıyor.

Böylece geçiş, çok daha olanaklı, çok daha kolay oluyor.

Bu noktayı belirledikten sonra asıl toplumsal, ekonomik ve siyasal soruna bakabiliriz:

Çok Partili Düzen neden kendini koruyamadı ve gerçek bir Demokrasi'ye doğru evrimleşeceğine, bir yağma düzenine ve bir Liderler Oligarşisi'ne dönüştü; şimdi de bir Dinci Oligarşi'ye doğru kayıyor.

Türkiye'den başka hiçbir toplumda, yağmacı, Oligarşik eğilimli, dinci politikacılar yok mu?

Bu, Türkiye'deki politikacılardan kaynaklanan özel bir sorun mu?

Sevgili okurlarım, yoz politikacı sorunu Türkiye'ye özgü değil.

Demokrasiyle yönetilen bütün ülkelerde, yağmacı, Oligarşik eğilimli, dinci, yoz politikacılar var.

Ama bunların hiçbiri uzun dönemde egemenlik kuracak bir biçimde rejime egemen olamıyor.

Çünkü toplumu oluşturan bireyler, Demokratik değerleri içselleştirmiş; sistem böyle defoları uzun dönemde temizliyor.

Türkiye'deki sorun, bu yozlaştırma eğilimlerinin önünü kesecek Demokratik bir bilinç düzeyinin toplumu oluşturan bireylerde yeterince gelişmemiş olmasıdır.

Bu bilincin çok daha düşük olduğu 1950'lerdeki ilk yozlaşma tohumları böyle atılabilmiş, sonraları da bu nedenle gelişmiştir.

Zaten beni kaygılandıran, Dinci Oligarşi'ye kayışın tüm düzene egemen olduğu ya da olacağı yargısına yönelten temel neden de budur.

Yine de umut etmek istiyorum ki, toplumun Demokratik bilinci bu sorunu diyalektik etkileşimler sonucu aşacaktır.

17

Ne Yapmalı: Dinci Oligarşi'ye Doğru Kayışın Diyalektiği

Değerli okurlarım, bir sorunu çözmek için o sorunu oluşturan koşullara iyi bakmak ve onları ortadan kaldırmak gerekir.

Demokrasi adı altında bize dayatılan yağmacı Liderler Oligarşisi'ni artık tümüyle Dinci Oligarşi'ye dönüştürmek isteyenler, önceki bölümlerde de anlattığım gibi önce eğitime el atarak ve toplumu yeniden üretmeye çalışarak bu işe başladılar.

Ayrıca hem kayıtdışı, hem de hükümetin ve belediyelerin ellerindeki kamu fonları gibi çok büyük para kaynakları kullandılar.

Bu kaynaklar için, 11 Eylül'den sonra Türkiye'ye kayan Arap sermayesinin olanaklarını da devreye soktular.

Dünyada, İslamcı siyasal örgütlenmenin öncülüğünü yapan Müslüman Kardeşler'in modelini uyguladılar, mahallelere kadar inen bir örgütlenme düzeni gerçekleştirdiler.

İktidarda oldukları dönemde ülkenin yasalarını, yönetmeliklerini, devlet ve hükümet uygulamalarını bu düzenin gelmesini hazırlayan biçimde değiştirdiler.

Örneğin kaçak Kuran kurslarını ve tarikat yurtlarını kuranlar ve işletenler için öngörülen cezaları hafiflettiler veya kaldırdılar.

Din eğitimi alan çocukların yargıç, savcı, kaymakam, vali, emniyet müdürü olmalarının yollarını açtılar.

*　*　*

Tabii en önemlisi de bu işi, tedricen, yavaş yavaş, yedire yedire yaptılar.

Yılmadılar, usanmadılar.

Partileri kapatıldı, yeni parti kurdular.

Yine kapatıldı, yine yenisini kurdular.

Siyasal partilerin içinde ve dışında örgütlendiler.

Her türlü takıyyeyi yaptılar, her ödünü verdiler.

Her yere sızdılar.

*　*　*

Demek ki her şeyden önce mücadeleden yılmamak, çalışmak, çalışmak, yine çalışmak gerek.

Şimdi olayın bir de kuramsal yanına, diyalektik oluşumlara bakalım.

Çünkü unutmayalım ki her oluşum, zıddını da yaratır.

Bugünkü bunalımdan çıkmak Dinci Oligarşi oluşumunun diyalektiğini iyi anlamakla olanaklı olacaktır.

Dinci Oligarşi Oluşumunun Diyalektiği

Sevgili okurlarım, önce değerli Anayasa Profesörü **Mümtaz Soysal**'ın 1 Eylül günü *Cumhuriyet* gazetesinde yayınlanan "Rejimin Sarkaçları" başlıklı makalesindeki şu satırlara bir bakalım.

...Kemalist devrimin kendi karşıtını türetmeyeceğini düşünmek büyük hayalcilikti.

Karşı-devrimin önünü kesecek önlemlerin zamanında ve gereken kıvamda alınmamış olması da vahim bir gaflet.

Oysa, uyarılar hiç eksik olmamıştı: Düşünce olarak ve uçuşmaya başlayan çürüyüş sinekleriyle, kararan bulutlarla, öncü depremlerle.

Birazcık diyalektik elifbasıyla olup biteni anlamak ve anlatmak işten değildi; ama başarılamadı.

Daha da kötüsü, bu bilinçsizliğin şimdi de kötümserliğe ve yılgınlığa dönüşmüş olmasıdır:
Yenilmiştik, kaybetmişlik ve yeniden yenme, yeniden kazanma umudunu yitirme havası. Oysa, bir seçimle kaybedilen, büyük savaşın nihayet bir muharebesidir.
Savaş bitmedi, bitmez de.

Türk siyasal yaşanımda mutlakıyete karşı ilk kıpırdanış olan Birinci Meşrutiyet'ten bu yana çok belirgin bir sarkaç hareketi sezilir; özgürlükçülük ile istibdat, otoriterlikle serbestlik, devrimcilikle karşı-devrim arasında gidip gelen bir sarkaç gibidir Anayasalar ve yasal düzenlemeler.

Sarkaç şimdi, "bismillah" der demez başlatılan 'sivil' Anayasa değişikliği girişimiyle, karşı-devrim aşamasının ucuna kadar gitme yolunda.

Oraya kadar gidebilir mi?

Yanıt, son seçimdekiler de dahil, onu bu uca doğru iten hatalardadır.

Onlar akıllıca irdelenir ve Anayasa konularında iyi mücadele verilirse, sarkacı geri çevirmek kolaylaşacaktır."

* * *

Mümtaz Soysal'ın "Diyalektiğin elifbası"yla bakmak gerektiğini söylediği ve bir sarkaç hareketine benzettiği siyasal değişme ve gelişmeleri, geleceği kestirmek açısından bu yöntemle irdelemek gerekir.

Toplumsal Değişme Kuramları ve Türkiye Gerçeği adlı kitabımda, Türkiye deneyimini akılda tutarak azgelişmiş ülkeler için geliştirmeye çalıştığım "Değişme Modeli" çerçevesinde birbirini izleyen "ikili ideolojik dönemler" diye bir kavram oluşturmuştum.

Bu modele göre, yukarıdan aşağı yapılan devrimlerle değiştirilmeye çalışılan azgelişmiş ülke toplumları, diyalektik bir etkileşim içinde, birbirini izleyen "Kuruluş" ve "Değişme" dönemleriyle biçimleniyordu.

Bu ikili ideolojik dönemler sarmalında yer alan her "Değişme" dönemi, yerleşir yerleşmez, yeniden bir "Kuruluş" dönemi niteliğine kavuşuyor ve diyalektik olarak başka bir "Değişme" döneminin biçimlenmesine yol açıyordu.

Yani olay bir tepkiler ve karşı tepkiler biçiminde gelişiyordu.

Türkiye Cumhuriyeti'nin tarihsel yol haritasına baktığımızda bu "İkili ideolojik dönemler sarmalı"nın pek çok şeyi açıkladığına tanık oluruz:

Türkiye Cumhuriyeti'nin, feodal bir din-tarım imparatorluğundan çağdaş bir Ulus Devlet ve toplum biçimine geçişini hedefleyen devrimci "Kuruluş" dönemi, feodal yapının kıskacında tutsak kalmış ve bu kıskaçtan kurtulma şansını yakalayamamış geniş halk kitlelerini kötü yönlendiren politikacıların tepkilerine yol ve destek verildiği zamanlarda "Değişme" dönemlerinin ortaya çıkmasını engelleyememiştir.

Ama tabii her tepki, bir karşı tepkiye yol açmış, bu diyalektik sarmal, **Soysal**'ın dediği gibi bir sarkaç hareketiyle günümüze kadar gelmiştir.

Aşağıdaki özette de görüleceği gibi, her *tepki*, toplumu çağdaşlıktan saptırmaya yöneliktir.

Çünkü bunlar **Atatürk**'ün kurduğu Cumhuriyet'in Demokratik ve laik çizgide gelişmesini engelleyicidir.

Her *karşı tepki* ise toplumdaki Demokratik oluşumları destekler.

(Aman sevgili okurlarım, aşağıdaki satırların çok kalın çizgilerle yapılmış kaba bir kavramlaştırma özeti olduğunu unutmayın. Pek çok önemli ayrıntıyı, bu *şematik* yaklaşım içinde zorunlu olarak ihmal ettim. Amacım size, Atatürk Devrimlerinin yarattığı diyalektik *tepkileri* ve onların doğurduğu *karşı tepkileri* anımsatmak ve ileri doğru bakarken, olayların böyle de görülebileceğini hatırlatmak.)

* * *

Türkiye Cumhuriyeti'nin çağdaş niteliğine karşı *birinci* diyalektik değişme *tepkisi*, "dine saygılı olma" ilkesini benimseyen, Terakkiperver Cumhuriyetçi Fırka'yla gündeme gelir.

Devrimcilerin kendi iç hesaplaşmalarının da etkili olduğu bu siyasal oluşum **Atatürk**'ün cumhuriyetçiliği ile silah arkadaşları arasındaki görüş ayrılıklarını da gündeme getirir.

Bunun *karşı tepkisi*, **Şeyh Sait** isyanından sonra sıkıyönetim ilanı, partinin kapatılması ve Cumhuriyet devrimlerinin daha sıkı uygulanması biçiminde gelişir.

İkinci "Değişme" dönemi filizleri, Cumhuriyetçi Serbest Fırka deneyimi sırasındaki *tepkilerde* ortaya çıkar.

Atatürk'ün desteğiyle, Çok Partili Demokrasi'ye geçmek için 1930'da kurulan bu "muhalefet" partisi, geniş halk kitlelerinin desteğinin irticaya yönelmesi ve Cumhuriyet ilkelerini tehlikeye düşürmesi üzerine **Atatürk** karşı tavır alınca, (kapatılmamış) kurucuları tarafından terk edilmiştir.

Bu olayın *karşı tepkisi*, **Mustafa Kemal Atatürk**'ün bir yurt gezisine çıkması, CHP'nin yeni bir kimliğe kavuşturulması, devletçilik ilkesinin kabulü ve yeni ekonomik-toplumsal atılımların gündeme getirilmesi olarak biçimlenir.

* * *

Devrimci "Kuruluş Dönemi"nin *üçüncü* "Değişme Dönemi" dalgası, 1945 yılında Soğuk Savaş'ın başlaması ve **İsmet İnönü** tarafından Çok Partili Düzen'e geçilmesiyle filizlenmeye başlar.

Demokrat Parti'nin 1950'de iktidara gelmesiyle bu *tepki* dalgası on yıl Türkiye'ye egemen olur.

Bunun *karşı tepkisi* de 27 Mayıs 1961 askeri müdahalesi biçiminde ortaya çıkar.

27 Mayıs müdahalesi, bir yandan üç politikacıyı asarak Türk Demokrasi tarihinde leke bırakırken, öte yandan 1961 Anayasası'nın kabulüyle 1923'te kurulan Türkiye Cumhuriyeti'ne yepyeni bir "Sosyal Devlet" kimliği kazandırarak, onu tarihsel evrim çizgisinde bir üst aşamaya taşır.

27 Mayıs'ın yol açtığı devrimci "Kuruluş Dönemi"ne karşı *dördüncü* "Değişme Dönemi" biçimindeki diyalektik *tepki* dalgası, **Demirel** iktidarıyla 1965 yılından itibaren Türkiye'de çok ya-

vaş, âdeta hissedilmeyecek bir biçimde yükselir ve 12 Mart 1971 müdahalesiyle egemen olur.

Bunun diyalektik *karşı tepkisi* 1973 seçimlerinde **Ecevit**'in "Ortanın Solu" sloganının simgelediği CHP'nin, seçimlerden birinci parti olarak çıkmasıyla yaşanır.

Bu mücadeleden sonra, seçimlerden birinci parti olarak çıkan CHP'nin lideri **Ecevit**'in, **Erbakan**'ın MSP'siyle kurduğu hükümet, başbakanın "sosyal demokrat ideolojisi" ve Kıbrıs harekatı, yeni *tepkiyi* yani *beşinci* dalgayı, yani **Demirel** başbakanlığındaki Birinci ve İkinci Milliyetçi Cephe hükümetlerini üretir.

Türkiye bu dönemde Dinci Oligarşi oluşumlarının çok güçlendiği süreçlere tanık oldu.

Demirel'in **Erbakan** ve **Türkeş**'le kurduğu ortaklık, hem eğitimde hem güvenlikte tümüyle dincilerin ve milliyetçilik maskesi altında teröre yönelenlerin egemenliğine destek verdi.

Bir yandan İmam Hatip okulları yaygınlaştırılır ve Kuran kursları artırılırken, öte yandan normal eğitim, müfredat değiştirilerek dinselleştirildi.

Bugünkü Dinci Oligarşi egemenliğine doğru gidişteki en büyük ivmelerden biri bu dönemde yaşandı.

Beşinci dalganın diyalektik *karşı tepkisi,* 1977 seçimleri ve 1978'de kurulan **Ecevit** hükümeti olarak ortaya çıktı.

Ne yazık ki bu dönemde, soldaki goşist ve sağdaki faşist eylemler, cinayetler topluma egemen oldu; ülkede can güvenliği kalmadı.

Bu dönem, *altıncı* dalga olarak 12 Eylül 1980 darbesi ve darbenin devamında yine bu darbenin doğurduğu **Özal** iktidarı biçiminde bir *tepki* yarattı.

Türkiye'yi çok büyük ölçüde etkileyen ve bugünlerdeki Dinci Oligarşi oluşumlarının çok güçlenmesine yol açan en önemli, en derin ve belirleyici *tepki* buydu.

Altıncı dalganın diyalektik *karşı tepkisi* 1991 seçimleri sonunda kurulan DYP-SHP hükümeti olarak görüldü.

Tabii bu en zayıf, en etkisiz *karşı tepkilerden* biriydi.

Dolayısıyla, birtakım koalisyon denemelerinden sonra, 12

Eylül'ün belirleyici niteliklerinden güç alan çok etkili bir *tepkiye* daha, AKP iktidarına yol açtı.

Ne yazık ki diyalektik etkileşimde, *tepkilerin* ve *karşı tepkilerin* şiddetleri her zaman aynı veya birbiriyle orantılı olmuyor.

Çeşitli gelgitler ve bu gelgitlerin yansıması olarak kurulan koalisyonlar, bu dönemi simgeledi ve sonunda DSP-ANAP-MHP koalisyonu, *yedinci* dalga olan AKP iktidarını *tepki* olarak yarattı.

Şimdi **Erdoğan** hükümeti, bir "Değişme Dönemi" olarak ortaya çıkan AKP iktidarını bir "Kuruluş Dönemine" dönüştürmüş durumda.

Yani AKP iktidarı, aynen bundan önceki altı *tepki* dalgası gibi, Atatürk Devrimleriyle kurulan laik ve Demokratik bir rejimi, yeniden biçimlendirme çabası içinde.

Hiç kuşkusuz bu dönemin de bir diyalektiği, bir *karşı tepkisi* olacak.

Şu anda muhalefet tıkanmış görünüyor; muhalefetin tıkanması ise siyasetteki seçeneksizliği oluşturuyor.

Ama bu seçeneksizlik geçicidir.

Tarihsel ve toplumsal diyalektik, muhalefetteki tıkanmayı da siyasetteki seçeneksizliği de aşacaktır.

Ne denli güçlü olursa olsun, isterse dünya lideri Amerika arkasında olsun, Dinci Oligarşi oluşumları mutlaka Aydınlanmacı çağdaş Demokrasi karşısında yenik düşecektir.

Bu toplum bunu yaratacak güce sahiptir.

Dinci Oligarşi oluşumlarıyla mücadelede şu diyalektik ilkeyi hiç unutmayalım:

Karanlığın en koyu olduğu an, aydınlığa dönüşün başladığı andır.

Dinci Oligarşi Oluşumları Türkiye'yi Nereye Getirdi: Karanlık Korkusu

Uçurumun tam kenarındayız.

Korkulu ve umutsuz gözlerle aşağı bakıyoruz.

Aşağısı karanlık!...

Aşağıda kan ve gözyaşı var!

Aşağıda Ortaçağ karanlığının acımasız totaliter anlayışı egemen.

Birbirini gırtlaklayan, çarmıha gerilen, kazığa oturtulan, yakılan, işkence edilen insanların çığlıkları yukarı ulaşıyor.

Korkulu ve umutsuz gözlerle aşağı bakıyoruz.

Kan ve gözyaşı belleklerimizde.

Çığlıklar kulaklarımızda…

* * *

Biz o uçurumu, o karanlığı iyi biliriz.

Yeni çıkmışız aydınlığa oradan.

İç ve dış düşmanların iktidarına, fetvalarına, süngülerine, toplarına, tüfeklerine karşı savaşarak çıkmışız aydınlığa.

O uçurumun dibinde, bizi boğmak isteyen dünyanın zafer kazanmış dev ülkeleriyle birleşen Halifenin karanlık ittifakına karşın, kanımızı oluk oluk akıtarak ulaşmışız aydınlığa.

Can havliyle, son gücümüzü kullanarak çıkmışız o uçurumdan; çünkü son şansımızdı bu bizim!

Sadece kendi yazgımızı değil, dünyayı ve tarihin akışını da değiştirmişiz.

* * *

Evet, en sonunda kan ve gözyaşıyla kazandığımız aydınlığı barış içinde siyasallaştırmışız.

Siyasetin arkasına eğitimi ve hukuku koymuşuz, aydınlığı daha da aydınlık yapmak için.

Tam 22 yıl uğraşmışız o uçurumdan uzaklaşmak için.

Ama sonra, uçurumdan yukarı atılıp ayaklarımıza dolanan kementlerin bizi aşağıya doğru çekmesi, arkamızdaki güçlerin ise oraya doğru itmesi, ivme kazanmış.

Sürüklenmeye başlamışız o karanlığa doğru yeniden.

Yavaş yavaş; bir ileri, bir geri, bir ileri, bir geri…

* * *

Şimdi ise uçurumun tam kenarında duruyoruz:

Uçurumdan ayaklarımıza kement atan güçler, siyasetle birlikte, medyayı, sermayeyi, hukuğu ve eğitimi de ellerine geçirmiş.

Dış güçler birlik olmuş, aşağıdan atılan kementlere destek veriyor, bizi arkamızdan itiyorlar uçuruma doğru.

* * *

Şimdi tam uçurumun kenarındayız, direniyoruz.

Bu direniş ne kadar sürer?

Nasıl biter?

Bilmiyorum...

Karanlığın Diyalektiği

Sürekli okurlarım benim romantik ve iyimser tarafımı iyi bilirler.

Yukarıdaki satırlar bazı okurlarımın zihninde *"Emre Kongar da mı umutsuzluğa ve karanlığa teslim oldu?"* biçiminde bir soru işareti yaratmasın.

Hayır!

Asla!

Ben ne umudumu yitiririm, ne de karanlığa teslim olurum.

Zaten o satırları da umudumu yitirmediğim ve karanlığa teslim olmadığım için yazdım.

* * *

Belirttiğim gibi, her oluşum kendi zıddının da tohumlarını bağrında taşır; her iktidar kendi muhalefetini de yaratır.

Mustafa Kemal Atatürk'ün, Bağımsızlık Savaşı'nı kazanmış komutan gücüyle Anadolu insanına taşıdığı Aydınlanma Meşalesi de aynı süreçten geçecekti, geçiyor.

Aydınlanma Meşalesi, Ortaçağ'ın Dinci Oligarşi oluşumlarının karanlığına karşı insanlığın kan ve gözyaşıyla yaktığı bir ateştir.

Bilimden ve insan haysiyetinden beslenir.

Anadolu insanına bu ateşi, **Mustafa Kemal Atatürk** getirmiştir.

Bu ateş, Anadolu insanını aydınlatmaya başladığından beri (yani Cumhuriyet'in kuruluşundan bu yana) egemenliklerini karanlıklarda sürdürme alışkanlığında olan güçler onu söndürmek için ellerinden geleni yapıyorlar.

Misak-ı Milli sınırları içindeki topraklarımızın üzerindeki talepler de ayrılıkçı akımlar da şeriatçı özlemler de Emperyalist dış güçler de "**Atatürk** düşmanlığında" birleşiyorlar.

Oluşturdukları ittifakla bilime, adalete, eğitime, sermayeye, emeğe, laikliğe, Demokrasiye saldırıyorlar, çünkü **Atatürk**'ün yaktığı Aydınlanma Meşalesinin ışığına karşılar.

* * *

İkinci Dünya Savaşı'nın bittiği 1945 yılından itibaren ivme kazanan bu saldırılar, 60 yıl sonra bütün diyalektik etkileşimlere rağmen maalesef Türkiye'yi "uçurumun kenarına" getirmiştir.

Yukarıdaki satırlarda bu durumu saptamaya çalıştım.

Önümüzdeki uçurumun karanlığına dikkat çektim.

Diyalektik süreç durmaz.

Artık, karanlığın egemenliğine karşı aydınlığın muhalefeti ortaya çıkacak.

Emekçisiyle, sermayedarıyla, bilim insanıyla, yazarıyla, çizeriyle, politikacısıyla, sade vatandaşıyla, başta gençler ve kadınlar olmak üzere, Türkiye Cumhuriyeti vatandaşları, laik ve Demokratik sosyal hukuk devletinin yanında, **Atatürk**'ün önce Anadolu insanına sonra da tüm İslam dünyasına ve insanlığa armağan ettiği bu Demokratik Cumhuriyeti korumak ve geliştirmek için saf tutacağız.

Ne Oluyor?

Yüzde 46,6'lık AKP oyuyla sonuçlanan 2007 seçimleri pek çok kişiyi şaşırttı.

Oysa 2002 yılında yüzde 34 oy alan İktidar, 2004 belediye seçimlerinde oyunu zaten yüzde 42'ye yükselti çim çalışmalarını, üç yıldır belediyelerin de büyük desteğiyle yüz yüze temasa dayalı etkili taktik ve başarılı stratejilerle yürütmüştü.

* * *

İktidarın arkasındaki güçler şöyle sıralanabilir:

1) Uluslararası sermaye
2) Ulusal sermaye
3) ABD
4) AB
5) Uluslararası medya
6) Ulusal medya
7) Merkezi bürokrasi
8) Belediyeler
9) Tarikatlar ve cemaatler
10) Kuzey Irak Kürt yönetimi
11) Irak'ın Kürt kökenli Devlet Başkanı
12) Yunanistan
13) Kıbrıs Rum Yönetimi

* * *

İktidar, seçim taktiği ve stratejisi olarak da hem iki büyük gücü, dini ve parayı kullanmış hem de mağduru oynamıştır.

Ailelere doğrudan yapılan para ve mal yardımına ek olarak, uluslararası konjonktürün yardımıyla ve yüksek faizlerle alınan borçlarla Türkiye'ye büyük ölçüde sıcak döviz girmiş, özelleştirmeye ek olarak borçlanma artmış, sonuçta Türkiye, üretimini yok etme bahasına, elindekini satıp savan ve borçlanarak yaşayan bir mirasyedi savurganlığının geçici sarhoşluğuna yakalanmıştır.

* * *

İşin bir de muhalefet tarafı var:

DYP-ANAP birleşmesinin fiyaskosu orta sağ oyları iktidara yöneltmiş, CHP'nin hem kapılarını hem de yüreğini halka kapatan tutumu, sol oyların sandıkta varlık göstermelerini engellemiştir.

* * *

Bu genel manzara karşısında iktidarın niçin ve nasıl yüzde 46,6 oranına eriştiğine değil, niçin ve nasıl daha fazla oy alamadığına şaşırmak gerekmez mi?

* * *

Bu gerçekler karşısında "Ne yapmalı" sorusunun yanıtına ışık olarak bir okur mektubundan aldığım, önce teşhise sonra da tedaviye ilişkin şu satırları sizlerle paylaşmak istiyorum.

Önce teşhis satırları:

...Televizyonda gençlerin CHP'de kimsenin onlarla ilgilenmediğini söylediklerini belirttiniz.

Haklılar...

Ben ... uzmanı bir hekimim, ... ilinde çalışıyorum.

...CHP yöneticileriyle sık sık aynı ortamda oluyorum.

İl başkanı ... ile defalarca konuşma şansım oldu. Defalarca, bir şeyler yapabilmek, en azından toplantılara gitmek, sağlık konusunda konuşma yapmak, halkı bilgilendirmek gibi işlerde yardımcı olabileceğimi söylememe karşın benden yardım istenmedi.

Bırakın bunları, "İstediğiniz kişileri muayenehaneme gönderin ilgileneyim" dedim. Buna bile yanıt gelmedi.

Çevremde tanıdığım birkaç iş sahibi, varlıklı insan da aynı şekilde yardım edebilecekleri konuları ve yolları sormuşlar, fakat onlar da benim gibi yanıtsız bırakılmışlar...

Onlar neden kazandı ve neden çok oy aldı demeden önce biz neden yitirdik ve az oy aldık diye kendimize sormalıyız...

...Gericiliğe, ortaçağ zihniyetine ve Emperyalizme alter-

natif olacak sol bir programı oluşturmakta herhalde geciktik.

Ayrıca, buralarda insanlar, eğitimsiz ve doldurulmuş vaziyette sol ve CHP'ye karşı cepheleştiriliyorlar.

Din kisvesi altında sermaye güçlendiriliyor.

Yine aynı okurun mektubundan, şimdi de tedavi yöntemi satırları:

> *...Sanırım, artık planlı programlı olarak çocukları eğitmek, okutmak, yurtlara almak ve bilinçli birer yurttaş olarak yetiştirmek için para harcama vaktimiz çoktan geldi de geçiyor bile...*
> *Ben kişisel olarak artık bir şeyler yapacağım.*
> *Konuşacağım, örgütleyeceğim, insanları uyaracağım.*
> *Gerekirse bu konuda yoldaş gördüklerimle birleşeceğim.*
> *Birbirimizi güçlendireceğiz, büyüyeceğiz.*
> *Ancak böyle, geri gidişe dur diyebiliriz...*

İşte Dinci Oligarşi oluşumlarına karşı mücadelenin bireysel psikolojisi bu olmalıdır.

Türkiye'de böyle insanların milyonlarca olduğuna inanıyorum.

Cumhuriyet Mitinglerinde Meydanları Kim Doldurdu?

Sevgili okurlarım, sakın yukarıdaki satırlarımın fazla iyimser olduğunu düşünmeyiniz.

Türkiye Cumhuriyeti vatandaşları arasında milyonlarca, "Demokratik, laik ve sosyal bir hukuk devletini" benimsemiş çağdaş insan var.

Sadece (bütün başarısızlıklarına karşın bu değerlere bağlı olduğu bilinen) CHP'nin son seçimlerde aldığı oy yedi milyonun üzerindedir.

AKP de dahil, başka partilere oy verenlerin doğrudan Dinci

Oligarşi oluşumlarının destekçileri olduğunu düşünmek de Türkiye Cumhuriyeti seçmenlerini yanlış değerlendirme anlamını taşır.

* * *

Hemen seçimlerden önce, **Abdullah Gül**'ün Cumhurbaşkanlığı adaylığı açıklandığında, bunu protesto etmek için meydanları dolduran milyonları anımsarsınız.

Önce Ankara'da, sonra İstanbul'da, İzmir'de meydanları dolduran bu insanlar kimlerdi?

Öncelikle kadın ve genç ağırlıklı halktı onlar:

Demokratik, laik ilkelere, kısacası Cumhuriyet'in değerlerine bağlı olan, bu değerlere sahip çıkan halktı.

Özgürlüklerini, yaşam biçimlerini, rejimi korumak isteyen halktı.

O mitinglerin sosyolojisini iyi anlamak gerek.

Katılanların önemli bir kısmı yaşamları boyu hiçbir mitinge gitmemiş, hiçbir siyasal gösteriye katılmamış kişilerden oluşuyordu.

Miting örgütlenmelerinin ardında ne bir sendika, ne bir siyasal parti vardı tek başına.

Atatürkçü Düşünce Derneği, Çağdaş Yaşamı Destekleme Derneği gibi saymakla bitmeyecek kadar kalabalık sivil toplum örgütlerinin desteğinde yapılmıştı.

2007 seçim sonuçları, ne bu sonuçlardan düş kırıklığına uğrayan insanları yok etmiştir, ne de onların düşüncelerini.

Siz bakmayın Dinci Oligarşi oluşumlarını destekleyenlerin kopardıkları gürültüye.

Hiçbir seçim sonucu, iktidara gelenleri, sırtlarındaki yolsuzluk dosyalarından, yaptıkları iç politika ve dış politika yanlışlarından aklayamaz.

Hiçbir seçim sonucu, iktidarın bütün politikalarının bütün seçmenler tarafından onaylandığını gösteremez.

Hiçbir seçim sonucu, bırakın yüzde 53 gibi bir çoğunluğu, yüzde 1 bile azınlıkta kalsa, muhalefet hakkını, kimi konulardaki haklılığını, doğruluğunu ve bunlar için mücadele hakkını, özgürlüğünü ortadan kaldıramaz.

Hiçbir seçim sonucu, tarihe, topluma, bilime ters olan yönetimin uzun süre iktidarda kalmasını sağlayamaz.

Evet, tehlike büyüktür.

Çünkü iktidara gelenler, bütün bu kitap boyunca anlatmaya çalıştığım gibi eğitimi, örgütlenmeyi, parayı, dış güçleri ve dini inançları kullanarak, istismar ederek, iktidarlarını pekiştirecek, bir dahaki seçimleri de kazanmalarını sağlayacak ortamı hazırlıyorlar.

Daha ileri gidebilir, rejimi, kendi iktidarlarını sürdürmek uğruna iyice eğip bükerek, tamamen yozlaştırabilirler.

Arkalarındaki iç ve özellikle dış destekler, çok, hem de çok güçlüdür.

Ama olsun, insan haysiyeti, bireylerin özgürlüğü, laik ve Demokratik değerler mutlaka ve mutlaka galip gelecektir.

Belki acılı süreçler yaşanacak, belki özgürlüğün bedeli ağır olacaktır.

Ama hangi özgürlükler insanlığa, Türkiye'de olduğu gibi tepeden inme gelmiş, hiçbir bedel ödenmeden kazanılmıştır?

İşte şimdi bireysel haklarımızın, toplumsal özgürlüklerimizin, insan haysiyetinin korunması için bedel ödemek zamanıdır.

*　*　*

Ben halka, seçmene, özellikle Cumhuriyet mitinglerinde meydanları dolduranlara güveniyorum.

Özellikle kadınlara güveniyorum.

Özellikle gençlere güveniyorum.

Özellikle Demokrasiye inanan her yaştaki Atatürkçü kuşaklara güveniyorum.

Çünkü onlar, bu feodal, dinci (dindar değil), erkek egemen kültürde, ezilen kesimlerdir.

Halka, seçmene güvenimi hiç yitirmedim.

Siz bakmayın örtünen, tesettüre giren evlatlarımızın, kardeşlerimizin sayısına.

Acaba onların kaçı kendi özgür iradesiyle örtünüyor?

Kaçı, evlendiklerinde veya erişkinliğe geçtiklerinde dayakla, zorlamayla veya sessiz ama etkin bir aile ya da "Mahalle Baskısı'yla" örtünüyor?

Kaçı, eğitim gördükleri yerlerde beyinleri yıkanarak?

Kaçı, inandığı için, kaçı ekonomik çıkarlar için?

Bu soruların doğru yanıtlarını, kadını baskı altında tutan, onu ikinci sınıf vatandaş olarak gören, küçük çocukları daha kişilikleri gelişmeden örtünmeye alıştıran baskıcı erkek egemen bir feodal kültürde araştırsanız da bulamazsınız.

Ancak görerek, yaşayarak, gözlemleyerek, bu trajedileri hissederek anlayabilirsiniz.

Dinci Oligarşi'ye Kayış Nasıl Engellenebilir?

Sevgili okurlarım, her diktatörlükte Demokratik tohumlar, her Demokraside diktatörlük heveslileri vardır.

Hele hele bizimki gibi çarpık, eksik, toplumsal, ekonomik ve kültürel temelleri çok zayıf olan bir "sözde Demokrasi", her türlü "Antidemokratik" ögeyi, fazlasıyla bağrında barındırır.

* * *

Türkiye'deki Dinci Oligarşi eğilimleri de, adına "Demokrasi" diyerek büyük ölçüde kendimizi aldattığımız eksik, özürlü ve yoz; "Çok Partili Düzenimiz" içindeki feodal (feodal olduğu için de doğal olarak dinci –dindar değil–) kalıntıları ve Liderler Oligarşisi sistemini, uluslararası konjonktürün de yardımıyla kullanarak gelişmektedir.

* * *

Dinci Oligarşi'nin bu gelişmesi, kaçınılmaz bir biçimde toplumda zaten var olan (ve hatta bir süre kendini iktidar sanan) laik ve Demokratik ögelerin bilincini diyalektik olarak yükseltecek, bu ögelerin etkinliğini artıracaktır.

* * *

Nitekim bu gerçeğin farkında olan Dinci Oligarşi taraftarları, mevcut diyalektik oluşumları engellemek için sadece görünüşte uzlaşmacı gibi olan bir tutumu uygulamaya koymuştur.

Böylece kendilerine karşı oluşacak olan laik ve Demokratik tepkileri önlemeyi, önleyemezlerse de, azaltmayı umut etmektedirler.

Diyalektiğin doğal sonucu olarak oluşacak tepkilerin, Dinci Oligarşi'ye kayışla etkili bir mücadelesini ve sonunda başarısını sağlamak için, bu oluşumların ülkemizdeki sahte (ya da sözde) Demokrasiyi, gerçek Demokrasi haline dönüştürecek bir bağlamda desteklenmeleri gerekmektedir.

* * *

Yapılacak işleri, mücadele alanlarını kalın çizgileriyle ve kısaca şöyle özetlemek olanaklıdır:

* * *

1) Sınıfsal olarak:
Demokrasinin temelini oluşturan iki çağdaş sınıfın, sermayedarların ve emekçilerin, ekonomik gücü ve Demokrasi bilinçleri geliştirilmelidir.

Uluslararası konjonktürün Türkiye'ye taşınmasını sağlayan Küreselleşme, emekçilerin güçlenmesine karşı dururken, sermaye sınıfının güçlenmesine taraftardır.

Buna karşılık AB standartlarında bile emekçi sınıfların lehine olan ilkeler ülkemizde de kullanılabilir ve geliştirilebilir.

Nitekim DİSK gibi Türk-İş gibi işçi kuruluşları Türkiye'den çok önce Avrupa Birliği'ne girmişlerdir.

Bu kuruluşlar, Avrupa'nın uluslararası işçi örgütlerinde aktif üye olarak görev yapmakta, işçi haklarını savunmaktadır.

Sermaye sınıfına gelince, bu sınıfın liderleri için Dinci Oligarşi'nin oluşturduğu tehdit çok daha büyüktür.

Her ne kadar bu sınıf, ekonomik çıkarları uğruna (ki bu son derece haklı ve doğru bir gerekçedir; sermaye sınıfı ekonomik çıkarlarından başka neyi düşünecektir ki) ve büyük bir bilinç yoksunluğuyla Dinci Oligarşi oluşumlarını destekliyor gibi görünse de, son tahlilde bu gelişmelerin kendisi için oluşturduğu büyük tehdidi fark edecektir.

Bu sınıfın lideri konumumda olanlar, kısaca "büyük sermaye" dediğimiz kesim, Dinci Oligarşi oluşumlarının, Türkiye'ye kayan Arap sermayesinin ve sıcak paranın da getirdiği olanakları kullanarak, haksız rekabet yoluyla kendilerini güçsüzleştirdiğini, ter ve gözyaşıyla oluşturdukları şirketlerinin haksız ve adaletsiz uygulamalarla el değiştireceğini göreceklerdir.

Zaten tarihsel olarak, Demokratik ve laik rejimin kurucuları arasında yer alan bu sınıf, Türkiye'nin özel koşullarından kaynaklanan iktidarın ekonomik ve mali gücüne karşın, Dinci Oligarşi oluşumlarına karşı varlığını korumak için direnmek zorunda kalacaktır.

* * *

2) Siyasal olarak:

Demokratik iradenin oluşmasını engelleyen, Liderler Oligarşisi'ne yol açan siyasal partiler yasasının değiştirilmesi için çalışılmalıdır.

Adaletsiz temsile yol açan yüzde on barajı gibi, seçim çevrelerindeki seçmenlerin farklı ağırlıkta oy sahibi olmaları gibi birçok saçma sapan hükmü içeren seçim yasasının değiştirilmesi için mücadele edilmelidir.

Dinci Oligarşi'yi destekleyenlerin ardına sığındığı dokunulmazlığın kaldırılması sürekli gündemde tutulmalı, bu ilkeden hiç vazgeçilmemelidir.

Başta ihale sistemi olmak kaydıyla merkezi hükümetin ve belediyelerin tüm işlemleri mutlaka şeffaflaştırılmalıdır.

En önemlisi de yeni Anayasa çalışmaları çerçevesinde, 1982 Anayasası'ndan bile geri bir Anayasa oluşturulmasına siyasal olarak karşı çıkılmalıdır.

* * *

3) Hukuksal olarak:

Tabii bu paragrafa da yeni Anayasa çalışmaları bağlamında bu çalışmalar mutlaka denetlenmeli ve etkilenmelidir diyerek başlıyorum

Çünkü Anayasa sorunu hem siyasal hem de hukuksal bir konudur.

Benim korkum, gerçekten kötü bir Anayasa olan ve değiştirilmesi gereken 1982 Anayasası'nı bile aratacak ve kapıları Dinci Oligarşi'ye açacak bir Anayasa hazırlanması ve kabul edilmesi korkusudur.

Tabii hem yeni Anayasa çalışmaları bağlamında, hem de mevcut yasalar, yönetmelikler ve uygulamalar açısından hukuk alanında gerçekleştirilmesi gereken çok iş vardır.

Yargı erkinin siyasetten tamamen bağımsızlaştırılarak Demokratik, laik ve sosyal bir hukuk devletinin güçlendirilmesine çalışılmalıdır

Örneğin Hâkimler ve Savcılar Yüksek Kurulu'ndaki Bakan ve Müsteşar'ın kuruldan çıkarılması sağlanmalıdır.

Örneğin yargıçların denetimi ve özlük haklarının sağlanması, Adalet Bakanlığı'nın yetkisinden çıkarılmalı, Yüksek Hâkimler ve Savcılar Yüksek Kurulu'na verilmelidir.

AB'ye uyum yasaları çerçevesinde Arap saçına döndürülen ve ülkeyi daha güvensiz hale gelen Ceza ve Ceza Muhakemeleri yasası yeniden gözden geçirilmelidir.

Yargılama sürelerinin kısaltılması, yargı erkinin teknolojik ve lojistik olarak desteklenmesi, savcı ve yargıçların hem çalışma koşullarının hem de maddi olanaklarının iyileştirilmesi gerekir.

Tabii bütün bunları yaparken, yargı erkini kısıtlayıcı, Dinci Oligarşi oluşumlarının siyasal etkilerini artırcı hükümlerden özenle kaçınmak gerekir.

Hiç unutulmaması gereken bir ilke olarak da, hukuksal ve idari açıdan kamu hizmeti verilen alanların kesinlikle dinsel ve mezhepsel simgelerden arındırılması gerektiğini belirtmeliyim

* * *

4) Eğitimsel olarak:

Milli Eğitim müfredatı yeniden ele alınmalı, çocuklarımızın dogmatik, hurafelere dayalı çağ gerisi bir eğitim görmeleri engellenmelidir.

Mesleki eğitim sadece İmam Hatip okulları bağlamında değil, Küreselleşen dünyada Türkiye'nin rekabet gücünü artıracak bir biçimde yeniden planlanmalıdır.

Örgün ve yaygın eğitim, tarikatların, tarikat yurtlarının elinden kurtarılmalıdır.

Kuran Kursları gibi yaygın eğitim alanları dogmatik dinci etkilerden arındırılmalı, yasal olmayan kurslara müsamaha edilmemelidir.

Halk eğitimi, yetişkinlerin gerçekten yeni bilgi ve beceriler elde etmesine yönelik, çağdaş dünyaya ve teknolojiye uyum sağlamalarını gerçekleştirecek bir yapıda yeniden düzenlenmelidir.

* * *

5) Örgütsel olarak:

Demokratik çizgide muhalefet yapan partilerin, kapılarını halka açmaları, onun gücünden yararlanmaları mutlaka sağlanmalıdır

Bu partilerin, kadın ve gençlik kollarını aktif olarak devreye sokmaları, ev ev, mahalle mahalle çalışma yapmaları için gerekli bütün baskılar oluşturulmalıdır.

Cumhuriyet değerlerini, laik ve Demokratik düzeni benimsemiş olan sivil toplum örgütleri desteklenmeli ve yenileri kurulmalıdır.

Bütün bu konulardaki çabaların eşgüdümü, en azından bir siyasal parti bağlamında, olanaklı ise Dinci Oligarşi karşıtı tüm muhalif partiler için de sağlanmalıdır.

Halkın siyasete, siyasal partilere örgütsel düzeyde özgürce katılımı sağlanmalı, bunu engelleyen her kim olursa olsun görevine son verilmesi için çalışılmalıdır.

Birey Olarak Neler Yapabiliriz?

Şimdi diyebilirsiniz ki, *"İyi güzel de, bütün bunları yapmak için para ve güç gerekir. Siyasal olarak iktidarda olmak gerekir. Bizim birey olarak, sokaktaki insan olarak bunlara gücümüz nasıl yetecek?"*

Aslında hepimizin birey olarak yapabileceğimiz çok şey var.

Unutmayın ki Demokrasi sorunu çok çabuk, mucizevi bir biçimde, derhal çözülmez.

Bu bir süreçtir; uzun, acılı, nankör!

* * *

Burada, çok tehlikeli olan bir tutum ve davranış hakkında bir uyarıda bulunmak istiyorum:

İstemediğimiz ya da beklemediğimiz toplumsal olaylar karşısında küsmek, içine kapanmak, toplumsal etkileşimi reddetmek son derece yanlış, hem bireye hem topluma zarar veren, hastalıklı, *depresif* bir tepkidir.

Çünkü çaresizliği vurgulayan bu tutum ve davranış sonradan, *kabule ve boyun eğmeye* yol açar.

Esas olarak, kabul ve boyun eğme üç aşamalı bir tutum ve davranıştır.

Birinci Aşama isyandır.

Beklemediğimiz ya da onaylamadığımız seçim sonuçları, cinayetler gibi toplumsal olaylar karşısında önce isyan ederiz.

Kızarız, öfkeleniriz, tepki veririz.

İkinci Aşama küsmektir.

Kızdığımız, beklemediğimiz, onaylamadığımız toplumsal bir olay ya da bir sonuç karşısında, birey olarak kendimizi güçsüz görürüz.

Benliğimize bir yenilmişlik duygusu egemen olur.

Kendimizi dışlanmış, haksızlığa uğramış ve çaresiz hissederiz.

Bunun sonucunda topluma küseriz.

Gazete okumayı, televizyon seyretmeyi reddederiz.

Kendimizi çevremizden, olaylardan soyutlarız.

"Bu ülkede yaşanmaz" demeye başlarız.

İçimize kapanırız.

Böylece mücadele etmekten, tepki vermekten vazgeçeriz.

Edilgen hale geliriz.

Üçüncü Aşama kabuldür.

Önce kızmış, *isyan etmiş,* sonra da küsüp içimize kapanmışızdır ama yaşam durmaz.

Hem bireysel yaşam, hem toplumsal yaşam sürer, sürmek zorundadır.

Yaşamın devam etmesi, günlük hayatın gerekleri, bizi yeniden hayata döndürür.

Ama artık o geriye dönüş, mücadeleden vazgeçmiş, edilgenleşmiş bir nitelik taşır.

Mevcut koşulları kabul etmiş, her türlü sonuca ve yeni yapıya uyum sağlamışızdır.

Başta bizi *isyan ettiren,* kızdıran, *küstüren* olayları *kabullenmiş,* onları olağan saymaya başlamış ve böylece *boyun eğmişizdir.*

İşte sevgili okurlarım, bizi kızdıran, şaşırtan, öfkelendiren olaylar veya sonuçlar karşısında küsmek, içine kapanmak, mücadeleden vazgeçmeye, sonuç olarak da bir boyun eğmeye yol açacağı için son derece yanlış ve tehlikelidir.

Hayır, küsmeyeceğiz, içimize kapanmayacağız

Başımıza ne gelirse gelsin, kendi sorumluluğumuzdan kurtulmak için başkalarını suçlayarak, geri çekilmeyeceğiz.

Özgür ve bağımsız bireyler olarak, toplum bizi ne denli baskılarsa baskılasın, ona boyun eğmeyeceğiz.

Bu uyarılardan sonra artık neler yapabileceğimize bakabiliriz.

* * *

Hiçbir karşılık beklemeden, iğneyle kuyu kazacağız:

Sorunların bizim çabalarınızla çözüleceğine inanacağız.

Sabırlı olacağız.

Yılmayacağız.

Çalışacağız, çalışacağız, yine çalışacağız.

Sonuç alamadığımızda küsmeyeceğiz, bıkmayacağız, içimize kapanmayacağız, yine çalışmaya devam edeceğiz.

* * *

Kendimizi yetiştireceğiz.
Olanaklı olduğu ölçüde iyi bir eğitim almaya çalışacağız.
Girdiğimiz işte, uyguladığımız meslekte başarılı olacağız.
Çevremiz tarafından sevilmek, sayılmak için çalışacağız
İyilik yapacağız.

* * *

Ülkemizi ve dünyayı yakından izleyeceğiz.
Gazete, kitap okuyacağız.
Kitle iletişim araçlarıyla etkileşime gireceğiz.
Yazarlara, televizyonculara, yöneticilere tepkilerimizi iletece-
ğiz.
Politikacılara ulaşacağız, onları denetleyecek ve etkileyeceğiz.

* * *

Demokrasiyi önce kendi ailemizde uygulayacağız.
Erkek egemen feodal kültürün kölesi olmayacağız.
İster erkek olalım ister kadın, eşimize eşit, adil ve demokratik
bir biçimde davranacağız.
Çocuklarımıza, sevgiyi, güveni ve disiplini hep birlikte, bir
denge içinde vereceğiz; onları demokrat, özgürlükçü, kişilikli bi-
reyler olarak yetiştirmeye çalışacağız.
Çocuklarımıza kişilik haklarını öğreteceğiz; bu hakların, başka
kişilerin haklarıyla sınırlı olduğunu anlatacağız.
Demokratik ilkeleri sadece ailemizde değil, okulda, işyerin-
de, dostlar arasında, mahallemizde, her yerde savunacağız; kendi
davranışlarımızla da örnek olmaya çalışacağız.
Bizim gibi Demokrasiye inananlarla, dayanışma içinde olaca-
ğız.
Demokrasiye inanmayanları güzellikle ikna etmeye çalışaca-
ğız.
Örgütlü olacağız.
Yüz yüze teması olan küçük gruplar kuracağız.
İnternette haberleşme ve etkileşim grupları oluşturacağız.

Sivil toplum örgütlerine girecek veya böyle örgütler kuracağız, buralarda aktif olacağız.

Küçük ya da büyük birikimler oluşturup yoksullara, hastalara, yaşlılara, özürlülere, muhtaçlara yardım edeceğiz, çocuk okutacağız.

Önce yakın çevremizi, sonra uzak çevremizi eğitmeye, etkilemeye çalışacağız.

Sahip olduğumuz bilgi ve becerilerden, mesleğimizden, başta yoksullar ve muhtaçlar olmak kaydıyla herkesi yararlandırmaya çalışacak, gerekirse gönüllü hizmet vereceğiz.

* * *

İş hayatına, özel teşebbüse gireceğiz.

Devlete gireceğiz.

Siyasete gireceğiz.

Sadece ulusal düzeydeki değil, yerel düzeydeki siyasete de ağırlık koymaya çalışacağız, genel merkezler ve hükümet kadar, il ve ilçe örgütlerini ve belediyeleri önemseyeceğiz, buralarda görev almaya çalışacağız.

Girdiğimiz her yerde, toplumda, ekonomide, kültürde, eğitimde, sağlıkta, yaşamın her alanında yükselmeye, etkin ve başarılı olmaya çalışacağız.

* * *

Bireysel ve toplumsal hak ve özgürlüklerimiz konusunda duyarlı olacağız, onlardan ödün vermeyeceğiz.

"Mahalle Baskısı"na boyun eğmeyeceğiz.

Kadın haklarına inanacağız, onları geliştirmek için çalışacağız.

Gençlerimizi seveceğiz, onlara değer vereceğiz, sadece bilgilerini değil, kişiliklerini de geliştirmeleri için onlara maddi, manevi destek olacağız.

* * *

Bütün bunları yaparken hiçbir karşılık beklemeyeceğiz.

İnsanların kimlik duygularına ve mukaddes değerlerine saygılı olacağız: Hiç kimseyi ve tabii dindarları, müminleri de rahatsız etmeyeceğiz.

Yaptıklarımızı önemseyeceğiz, hiçbir sonuç alamasak bile devam edeceğiz.

Çabalarımızın boşa gittiğini düşünmeyeceğiz.

Yapıklarımızın okyanustaki bir damlacık kadar bile etki yaratmasının çok zor olduğunu bileceğiz ama okyanusların da bu damlacıklardan oluştuğunu hiçbir zaman unutmayacağız.

* * *

Ülke sorunlarının asıl çözüm yerinin siyaset sahnesi olduğunu hiç aklımızdan çıkarmayacağız.

Siyasetten korkmayacağız, aşağılık görmeyeceğiz.

Siyaseti, yağmacı politikacıların, kişisel çıkarlarını ülke çıkarlarının önüne koyan üç kâğıtçıların, genel başkan yalakalarının, diktatör yöneticilerin, mukaddes din duygularımızı istismar edenlerin elinden kurtaracağız.

* * *

Sevgili okurlarım,

Yukarıdaki liste çok mu uzun?

Çok mu zor?

Çok mu hayalci?

Hiç sanmıyorum.

Çünkü laik ve Demokratik rejimi korumak için yapacaklarımız ile kişisel gelişim ve başarı için yapacaklarımız birbirine koşut.

Bunları gerçekleştirmek için çalıştığımızda hem daha mutlu ve başarılı olacağız, hem de toplum daha Demokratik nitelik kazanacak.

Unutmayalım ki, tarih boyunca, haklı ve doğru düşünceler kadar güçlü hiçbir kuvvet görülmemiştir.

Her devrim hayallerle başlar, umutlarla sürer.

Umudumuzu yitirmeyelim.

Bitirirken...

Sevgili ve değerli okurlarım, yukarıdaki satırlarla Demokrasimizle yüzleşmeye çalıştığım bu kitabın da sonuna geldim.

Bir kitabı, bir makaleyi bitirmek benim için hiçbir zaman bir tatmin noktası olmadı.

Tam tersine, tedirginlik kaynağı oldu.

Kamuoyunun, okurların karşısına çıkmak büyük bir sorumluluk.

Kitabı bitirirken tam bu noktada, Demokrasiyle ilgili çok önemli bir bireysel ilkeyi sizlerle paylaşmak istiyorum:

Demokrasinin çok basit bir uygulama ilkesi vardır: *"Başkalarına, bize karşı davranılmasını istediğimiz gibi davranmak!"*

Ya da bu ilkeyi olumsuz bir cümle ile ifade edebiliriz: *"Bize yapılmasını istemediğimiz davranışları, başkalarına yapmamak!"*

Bu ilkeyi içselleştirebilirsek, özümleyebilirsek Demokrasi'nin pek çok sorununu da kolaylıkla çözebilir ve ülkemizi daha kolay yaşanabilir bir hale getirebiliriz sanıyorum.

ekongar@cumhuriyet.com.tr

Dizin

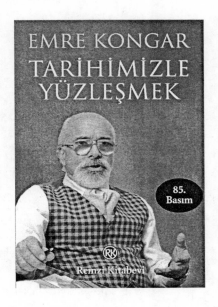

EMRE KONGAR
TARİHİMİZLE
YÜZLEŞMEK

85.
Basım

Remzi Kitabevi

- Türkler isteyerek mi Müslüman oldular?

- İslama laikliği kimler getirdi?

- Osmanlı'da inançları yüzünden kimler yakıldı?

- Ermeni trajedisi bir soykırım mıdır?

- Abdülhamit: "Kızıl Sultan" mı, "Ulu Hakan" mı?
  Vahdettin "hain" miydi?

- Askerler siyasette ne tür tarihi roller
  oynamıştır?